afgeschreven

D0231405

Sophie Jordan

Ziel van vuur

Blossom Books

NUR 285/GGP021201
© MMXII Nederlandse editie: Blossom Books
© MMX Sophie Jordan
First published by Harper, an imprint of HarperCollins*Publishers*
Oorspronkelijke titel: *Firelight*
Nederlandse vertaling: Annemarie Dragt
Omslagontwerp: Jeroen Murré
Opmaak omslagbelettering: Titia Seveke
Opmaak binnenwerk: Studio L.E.O.

Blossom Books is een imprint van Uitgeverij Kluitman Alkmaar B.V.
Blossombooks.nl

Voor mijn eigen Catherine

Als je eenmaal hebt ervaren wat vliegen is, zul je altijd
rondlopen met je ogen gericht op de hemel, want daar ben je
geweest en daar zul je altijd naar terugverlangen.

- Leonardo da Vinci

1

Ik kijk uit over het stille meer en ik weet dat ik het risico wil nemen.

Het water is rustig en rimpelloos. Zo glad als een spiegel. Geen zuchtje wind verstoort het donkere oppervlak. Laaghangende nevels glijden van de bergen, die afsteken tegen de purperen lucht. Een gretige zucht komt over mijn lippen. De zon kan ieder moment boven de horizon verschijnen.

Azure komt gejaagd aanrijden. Ze neemt niet de moeite om de standaard te gebruiken. Haar fiets klettert naast de mijne op de grond. 'Hoorde je me niet roepen? Je weet toch dat ik niet zo hard kan fietsen als jij.'

'Ik wilde dit niet missen.'

Eindelijk gluurt de zon over de bergen heen, in een dunne roodgouden streep boven het donkere meer.

Naast me ademt Azure diep in en ik weet dat ze hetzelfde doet als ik: ze stelt zich voor hoe het vroege ochtendlicht op haar huid zal aanvoelen.

'Jacinda,' zegt ze, 'we moeten dit niet doen.' Maar ze klinkt niet erg overtuigd.

Ik duw mijn handen diep in mijn broekzakken en wieg heen en weer op de ballen van mijn voeten. 'Jij wilt hier net zo graag zijn als ik. Kijk toch naar die zon!'

Voor Azure nog meer bezwaren kan inbrengen, stroop ik mijn kleren van me af. Ik verstop ze achter een struik en loop naar de rand van het water. Ik sta te trillen, maar niet door de bijtende kou van de vroege ochtend. Ik huiver van opwinding.

Ook de kleren van Azure komen op de grond terecht. 'Dit gaat Cassian niet leuk vinden,' zegt ze.

Ik werp haar een dreigende blik toe. Alsof het mij iets uitmaakt wat hij denkt. Hij is mijn vriendje niet. Ook al deed hij gisteren een verrassingsaanval tijdens Ontwijkende Vluchtmanoeuvres en probeerde hij mijn hand vast te houden. 'Verpest dit nou niet. Ik wil nu niet aan hem denken.'

Dat ik de regels overtreed, is voor een deel omdat ik even van hem af wil zijn. *Cassian.* Hij draait altijd om me heen. Is altijd in de buurt. Houdt me in de gaten met die donkere ogen van hem. Wachtend. Tamra mag hem hebben. Ik zou niets liever willen dan dat hij naar haar verlangde, dat de kolonie haar zou kiezen in plaats van mij. Wie dan ook, maar niet mij. Een zucht ontsnapt me. Ik vind het verschrikkelijk dat ze me geen enkele keus laten.

Maar het duurt nog een hele tijd voor het zover is. Ik wil er nu niet aan denken.

'Kom, we gaan.' Ik laat mijn gedachten los en neem alles om me heen in me op. De takken met hun grijsgroene bladeren. De vogels in de vroege ochtendzon. De klamme nevel rond mijn kuiten. Ik duw mijn tenen in de ruwe grond en tel in gedachten de steentjes onder mijn voeten.

Het vertrouwde gevoel begint in mijn borst te trekken. Mijn menselijke buitenkant vervaagt, verdwijnt en wordt vervangen door mijn dikkere draki-huid. Mijn gezicht wordt strakker, mijn kaken worden scherper, ze verschuiven en worden langer. Mijn ademhaling verandert doordat mijn neus wordt uitgerekt, richels worden omhooggeduwd uit de brug. Mijn ledematen worden langer en soepeler. Het trekken van mijn botten voelt goed. Ik hef mijn gezicht op naar de lucht. De wolken worden meer dan grijze vegen. Ik zie ze alsof ik er al doorheen glij. Ik voel hoe de koele waterdruppeltjes mijn lichaam kussen.

Het duurt niet lang. Misschien is het wel een van mijn snelste manifestaties. Nu mijn gedachten los en helder zijn, met niemand anders in de buurt dan Azure, gaat het makkelijker. Geen Cassian met zijn broeierige blikken. Geen mam met angst in haar ogen. Niemand anders die toekijkt, me bestudeert en beoordeelt.

Altijd word ik beoordeeld.

Mijn vleugels groeien, iets langer dan de lengte van mijn rug. De vliezen komen vrij en ontvouwen zich met een zachte fluistering in de lucht, als een zucht. Alsof ook zij hunkeren naar ontsnapping. Vrijheid.

Een bekende trilling zwelt op in mijn borst. Bijna alsof ik ga spinnen. Ik draai me om naar Azure en zie dat ze klaar is, schitterend en iriserend blauw. In het toenemende licht zie ik de roze en paarse tinten in het diepe blauw van haar draki-huid. Ze zijn zo subtiel dat ik ze nog niet eerder heb opgemerkt.

Nu zie ik ze, in het licht van de opkomende zon, het moment van de dag waarop we door de lucht horen te zweven. Wat ons door de kolonie verboden is. 's Nachts mis je zo veel.

Ik kijk naar beneden, naar de prachtige roodgouden glans op mijn slanke armen. Mijn gedachten dwalen af. Ik moet denken aan het brok amber uit de collectie kostbare edelstenen van mijn familie. Zo ziet mijn huid er nu uit. Amber gevangen in zonlicht. Het is bedrieglijk: mijn huid lijkt teer, maar is zo hard als een pantser. Het is lang geleden dat ik mezelf zo gezien heb. Te lang geleden dat ik de zon op mijn huid heb gevoeld.

Azure staat naast me zacht te spinnen. Onze ogen ontmoeten elkaar – ogen met vergrote irissen en donkere verticale spleten als pupillen – en ik weet dat ze nu geen bezwaren meer heeft. Ze staart me aan met haar glanzende blauwe irissen, net zo gelukkig dat ze hier is als ik. Zelfs al hebben we iedere regel van de kolonie geschonden om weg te komen uit het beschermde gebied. We zijn hier. We zijn vrij.

Op de ballen van mijn voeten spring ik de lucht in. Mijn vleugels klapperen en de spinragstructuur strekt zich uit als ze me optillen.

Met een draai stijg ik hoger.

Azure is er ook, aan mijn zijde, lachend met lage keelklanken.

De wind speelt over ons heen en het zoete zonlicht kust onze huid. Zodra we hoog genoeg zijn, laat ze zich vallen, ze tolt rond met een wenteling van haar staart en duikt naar het meer toe.

Mijn lippen krullen. 'Uitslover!' roep ik en de rommelende draki-stem vibreert diep in mijn keel, terwijl zij het meer induikt en minuten-lang onder water blijft.

Bij een water-draki zoals zij verschijnen er kieuwen aan de zijkant van haar lichaam zodra ze het water in gaat, waardoor ze kan overleven als ze ondergedoken is voor… zo lang ze wil eigenlijk. Desnoods voor altijd. Het is een van de vele handige talenten die onze draken voor-ouders hebben aangenomen om te overleven. Niet dat we dit allemáál kunnen, natuurlijk. Ik niet bijvoorbeeld.

Ik heb andere talenten.

Zwevend boven het meer wacht ik tot Azure bovenkomt. Uiteindelijk breekt ze door het oppervlak in een glinsterende wolk van water; haar blauwe lichaam straalt in het ochtendlicht, haar vleugels spetteren druppels in het rond.

'Heel aardig,' zeg ik.

'Laat eens zien wat jij kunt!'

Ik schud mijn hoofd en ga weer op weg; ik duik tussen de bergen door en luister niet naar Azure, die 'kom op, het is zo gaaf!' roept.

Mijn talent is helemaal niet gaaf. Ik zou er alles voor overhebben om het te veranderen. Om een water-draki te zijn, of een verda-draki. Of een visiocrypter. Of een onyx-draki. Of... Echt, die lijst is oneindig lang.

Maar in plaats daarvan ben ik dit.

Ik spuw vuur. Ik ben de eerste vuurspuwer in de kolonie sinds meer dan vierhonderd jaar. Daardoor ben ik veel populairder geworden dan ik wil zijn. Vanaf het moment dat ik manifesteerde, toen ik elf jaar was, ben ik niet langer Jacinda. In plaats daarvan ben ik een vuurspuwer. Vanwege dat feit meent de kolonie mijn leven te kunnen bepalen alsof het van hen is. Ze zijn nog erger dan mijn moeder.

Plotseling hoor ik iets. Het klinkt boven de gierende wind en de suizende nevels van de met sneeuw bedekte bergen die ons omringen uit. Een vaag, ver verwijderd geluid.

Ik spits mijn oren en stop, zwevend in de vochtige lucht.

Azure houdt haar hoofd scheef; haar drakenogen knipperen en ze tuurt in de verte. 'Wat is dat? Een vliegtuig?'

Het geluid wordt sterker, het komt snel dichterbij, met een regelmatig ritme nu. 'We moeten naar beneden.'

Azure knikt en duikt. Ik volg haar en werp intussen blikken achterom. Ik zie alleen de scherpgetande vorm van de bergen. Maar ik hoor des te meer. Ik voel meer.

Het blijft dichterbij komen.

Het geluid achtervolgt ons.

'Gaan we terug naar de fietsen?' Azure kijkt achterom naar mij, haar zwarte haar met de blauwe strepen als een vlag achter zich aan in de wind.

Ik twijfel. Ik wil niet dat dit nu al ophoudt. Wie weet wanneer we weer een keer kunnen wegglippen? De kolonie houdt me zo in de gaten. Cassian is voortdurend…

'Jacinda!' Azure wijst met één iriserende blauwe vinger door de lucht.

Ik draai me om en kijk. Mijn hart staat stil.

Een helikoper komt om een lage berg heen vliegen, heel klein in de verte, maar hij wordt groter als hij dichterbij komt, dwars door de nevels heen.

'Wegwezen!' schreeuw ik. 'Laat je vallen!'

Ik duik, breek door de wind heen, mijn vleugels plat langs mijn lichaam gevouwen, mijn benen gestrekt als een pijl, in de perfecte hoek om snelheid te maken.

Maar niet snel genoeg.

De helikopterbladen beuken woest door de lucht. *Jagers.* De wind striemt mijn ogen als ik sneller vlieg dan ik ooit heb gevlogen.

Azure blijft achter. Ik roep haar, kijk om en zie de donkere wanhoop in haar vochtige blik. 'Volhouden, Az!'

Water-draki's zijn niet gebouwd op snelheid. Dat weten we allebei. Haar stem verandert in een snik en aan het geluid van die gebroken stem hoor ik precies hoe goed ze dat weet. 'Ik doe mijn best! Laat me niet alleen! Jacinda! Laat me niet alleen!'

Achter ons blijft de helikopter naderen. Ik proef de bittere angst in mijn mond als er nog twee bij komen, en zo iedere hoop de grond in stampt dat het zomaar een helikopter is die luchtfoto's maakt. Het is een eskader en ze zijn op jacht naar ons.

Is het zo gegaan bij mijn vader? Waren zijn laatste momenten ook zo? Ik schud mijn hoofd en druk de gedachte weg. Ik ga vandaag niet dood, met mijn lichaam gebroken en verhandeld in stukjes en beetjes.

Ik knik naar de boomtoppen vlakbij. 'Daarheen!'

Draki's vliegen nooit laag bij de grond, maar nu hebben we geen keus.

Azure volgt zigzaggend in mijn kielzog. Ze komt vlak bij me vliegen en mist in haar wilde angst maar net de voorbijflitsende bomen. Ik stop en blijf op één plaats zweven; mijn borst gaat wild op en neer van het hijgen.

De helikopters razen over ons heen; hun stampende ritme is oorverdovend en verandert de bomen in een wervelende groene massa.

'We moeten demanifesteren,' zegt Az hijgend.

Alsof dat zou lukken. We zijn veel te bang. Draki's kunnen hun menselijke gedaante nooit vasthouden als ze bang zijn. Het is een overlevingsmechanisme. In ons diepste wezen zijn we draki's en daar ontlenen we onze kracht aan.

Ik gluur door het netwerk van schuddende takken die ons afschermen, de geur van naaldbomen en rijp in mijn neus.

'Ik kan mezelf wel onder controle krijgen,' houdt Az vol in de keelklanken van onze taal.

Ik schud mijn hoofd. 'Als dat al lukt, is het te gevaarlijk. We moeten wachten tot ze weg zijn. Als ze hier twee meisjes tegenkomen… net nadat ze twee vrouwtjesdraki's hebben gezien, kunnen ze nog wel eens achterdochtig worden.' Een ijskoude vuist knijpt zich samen rond mijn hart. Dat mag ik echt niet laten gebeuren. Niet alleen voor mezelf, maar voor iedereen, voor alle draki's, overal. Het geheim dat we in staat zijn een menselijke gedaante aan te nemen, is onze belangrijkste bescherming.

'Als we niet binnen een uur thuis zijn, dan zijn we erbij!'

Ik moet op mijn lippen bijten om haar niet te vertellen dat we wel grotere zorgen hebben dan de kolonie, wanneer die ontdekt dat we naar buiten geslopen zijn. Ik wil haar niet nog banger maken dan ze al is.

'We moeten ons gewoon even verbergen…'

Er klinkt een ander geluid door de bonkende bladen van de helikopters heen. Een laag geronk. De haartjes in mijn nek beginnen te tintelen. Er is daar nog iets. Beneden ons. Op de grond. En het komt dichterbij.

Ik kijk omhoog en mijn lange, klauwachtige vingers gaan open en dicht, mijn vleugels trillen met nauwelijks gecontroleerde bewegingen. Mijn instinct zegt dat ik moet vluchten, maar ik weet dat ze daar boven zijn. Dat ze op me wachten, als rondcirkelende roofvogels. Ik zie hun donkere vormen door de boomtoppen heen. Mijn borst trekt zich samen. Ze gaan niet weg.

Ik gebaar naar Az dat ze achter me aan moet komen tussen de dikke takken van een enorme dennenboom. Met onze vleugels dicht langs ons lichaam gevouwen, schuiven we tussen de prikkerige naalden door en worstelen we ons langs krassende takjes. Met ingehouden adem wachten we.

Dan begint alles om ons heen te leven. Het krioelt van de voertuigen: pick-ups, SUV's, crossmotoren. 'Nee,' hijg ik als ik de voertuigen zie, met de mannen die tot de tanden bewapend zijn. In de laadruimte van een pick-up liggen twee mannen startklaar met een grote nettenwerper voor zich. Het zijn ervaren jagers.

Ze weten wat ze doen.

Ze weten waar ze op jagen.

Az beeft zo hevig dat de dikke tak waarop we ineengedoken zitten, begint te schudden, met ritselende naalden.

Ik grijp haar hand.

De crossmotoren rijden voorop, met een duizelingwekkende snelheid. De chauffeur van een SUV gebaart uit het raam. 'Kijk goed naar de bomen!' roept hij met een diepe, angstaanjagende stem.

Az wankelt. Ik hou haar hand nog steviger vast. Nu is er een motor recht onder ons. De motorrijder draagt een zwart T-shirt dat strak om zijn jonge, gespierde lichaam zit. Mijn huid trekt zich bijna pijnlijk samen.

'Ik kan hier niet blijven,' weet Az moeizaam uit te brengen. 'Ik moet hier weg!'

'Az,' grom ik, en mijn lage, rommelende stem klinkt dringend, wanhopig. 'Dat willen ze nou juist. Ze proberen ons op te jagen. Geen paniek!'

Ze perst de woorden tussen haar opeengeklemde tanden door. 'Ik. Kan. Het. Niet.'

Mijn keel trekt zich heftig samen en ik weet dat ze niet zal blijven zitten. Met een blik op de activiteiten onder ons en de helikopers die daarboven rondcirkelen, neem ik een besluit. 'Oké.' Ik slik. 'Dit is het plan. We gaan allebei een kant op...'

'Nee!'

'Ik kom het eerst tevoorschijn. En als ze achter mij aan zijn gegaan, vlieg jij naar het water. Duik onder en blijf daar. Hoe lang het ook duurt.'

Haar donkere ogen glanzen vochtig, de verticale spleten van haar pupillen kloppen.

'Heb je dat?' vraag ik.

Ze knikt schokkerig, de richels op haar neus trekken samen doordat ze diep inademt. 'W…wat ga jij doen?'

Ik forceer een glimlach, mijn lippen pijnlijk gekruld. 'Vliegen natuurlijk.'

2

Toen ik twaalf was, deed ik een wedstrijdje tegen Cassian en ik won. Dat was tijdens een groepsvlucht. 's Nachts uiteraard. Het enige tijdstip dat het ons is toegestaan om te vliegen. Cassian was heel verwaand en uitsloverig aan het doen, en ik kon het niet helpen. Als kinderen waren we vrienden geweest. Voordat we waren gemanifesteerd. Ik vond het vreselijk om te zien hoe hij was geworden. Hij gedroeg zich alsof hij door God zelf naar onze kolonie was gezonden.

Voor ik het wist, waren we aan het racen langs de nachtelijke lucht. Ik hoorde pap schreeuwen om me aan te moedigen. Cassian was veertien en een onyx-draki: een en al glanzende zwarte spieren en afgetekende pezen. Mijn vader was ook een onyx. Dat zijn niet alleen de sterkste en grootste draki's, maar meestal ook de snelste.

Behalve die nacht. Die nacht versloeg ik Cassian, de prins van onze kolonie, onze toekomstige alfa, die al vanaf zijn geboorte was getraind om de beste te zijn.

Ik had niet mogen winnen, maar toch deed ik het. In de schaduw van de maan liet ik zien dat ik meer was dan alleen die kostbare vuurspuwer van de kolonie. Meer dan het kleine meisje dat van Cassian op zijn skelter mocht rijden. Daarna veranderde Cassian. Opeens was het hem er niet meer om te doen de beste te zijn, maar om de beste voor zich te winnen. Ik werd de hoofdprijs.

Al jaren heb ik er spijt van dat ik die race heb gewonnen. Ik had geen behoefte aan de extra aandacht die ik daarmee had getrokken en ik wenste dat ik niet zo snel kon vliegen. Maar nu, met mijn blote voeten op de ruwe bast van de boom terwijl ik me klaarmaak om op te stijgen, ben ik dankbaar dat ik het kan. Dankbaar dat ik zo snel als de wind kan vliegen.

Az zit achter me te schudden, haar tanden klapperen. Er ontsnapt een snik aan haar keel. Ik weet wat me te doen staat.

En dan… ga ik gewoon. Ik laat me vallen uit de boom, ik scheer door de lucht, mijn vleugels strak getrokken boven mijn rug als twee grote zeilen van vurig goud.

Kreten vullen mijn oren. De voertuigen brullen als ze optrekken. Luide, onduidelijke stemmen klinken door elkaar heen. Harde mannenstemmen. Ik schiet door de bomen, de jagers vlak achter me. Ze scheuren door het bos in hun grondverslindende voertuigen. Een glimlach krult mijn mond als ze achterblijven en ik op hen uitloop. Ik hoor mezelf lachen.

Dan voel ik een brandende pijn in mijn vleugel. Ik schok, kantel en slinger wild.

Ik ben geraakt.

Ik vecht om in de lucht te blijven met één vleugel. Het lukt maar een paar slagen voordat ik naar beneden val. De wereld wervelt om me heen in een duizelingwekkende flikkering van groene en bruine tinten. Mijn schouder knalt tegen een boom en ik raak de grond in een verwrongen, naar adem snakkende, kapotte hoop, met de kopergeur van mijn bloed in mijn neus.

Mijn vingers dringen in de vochtige aarde; de rijke, scherpe lucht voedt mijn huid. Ik schud mijn hoofd van de ene naar de andere kant, en begraaf mijn handen in de modder, die onder mijn klauwen kruipt. Met een kloppende schouder begin ik te kruipen, mijn ene hand voor de andere.

Een geluid brandt achter in mijn keel, deels grom, deels grauw. Niet ik, denk ik. Niet ik.

Ik ga op mijn knieën zitten en probeer mijn vleugel te bewegen. Ik strek hem voorzichtig uit boven mijn rug en bijt op mijn lip om het niet uit te schreeuwen van de pijn die door de pezige vliezen heen golft en diep mijn rug in dringt, tussen mijn schouderbladen. Dennennaalden steken in mijn handpalmen als ik me afzet en probeer te gaan staan.

Ik hoor ze aankomen, hun geschreeuw. Het geluid van de motoren gaat omhoog en omlaag als ze heuvels op- en afgaan. Het beeld van de truck met het net flitst door mijn hoofd.

Net als pap. Nu gebeurt het met mij.

Ik sta rechtop. Ik vouw mijn vleugels zo strak mogelijk langs mijn lichaam en ren. Wild schiet ik tussen de bomen door terwijl de motoren steeds luider klinken.

Als ik achteromkijk door het nevelige bos, hap ik naar adem. Ik zie de wazige gloed van de koplampen. Zo dichtbij. Mijn hart bonkt in mijn oren. Ik kijk omhoog, om me heen, op zoek naar een plaats om me te verbergen. Dan hoor ik iets anders: het gezang van stromend water.

Ik bepaal waar het geluid vandaan komt, mijn voeten licht, onhoorbaar op de bodem van het bos terwijl ik sprint. Net op tijd stop ik en grijp ik me vast aan een boomstam om te voorkomen dat ik van een steile helling val. Hijgend kijk ik naar beneden. Het water stroomt via een kleine waterval in een groot meer, dat aan alle kanten wordt omringd door puntige rotswanden.

De lucht boven me rimpelt. Mijn haren komen overeind, mijn hoofdhuid voelt strak en prikt, en ik werp me opzij. De wind suist als het net vlak naast me op de grond neerkomt.

'Herladen!'

Ik kijk over mijn schouder naar de pick-up met twee mannen achter in de bak die een volgend net klaarmaken. Motoren stuiteren over de grond en komen woest brullend op me af. De motorrijders staren naar me door grote metallic vizieren. Ze zien er niet eens menselijk uit. Het zijn monsters. Ik kan de wrede, vastbesloten lijnen van hun monden zien. De beukende helikopterbladen verschijnen boven me en veroorzaken een heftige, kolkende wind, die mijn haren alle kanten op zwiept.

Ik zuig de zuurstof diep in mijn longen en draai me terug. En ik spring.

De lucht suist langs me heen. Het is vreemd. Vallen in de wind zonder de bedoeling of het vermogen om op te stijgen en te vliegen. Maar ik doe het. Tot ik het water raak.

Het is zo koud dat ik schreeuw en een mondvol algen inslik. Hoe doet Az dat? Bij haar ziet het er zo… lekker uit. Niet zoals deze bitterkoude marteling.

Ik breek door het oppervlak en zwem als een hondje snel rond, intussen kijkend, zoekend. Naar iets. Wat dan ook. Dan zie ik een grot. Het is eigenlijk maar een kleine uitsparing in de rotswand, maar diep genoeg om in weg te kruipen, uit het zicht. Tenzij ze me achterna duiken.

Ik zwem erheen en hijs mezelf naar binnen. Ik glij zo ver mogelijk de schuilplaats in en rol mezelf op tot een kleine bal.

Nat en bibberend hou ik mijn adem in en wacht.

Het duurt niet lang voordat harde stemmen door de lucht boven me heen breken. 'Het sprong!' Deuren slaan dicht, de geluiden dreunen dwars door me heen en ik weet dat ze nu uit hun voertuigen zijn. Ik tril oncontroleerbaar in de schaduw van mijn grot, mijn vingers in een gevoelloze greep om mijn gladde knieën.

'…dook in het water!'

'Misschien is het weggevlogen,' klinkt het boven het gegrom van de crossmotoren uit.

'Uitgesloten! Het kan niet vliegen. Ik raakte het midden in de vleugel.' Ik huiver bij de zelfvoldane klank in de stem en wrijf stevig over mijn armen tegen de kou. De angst.

'Ik zie niks daar beneden.'

'Iemand moet erachteraan gaan.'

'Ah, shit! Daarheen? Het is ijskoud… ga jij maar!'

'Waarom jij niet? Wat ben je nou voor laffe…'

'Ik ga wel.' Ik schrik als ik die stem hoor, diep en rustig en fluweelzacht vergeleken met de ruwe, bijtende klank van de andere.

'Weet je zeker dat je dit aankunt, Will?'

Ik omarm mezelf nog steviger terwijl ik op zijn antwoord wacht. Ik wilde dat ik een visiocrypter was, zodat ik mezelf kon laten verdwijnen.

In een waas zie ik een lichaam in het meer duiken. Het water spat nauwelijks op als hij erin glijdt. *Will.* Degene met de fluwelen stem. Ik staar naar het glinsterende oppervlak, hou mijn adem in en wacht tot hij bovenkomt. Zijn hoofd kan nu ieder moment opduiken en dan zal hij rondkijken. De grot zien. Mij zien.

Ik bevochtig mijn lippen, voel het bonzen van mijn bloed, de rook die zich verzamelt in mijn longen. Als het erop aankomt, zou ik het dan doen? Ben ik in staat mijn talent te gebruiken om mezelf te redden?

Zijn hoofd breekt door het oppervlak en hij schudt met een zwaai het water van zich af. Zijn haar ligt als een glanzende, donkere helm om zijn hoofd. Hij is jong. Niet veel ouder dan ik.

'Alles oké, Will?' schreeuwt een stem naar beneden.

'Yep,' roept hij terug.

Mijn hart slaat een slag over bij het horen van die stem, zo dichtbij opeens. Ik druk me achteruit tegen de ruwe wand zonder erop te letten hoe die langs mijn vleugels schuurt. Intussen kijk ik naar hem en bid dat hij me niet kan zien.

Hij ontdekt de holte en kijkt gespannen in mijn richting. 'Er is hier een grot!'

'Zit het erin?'

Ik ben een *het*.

Mijn haren komen overeind, mijn huid trekt samen en huivert als de gespannen snaar van een viool. Mijn vleugels beginnen te trillen van de hete emotie; een snijdende pijn schiet door de gewonde vliezen tot diep in mijn rug. Ik krimp in elkaar en dwing mezelf te ontspannen.

Hij zwemt mijn kant op.

Rook komt puffend uit mijn neus. Ik wil het niet, maar het gebeurt gewoon. Normaal gesproken kan ik het beter onder controle houden, maar door de angst beheers ik het niet langer. Het draki-instinct neemt het over.

Mijn hart klopt in mijn keel als hij dichterbij komt. Ik weet precies op welk moment hij me ziet. Hij bevriest, hangt roerloos in het water en laat zich naar beneden zakken tot zijn lippen de waterlijn raken.

We staren elkaar aan.

Nu gaat het gebeuren. Hij gaat de anderen roepen. Ze zullen om me heen zwermen als hongerige roofdieren. Ik denk aan pap en probeer niet te trillen. Hij heeft dat ook niet gedaan; hij gaf niet toe aan zijn angst, dat weet ik zeker. Bovendien heb ik iets wat pap niet had, iets om me te verdedigen. *Vuur.*

Dan zwemt hij in een vloeiende beweging dichterbij. Een spier in zijn kaak beweegt even en er fladdert iets in mijn buik. Hij ziet er niet wreed uit, zoals ik me had voorgesteld. Niet kwaadaardig. Hij lijkt eerder... nieuwsgierig.

Hij legt een hand op de richel en hijst zichzelf naar binnen. Naar mij toe. Minder dan een armlengte bij me vandaan. De spieren in zijn armen golven als hij op zijn hurken gaat zitten, zijn vingers steunen licht op de vloer van de grot. Onze blikken glijden langzaam over elkaar heen. Twee vreemde dieren die elkaar voor het eerst bekijken.

Ik adem voorzichtig wat lucht in, worstel om die mijn smeulende longen binnen te trekken. Ik begin van binnenuit te branden.

Niet dat ik nog nooit mensen heb gezien. Ik zie ze vaak genoeg als ik met mam en Tamra ga shoppen in de stad. Meestal zie ik er zelf ook uit als een mens, zelfs binnen de verborgen grenzen van onze kolonie. Toch staar ik hem aan alsof ik nog nooit een jongen heb gezien. En ik heb waarschijnlijk ook nooit zo iemand als hij gezien. Hij is tenslotte geen gewone jongen. Hij is een jager.

Zijn zwarte T-shirt zit als een tweede huid om hem heen, tegen zijn slanke borst geplakt. In de schemerige grot lijkt zijn haar haast zwart. Misschien is het lichter als het droog is. Bruin of zelfs donkerblond. Maar het zijn zijn ogen die me vasthouden. Diepliggend onder dikke wenkbrauwen boren ze zich in de mijne met een enorme intensiteit; ze onderzoeken me, elke millimeter. Ik probeer me voor te stellen hoe hij me ziet. Mijn vleugels opgevouwen op mijn rug, net zichtbaar boven mijn schouders. Mijn soepele, glanzende lichaam dat gloeit als vuur, zelfs in het halfduister van de grot. Mijn smalle gezicht met de scherpe trekken. Mijn geribbelde neus. Mijn hoge wenkbrauwen en mijn drakenogen: twee zwarte, verticale spleetjes op de plaats van de pupillen.

Hij tilt een hand op. Ik krimp niet eens in elkaar als zijn brede, warme handpalm zich om mijn arm sluit. Om te voelen, te onderzoeken. Zijn aanraking glijdt naar beneden en ik weet zeker dat hij mijn huid – mijn draki-huid – vergelijkt met de huid van een mens. Zijn hand stopt. Hij strekt hem over mijn hand, laat hem rusten op mijn lange, klauwachtige vingers.

De hitte golft door me heen als hij me aanraakt.

Hij voelt het ook. Zijn ogen worden groter. Ze zijn prachtig groen, met bruine en gouden vlekjes. De kleuren waar ik van hou. De kleuren van de aarde. Zijn blik glijdt over mijn natte haarstrengen, die op de rotsvloer hangen. Ik betrap mezelf op de wens dat hij het meisje binnen in de draak kon zien.

Er ontsnapt een geluid aan zijn lippen. Een woord. Ik hoor het, maar denk: dat kan niet. Dát heeft hij niet gezegd.

'Will!' schreeuwt een stem van boven.

We kijken allebei met een ruk op en dan verandert zijn gezicht. De zachte, nieuwsgierige uitdrukking verdwijnt en hij ziet er kwaad uit. Dreigend. Zoals je mag verwachten dat zijn soort naar mijn soort kijkt. Zijn hand vliegt weg van de mijne, alle intimiteit verbroken. Ik wrijf over de plaats waar hij me heeft aangeraakt.

'Alles goed daar beneden? Moet ik komen...'

'Ik ben oké!' Het diepe geluid van zijn stem kaatst tegen de muren van onze kleine schuilplaats.

'Heb je het gevonden?'

Weer *het*. Ik snuif verontwaardigd. Er komt rook uit mijn neus. De gloed in mijn longen wordt sterker.

Hij bekijkt me gespannen, zijn ogen staan hard en genadeloos. Ik wacht tot hij mijn aanwezigheid kenbaar maakt, blijf zijn blik vasthouden en weiger weg te kijken, vastbesloten dat deze mooie jongen het gezicht ziet dat hij met zijn volgende woorden ter dood zal veroordelen.

'Nee.'

Ik hap naar adem terwijl de gloed in mijn longen uitdooft. We blijven elkaar nog één lang moment aankijken. Hij een jager. Ik een draki.

Dan is hij weg.

En ik ben helemaal alleen.

3

Ik wacht oneindig lang. Tot lang nadat de geluiden van de helikopter en de voertuigen zijn verdwenen. Nat en bibberend lig ik opgerold in de grot, met mijn armen om mijn benen geslagen. Ik wrijf over mijn soepele, lange kuiten, met mijn handen over de roodgouden huid. Mijn gewonde vleugel brandt en klopt terwijl ik wacht, luister, maar er is niets. Alleen het fluisteren van het bos en het zachte zuchten van de waterval.

Geen mannen. Geen jagers.

Ik frons. Vreemd genoeg zit dat me dwars. Ik zal hem nooit meer zien. Nooit weten waarom hij me liet gaan. Er nooit achter komen of hij echt fluisterde wat ik denk dat hij fluisterde: *Schitterend*.

Tijdens dat ene moment waren we met elkaar verbonden. Op de een of andere manier gebeurde dat gewoon. Ik vind het moeilijk te begrijpen. Ik wist zeker dat hij me zou verraden. Jagers staan niet bekend om hun genade. Ze zien ons alleen maar als prooi, een ondergeschikt ras dat in stukken gehakt en verkocht moet worden aan onze grootste bedreiging: de enkro's. Al sinds het ontstaan van de mensheid zijn de enkro's op jacht naar de speciale gaven van onze soort. Als bezetenen ontleden ze ons en houden ze ons gevangen om ons te gebruiken: de magische eigenschappen van ons bloed, onze pantserachtige huid en ons vermogen om edelstenen die onder de grond zitten op te sporen. Wij zijn niets voor hen. Iets zonder hart en ziel.

Dus waarom liet Will me gaan? Zijn ongelooflijke gezicht staat in mijn geheugen gegrift. Zijn gladde, natte haar. De intense ogen die me duister aanstaarden. Ik zou eigenlijk Cassians gezicht voor me moeten zien. Cassian is mijn bestemming. Dat heb ik geaccepteerd, ook al mopper ik erover en waag ik me in het daglicht om even aan hem te ontsnappen.

Ik wacht zo lang mogelijk, tot ik de vochtige kou van mijn schuilplaats niet langer kan verdragen. Bedacht op een hinderlaag glip ik voorzichtig naar buiten en glij in het ijskoude water. Ik klauter tegen de kartelige rotswand op, terwijl mijn ene vleugel hard werkt, wild klapperend en met strak staande vliezen die pijn doen van de inspanning.

Mijn ademhaling komt schurend over mijn lippen als ik mezelf op de rand hijs. Ik laat me vallen en snuif het dikke, leemachtige aroma van de aarde diep op. Mijn handpalmen graven zich in de vochtige grond. Die geeft me kracht en vibreert door mijn lichaam. Diep begraven ligt het vulkanische gesteente te spinnen als een slapende kat. Ik weet het, hoor het, voel het en put er kracht uit.

Zo is het altijd geweest, deze verbinding met de vruchtbare, groeizame aarde. Dít zal mijn vleugel genezen. Niet een door mensen gemaakt medicijn. Ik haal mijn kracht uit de overvloedige, levenschenkende aarde.

De geur van regen drijft mee met de nevel. Ik kom overeind, geef me over aan zijn omhelzing en begin terug te lopen naar het meer, waar mijn fiets en kleren op me wachten. Vaag zonlicht filtert door het bladerdak en probeert de nevel te verdrijven. Het verwarmt mijn afgekoelde huid tot roodachtig brons.

Ik weet zeker dat Az het gered heeft. Over een andere mogelijkheid wil ik niet eens nadenken. De kolonie zal nu wel weten dat ik vermist word. Ik begin verschillende verklaringen uit te werken in mijn hoofd.

De kussentjes van mijn voeten komen geluidloos neer als ik tussen de bomen door zigzag, intussen luisterend naar geluiden die hier niet thuishoren, op mijn hoede voor de jagers die kunnen terugkomen... maar onder die behoedzaamheid flakkert hoop.

Hoop dat één jager wel zal terugkomen en mijn vragen zal beantwoorden, mijn nieuwsgierigheid... dat vreemde gefladder in mijn buik bij het woord dat hij fluisterde.

Geleidelijk dringt er een geluid door het bos, het jaagt de vogels uit de bomen. Mijn draki-huid prikt en flitst van rood naar goud, goud naar rood.

Angst schiet door me heen als het vage gegrom van voertuigen dichterbij komt. Eerst denk ik dat de jagers zijn teruggekomen voor mij.

Is de mooie jongen van gedachten veranderd?

Dan hoor ik mijn naam.

Jacinda! Het geluid echoot vertwijfeld door het doolhof van enorme dennenbomen.

Ik hef mijn gezicht op, leg mijn handen om mijn mond en roep: 'Hier ben ik!'

Binnen een paar tellen word ik omsingeld. Voertuigen remmen hard. Ik knipper als er deuren opengaan en worden dichtgegooid.

Een paar van de ouderlingen verschijnen, komen met grimmige gezichten door de optrekkende nevel aanstormen. Ik zie Az niet, maar

Cassian is er wel bij, net als zijn vader. Zijn mond is vertrokken in een onverzoenlijke streep. Meestal vindt hij me leuk in mijn draki-gedaante, zo ziet hij me het liefst, maar nu ligt er geen bewondering in zijn ogen. Hij komt dichterbij, tort boven me uit. Op deze manier gaat het nu altijd. Hij is zo groot, zo mannelijk... zo aanwezig. Even moet ik denken aan de warme kracht van zijn hand toen hij de mijne greep, gisteren bij de Ontwijkende Vluchtmanoeuvres. Het zou makkelijk zijn om hem zijn gang te laten gaan en te doen wat iedereen wil... wat iedereen verwacht.

Ik kan hem niet aankijken, daarom concentreer ik me op de glans van zijn inktzwarte haar, dat dicht om zijn hoofd ligt. Over me heen gebogen strijkt hij door de haren bij mijn slaap en gromt met zijn diepe stem: 'Je hebt me bang gemaakt, Jacinda. Ik dacht dat ik je kwijt was.'

Mijn haren komen overeind en mijn huid tintelt opstandig bij zijn woorden. Ook al denkt de kolonie dat we bij elkaar horen, daarom hoeft het nog niet zo te zijn. In ieder geval nu nog niet. Voor zo ongeveer de honderdste keer wens ik dat ik een gewone draki was. Niet de geweldige vuurspuwer waar iedereen zo veel van verwacht. Het leven zou dan zo eenvoudig zijn. Het zou van mij zijn. Míjn leven.

Mijn moeder werkt zich door de groep heen naar voren. Ze duwt Cassian opzij alsof hij een gewone jongen is en niet een onyx van bijna twee meter die haar met gemak zou kunnen vermorzelen. Ze is mooi, met springerige krullen, een lief, rond gezicht en amberkleurige ogen, net als de mijne. Sinds pap is gestorven hebben al verschillende mannen geprobeerd om haar te versieren. Zelfs de vader van Cassian, Severin. Gelukkig heeft ze geen interesse. In wie dan ook. Ik heb al genoeg te stellen met mam. Het laatste waar ik behoefte aan heb, is een of andere macho draki die de plaats van mijn vader probeert in te nemen.

Op dit moment ziet ze er ouder uit. Rond haar mond heeft ze strakke lijnen. Zelfs op de dag dat ze ons vertelden dat pap niet meer thuis zou komen, zag ze er niet zo uit. En ik weet dat het door mij komt. Ik voel een knoop in mijn maag.

'Jacinda! Godzijdank, je leeft nog!' Ze slaat haar armen om me heen en ik schreeuw het uit als ze mijn gewonde vleugel platdrukt.

Ze laat me los. 'Wat is er gebeurd…?'

'Niet nu.' De vader van Cassian legt een hand op mams schouder en schuift haar opzij, zodat hij tegenover me kan staan. Met zijn één meter vijfennegentig is hij net zo lang als Cassian en ik moet mijn nek achteroverbuigen om hem te kunnen aankijken. Hij gooit een deken over mijn huiverende lichaam en snauwt: 'Demanifesteer. Nu onmiddellijk.'

Ik gehoorzaam. Ik bijt op mijn lippen tegen de pijn als mijn lichaam mijn vleugels in zich opneemt. De wond rekt uit en scheurt verder open door het buigen en trekken van mijn transformatie. De wond is er nog steeds, nu alleen een diepe, bloedende snee in mijn schouderblad. Mijn bloed loopt warm langs mijn rug en ik trek de deken dichter om me heen.

Mijn botten krimpen en glijden terug naar hun plek, mijn dikkere draki-huid verdwijnt. De kou komt nu harder aan, bijt zich in mijn mensenhuid en ik begin te rillen. Mijn blote voeten worden gevoelloos.

Mam staat naast me en slaat een tweede deken om me heen. 'Waar ben je in godsnaam mee bezig?' Het is de scherpe, kritische stem die ik haat. 'Tamra en ik waren ziek van bezorgdheid. Wil je net zo eindigen als je vader?' Ze schudt woest met haar hoofd, haar ogen vastbesloten. 'Ik heb al een man verloren. Ik ben niet van plan ook nog een dochter te verliezen.'

Ik weet dat ze een verontschuldiging verwachten, maar ik eet nog liever spijkers. Hier was ik nou juist voor op de vlucht: een leven waarin ik mijn moeder teleurstel en mijn ware aard verstik. Met regels, regels en nog eens regels.

'Ze heeft ons allerheiligste voorschrift overtreden,' verklaart Severin.

Ik krimp in elkaar. *Vlieg altijd onder de bescherming van de duisternis.* Als je net bijna vermoord bent door jagers, kun je moeilijk beweren dat het een onzinnige regel is.

'Het is duidelijk dat er iets moet gebeuren met haar.' Mijn moeder en Severin wisselen een blik terwijl er in de groep heftig wordt gefluisterd. Er klinken instemmende geluiden. Mijn innerlijke draki begint waarschuwend te tintelen. Ik staar iedereen wild aan. Een dozijn gezichten die ik mijn hele leven al ken. Niet één vriend.

'Nee. Dat niet,' fluistert mam.

Wat niet?

Haar arm klemt zich steviger om me heen en ik leun tegen haar aan, op zoek naar troost. Opeens is zij mijn enige bondgenoot.

'Ze is onze vuurspuwer...'

'Nee. Ze is míjn dochter.' Mams stem klinkt als een zweepslag. Ik bedenk opeens dat zij ook een draki is, ook al heeft ze er een hekel aan. Ook al is ze al jaren niet meer gemanifesteerd... en kan ze dat waarschijnlijk niet eens meer.

'Het is noodzakelijk,' houdt Severin vol.

Ik krimp in elkaar als mam haar vingers door de deken heen in mijn vlees drukt. 'Ze is nog maar een kind. Nee.'

Eindelijk vind ik mijn stem terug en vraag: 'Wat? Waar hebben jullie het over?'

Niemand geeft antwoord, maar dat is niet zo vreemd. Ongelooflijk irritant, maar niet ongebruikelijk. Iedereen om me heen – mam, de ouderlingen, Severin – praat over mij, langs me heen, over mijn hoofd, achter mijn rug, maar nooit tegen mij.

Mam gaat door met haar staarwedstrijd met Severin en hoewel er niets gezegd wordt, weet ik dat er toch woorden over en weer gaan tussen hen. Al die tijd blijft Cassian hongerig naar me kijken. Zijn paarszwarte blik zou de meeste meisjes vlinders in hun buik bezorgen. Inclusief mijn zus; vooral mijn zus.

'We hebben het er later nog over. Nu neem ik haar mee naar huis.' Mam loopt vlug met me naar de auto. Ik werp een blik achterom naar Severin en Cassian, vader en zoon, koning en prins. Zij aan zij kijken ze hoe ik vertrek, een afkeurende gloed in hun ogen. En nog iets anders. Iets wat ik niet kan thuisbrengen.

Een onheilspellende huivering loopt langs mijn rug.

4

Az wacht op ons bij ons huis. Ze loopt te ijsberen bij de voordeur in een versleten spijkerbroek en een blauw hemdje, dat de concurrentie met de glanzende blauwe strepen in haar donkere haar nooit kan winnen. Haar gezicht begint te stralen als ze ons ziet.

Mam parkeert de auto en Az rent naar ons toe door de nevel die altijd over ons dorpje hangt – dankzij Nidia. Deze nevel is essentieel voor ons voortbestaan. Een vliegtuig dat toevallig ons luchtruim doorkruist, kan ons daardoor niet ontdekken.

Az omarmt me in een verpletterende omhelzing zodra ik uit de auto stap. Ik krimp in elkaar. Bezorgd laat ze me los. 'Wat, ben je gewond? Wat is er gebeurd?'

'Niets,' mompel ik met een zijdelingse blik op mam. Ze weet al dat ik gewond ben, beter om haar maar nergens aan te herinneren. 'Met jou alles goed?' vraag ik.

Ze knikt. 'Ik heb gedaan wat je zei en ben onder water gebleven tot ik zeker wist dat ze weg waren, en daarna ben ik naar huis gevlogen om hulp te halen.'

Ik kan me niet herinneren dat ik haar gevraagd heb hulp in te schake-
len. Had ze het maar niet gedaan, maar ik kan het haar moeilijk kwalijk
nemen dat ze me wilde redden.

'Naar binnen, meiden.' Mam gebaart dat we de deur door moeten,
maar ze kijkt niet naar ons. Ze werpt een blik over haar schouder, naar
een van onze buren aan de overkant van de straat. Cassians tante Jabel
staat ons vanuit het portiek bij haar voordeur in de gaten te houden,
met haar armen over elkaar geslagen voor haar borst. Ze houdt ons de
laatste tijd vaak in de gaten. Mam is ervan overtuigd dat ze alles wat we
doen aan Severin rapporteert. Met een stijf knikje naar haar duwt mam
ons naar binnen. Jabel en zij waren goede vriendinnen toen ik nog jong
was, voor pap doodging. Voor alles. Nu zeggen ze haast geen woord
meer tegen elkaar.

Als we het huis binnenkomen, kijkt Tamra op van haar plek op de
bank, waar ze in kleermakerszit met een bak muesli op haar schoot zit.
Een oude tekenfilm schettert op de tv. Ze ziet er niet 'ziek van bezorgdheid' uit, zoals mam beweerde.

Mam loopt met grote passen naar de tv en zet die zachter. 'Moet hij
echt zo hard staan, Tamra?'

Tamra haalt haar schouders op en gaat tussen de kussens op zoek
naar de afstandsbediening. 'Ik kon toch niet meer slapen, dus ik dacht:
laat ik maar proberen het alarm te overstemmen.'

Ik begin misselijk te worden. 'Hebben ze het alarm gebruikt?' vraag
ik. De laatste keer dat ze dat deden, was toen pap vermist werd en er een
zoektocht werd georganiseerd.

'Ja joh,' knikt Az, met grote ogen. 'Severin ging door het lint.'

Tamra heeft de afstandsbediening te pakken en zet het volume harder.

Ze laat hem weer op de bank vallen en brengt een volle lepel naar haar mond. 'Ben je verbaasd dat iedereen voor je op de been was?' Ze werpt me een vermoeide blik toe. 'Wat had je dan verwacht?'

Ik voel de behoefte om mezelf te verdedigen, maar met een zucht besluit ik het niet te doen. Ik heb al vaker geprobeerd het uit te leggen, maar Tamra snapt het niet. Ze begrijpt niet wat het is om de impulsen van een draki te hebben. Hoe zou ze dat ook kunnen?

Mam zet de tv uit. Zich onbewust van de spanning wappert Az met haar handen in de lucht. 'Nou? Wat is er gebeurd? Hoe ben je ontsnapt? Mijn God, ze waren overal! Zag je die nettenwerpers?' Mam ziet er beroerd uit.

'Ik dacht echt dat je het niet zou redden. Ik bedoel, je bent wel heel snel... en je kunt vuurspuwen en zo, maar...'

'Alsof we ooit de kans krijgen om dat te vergeten,' mompelt Tamra met haar mond vol muesli, en ze rolt overdreven met haar ogen.

Tamra is nog nooit gemanifesteerd. Dat komt steeds vaker voor onder draki's en daar maken de ouderlingen, die onze soort wanhopig graag willen behouden, zich ernstige zorgen over. Eigenlijk is mijn tweelingzus, die een paar minuten na mij geboren is, een gewoon mens. Ze vindt het verschrikkelijk. En ik ook. Voordat ik manifesteerde, waren we heel close, we deden alles samen. Nu is het enige wat we delen ons gezicht.

Ik merk opeens dat mam alle houten luiken voor de ramen doet en de woonkamer in schaduw hult. 'Az,' zegt ze. 'Het is tijd om afscheid te nemen.'

Mijn vriendin knippert met haar ogen. 'Afscheid?'

'Afscheid,' herhaalt mam met besliste stem.

'O.' Az fronst en kijkt dan naar mij. 'Zullen we morgen samen naar school lopen?' Haar ogen glanzen veelbetekenend, met de boodschap dat ik haar dan alles kan vertellen. 'Ik sta vroeg op.'

We wonen allebei aan een andere kant van het dorp. Onze woongemeenschap ziet eruit als een groot wiel met acht spaken. Iedere spaak is een straat. Het centrum, de naaf, fungeert als het hart van ons dorp. Daar staan de school en het gemeentehuis. Ik woon op de First West Street, Az op de Third East Street. Ongeveer zo ver uit elkaar als mogelijk is. Om ons dorp staat een muur die bedekt is met klimplanten, dus je kunt niet buitenom om sneller aan de andere kant te komen.

'Tuurlijk. Als jij zin hebt om vroeg op te staan en helemaal deze kant op te lopen.'

Zodra Az vertrokken is, doet mam de deur achter haar op slot. Dat heb ik haar nog nooit zien doen. Ze komt voor ons staan en kijkt Tamra en mij aan. Het enige geluid komt van Tamra's lepel die tegen de kom tikt. Dan draait mam zich om en gluurt tussen de luiken door… alsof ze bang is dat Az zich nog steeds binnen gehoorsafstand bevindt. Of iemand anders.

Ze draait zich terug en kondigt aan: 'Pak je spullen. We vertrekken vannacht.'

Mijn maag maakt een buiteling, net als wanneer ik opeens snel naar beneden duik in de lucht. 'Wat?'

Tamra staat zo snel op van de bank dat haar kom met melk en muesli op de grond valt. Mam zegt er niet eens iets van, kijkt zelfs niet naar de troep op de grond, en op dat moment weet ik dat alles anders is… of op het punt staat anders te worden. Ze is bloedserieus.

'Meen je dat nou?' Tamra's ogen staan koortsachtig helder. Ze ziet er levendig uit, en dat is voor het eerst sinds… nou ja, sinds ik ben gemanifesteerd en het duidelijk werd dat zij dat niet zou doen. 'Mam, zeg alsjeblieft dat je geen grapje maakt.'

'Hier zou ik echt geen grapjes over maken. Ga je spullen inpakken. Neem zo veel mogelijk kleren mee, en verder alles wat je belangrijk vindt.' Mam richt haar ogen op mij. 'We komen hier niet terug.'

Ik beweeg me niet. Het lukt niet. Op de een of andere manier wordt het brandende gevoel in mijn schouder sterker, alsof er een mes in wordt rondgedraaid dat zich er steeds dieper in boort.

Met een opgewonden kreet rent Tamra naar haar kamer. Ik hoor het geluid van haar kastdeur die openvliegt en tegen de muur knalt.

'Wat ga je doen?' vraag ik mam.

'Iets wat ik al lang geleden had moeten doen. Nadat je vader was overleden.' Ze blikt de andere kant op en knippert heftig voor ze me weer aankijkt. 'Ik denk dat ik altijd ben blijven hopen dat hij op een dag weer binnen zou komen stappen en dat we daarom hier moesten blijven, voor hem.' Ze zucht. 'Maar hij komt nooit meer terug, Jacinda. En ik moet doen wat het beste is voor jou en Tamra.'

'Je bedoelt wat het beste is voor jóú en Tamra.'

De kolonie verlaten is een kleinigheidje voor mam en Tamra, dat begrijp ik meteen. Mam heeft haar draki al jaren geleden met opzet laten doodgaan, laten uitdoven door gebrek aan activiteit toen eenmaal duidelijk werd dat Tamra nooit zou manifesteren. Ik denk dat ze het deed zodat mijn zus zich niet zo alleen zou voelen. Een daad van solidariteit.

Ik ben de enige die zich verbonden voelt met de kolonie. Degene die eronder zal lijden als we weggaan.

'Begrijp je niet hoeveel makkelijker, hoeveel veiliger het is om je draki gewoon te laten gaan?'

Ik deins achteruit alsof ik een klap krijg. 'Wil je dat ik mijn draki ga negeren? Dat ik net zo word als jij?' Een slapende draki die door moet gaan voor een mens? Ik gooi mijn hoofd van links naar rechts. 'Het maakt me niet uit waar je me naartoe brengt, maar dat doe ik niet. Ik ga niet vergeten wie ik ben.'

Ze legt een hand op mijn schouder en geeft me een kneepje. Dat is bemoedigend bedoeld, denk ik. 'We zien wel. Misschien verander je na een paar maanden van gedachten.'

'Maar waarom? Waarom moeten we weg?'

'Dat weet je zelf ook wel.'

Ik neem aan dat een deel van mij dat inderdaad weet, maar weigert het toe te geven. Opeens wil ik doen alsof alles oké is met ons leven hier. Ik wil vergeten dat ik me niet prettig voel bij Severin, die de kolonie als een dictator bestuurt. Ik wil Cassians bezitterige blikken vergeten. Ik wil vergeten hoe geïsoleerd mijn zus zich voelt in een gemeenschap die haar behandelt alsof ze een besmettelijke ziekte heeft, en ik wil vergeten hoe schuldig ik me daar altijd over gevoeld heb.

Mam gaat verder. 'Ooit zul je het begrijpen. Ooit zul je me dankbaar zijn dat ik je heb gered van dit leven.'

'Van de kolonie?' vraag ik. 'Maar dat ís mijn leven! Mijn familie.' Eén rottige alfa verandert daar niets aan. Severin blijft niet altijd aan het hoofd staan.

'En Cassian dan?' Haar lippen krullen. 'Ben je al klaar voor hem?'

Ik stap geschrokken achteruit bij de emotionele trilling in haar stem. Uit mijn ooghoek zie ik Tamra verstijven in de deuropening van haar slaapkamer. 'Cassian en ik zijn vrienden,' zeg ik. Of zoiets. Tenminste, dat waren we.

'Ja ja.'

'Wat bedoel je daarmee?'

'Je bent geen acht meer, en hij is geen tien. Een deel van je moet toch weten waar ik je al die tijd al tegen bescherm. Tegen wíé ik je bescherm.

Vanaf het moment dat je bent gemanifesteerd, ziet de kolonie jou als hun eigendom. Is het zo verkeerd als ik mijn dochter terug wil hebben? Je vader heeft het geprobeerd, hij was constant in gevecht met Severin. Waarom denk je dat hij in zijn eentje op pad ging die nacht? Hij was op zoek naar een manier...' Ze stopt, haar stem verstikt.

Ik luister met open mond. Ze praat nooit over die nacht. Over pap. Ik ben bang dat ze zal ophouden. Ik ben bang dat ze doorgaat.

Haar blik blijft op me rusten. Koel en vastbesloten. En dat jaagt me angst aan.

De bekende hitte bouwt zich op in mijn binnenste. Het brandt en schroeit mijn keel dicht. 'Je doet alsof de kolonie een of andere kwaadaardige sekte is...'

Haar ogen flitsen. Ze zwaait wild met haar armen. 'Dat zijn ze ook! Wanneer zul je dat nu eens begrijpen! Als ze van me eisen dat ik mijn dochter van zestien weggeef aan hun dierbare prins zodat ze kunnen gaan paren, dan zíjn ze kwaadaardig! Ze willen dat je hun fokmerrie wordt, Jacinda! Om de kolonie te bevolken met kleine vuurspuwertjes!' Ze staat nu vlak voor me. Schreeuwt in mijn gezicht. Ik vraag me af of Jabel of een van de andere buren haar kan horen. En of dat mam nog wel iets kan schelen.

Dan stapt ze achteruit en ademt diep in. 'We vertrekken vannacht. Pak je spullen.'

Ik ren mijn kamer in en sla de deur achter me dicht. Heel dramatisch, maar het helpt me om me beter te voelen. Ik ijsbeer door mijn kamer en adem in en uit. De stoom komt in boze pufjes uit mijn neus. Ik strijk met mijn hand over de zijkant van mijn gezicht en nek, over mijn warme huid.

Dan laat ik me languit op bed vallen en blaas een wolk adem uit. Ik staar recht vooruit zonder iets te zien, zonder iets te voelen dan de hitte die in mijn binnenste borrelt. Langzaam dooft het vuur in me, en mijn ogen glijden over de glinsterende sterren die aan touwtjes aan mijn plafond hangen. Pap heeft geholpen ze op te hangen nadat we mijn plafond blauw hadden geverfd. Hij zei dat het zou lijken of ik in de hemel sliep.

Een boze snik brandt achter in mijn keel. Ik zal nooit meer in deze hemel slapen als het aan mam ligt. En ik zal nooit meer vliegen.

Uren later, als het dorp slaapt, sluipen we door Nidia's nevels. De beschermende laag die ons verbergt voor de buitenwereld, helpt ons nu ontsnappen.

We rijden onze straat uit naar het midden van het dorp. Daar zet mam de auto in zijn vrij. Tamra en ik duwen terwijl zij door het centrum heen stuurt. De school en het gemeentehuis bekijken ons zwijgend, met donkere ramen als ogen. De wielen knarsen over het losse grind. Mijn kuiten branden van het duwen.

Als we de groene boog naderen die toegang geeft tot ons dorp, wacht ik met ingehouden adem op het alarm. Nidia's met klimop begroeide huisje doemt voor ons op, als een wachtpost aan één kant van de ingang. Een zacht lichtje gloeit achter het grote glas-in-loodraam van haar woonkamer. Zij zal ons zeker opmerken. Het is haar taak om niemand erin te laten… of eruit.

Iedere kolonie heeft ten minste één nevel-draki, een draki die het dorp in een mist hult, en ook de geest van iedere mens die per ongeluk naar binnen loopt. Door Nidia's nevels kan iemand zijn eigen naam vergeten. Haar talent is groter dan het mijne. De kolonie vreest de dag dat zij zal sterven… de dag dat ons gebied blootgesteld wordt, zichtbaar voor passerende vliegtuigen en voor iedereen die diep genoeg de bergen in trekt.

Ik hoor niets uit haar huis. Geen enkel geluid. Zelfs niet als ik iets te hard met mijn schoenzolen over het grind schraap, wat me een boze blik van Tamra oplevert.

Ik haal mijn schouders op. Misschien wil ik wel dat Nidia ons betrapt.

Als we eenmaal onder de boog door zijn, start mam de oude stationwagen. Voordat ik instap, kijk ik nog één keer achterom. In de zachte gloed achter het raam van Nidia's woonkamer staat een schaduw.

Mijn hart klopt wild in mijn keel. Ik hap naar adem, ervan overtuigd dat ze nu alarm zal slaan.

De schaduw beweegt. Mijn ogen branden, zo ingespannen staar ik ernaar.

Opeens verdwijnt het licht achter het raam. Ik knipper en schud verward mijn hoofd. 'Nee,' fluister ik. Waarom houdt ze ons niet tegen?

'Jacinda, stap in,' sist Tamra voordat ze zelf in de auto duikt. Ik ruk mijn ogen los van de plek waar Nidia net stond en vraag me af of ik zal weigeren om mee te gaan. Dat zou ik kunnen doen. Hier. Nu. Mijn hakken in het zand zetten en weigeren. Ze kunnen me niet meeslepen. Dat zouden ze ook niet proberen.

Maar uiteindelijk kan ik niet zo egoïstisch zijn. Of zo dapper. Onzeker welke van de twee het is, ga ik mee.

Al gauw slingeren we van de berg af en jakkeren we het onbekende tegemoet. Ik duw mijn handpalm tegen het koele glas van het raam. Ik vind het vreselijk dat ik Az nooit meer zal zien. Een snik welt op in mijn keel. Ik heb haar niet eens gedag kunnen zeggen.

Mam klemt haar handen om het stuur en tuurt ingespannen door de voorruit naar de weg, die nauwelijks gebruikt wordt. Ze knikt. Knikt alsof met iedere beweging van haar hoofd haar vastbeslotenheid om dit doen groter wordt.

'Een nieuwe start. Alleen wij, met z'n drietjes,' zegt ze met een overdreven vrolijke stem. 'Dat is lang geleden, hè?'

'Nou,' stemt Tamra in vanaf de achterbank.

Over mijn schouder werp ik een blik op haar. Als tweelingzussen hebben we altijd een bepaalde verbondenheid gehad, een zintuig voor de gedachten en gevoelens van de ander. Maar op dit moment kan ik alleen mijn eigen angst voelen.

Tamra kijkt glimlachend uit het raam, alsof ze iets kan onderscheiden in die zwarte nacht. In ieder geval krijgt zij eindelijk wat ze wenste. Waar we ook naartoe gaan, zij zal de normale zijn van ons tweeën. En ik degene die moet proberen zich aan te passen aan een wereld die niet voor mij gemaakt is.

Ik hoor bij de kolonie. Misschien hoor ik zelfs bij Cassian. Ook al zal het Tamra's hart breken, misschien is het toch wel het juiste. Is hij de juiste. Ik weet het niet. Ik weet alleen dat ik niet kan leven zonder te vliegen. Zonder de lucht en de vochtige, ademende aarde. Ik zou nooit opzettelijk mijn vermogen om te manifesteren opgeven. Ik ben mijn moeder niet.

Hoe kan ik me ooit aanpassen aan de mensenwereld? Ik zal net zo worden als Tamra, een defecte draki. Maar dan erger. Want ik weet hoe het voelt om een draki te zijn.

Ik heb een keer een programma gezien over iemand van wie een been was geamputeerd, en die het nog steeds voelde. Hij werd 's nachts wakker omdat zijn been jeukte, alsof het er nog aan zat. Dat noemen ze een fantoombeen.

Zo zal ik worden. Een fantoomdraki, gekweld door de herinnering aan wat ik ooit ben geweest.

5

Mijn adem baant zich moeizaam een weg langs mijn keel en over mijn lippen, terwijl mam met onze nieuwe huisbazin praat. Zelfs met de airco op volle kracht is de lucht dun, droog en leeg. Ik stel me voor dat het zo voelt voor iemand met astma, dit aanhoudende gevecht om lucht. Alsof je nooit genoeg adem in je longen kunt krijgen. Ik kijk naar mam. Van alle plaatsen op de wereld waar we naartoe konden, moest zij zo nodig een woestijn uitkiezen. Ze is een sadist, dat kan niet anders.

We volgen de waggelende Mrs. Hennessey door de achterdeur van haar huis naar buiten en storten ons weer in de droge hitte. Die zuigt aan mijn huid en trekt al het vocht uit mijn lichaam, als een enorme stofzuiger. Ik voel me slap. Nog maar twee dagen in Chaparral en de woestijn begint al zijn tol te eisen. Precies zoals mam wist dat zou gebeuren.

'Een zwembad!' roept Tamra uit.

'Dat mogen jullie niet gebruiken,' kapt Mrs. Hennessey haar meteen af.

Tamra's frons is zo weer verdwenen. Niets kan haar optimisme temperen. Een nieuwe stad, een nieuwe wereld. Een nieuw leven binnen handbereik.

Ik kan mam en Tamra niet bijhouden. Elke stap kost enorm veel energie.

Mrs. Hennessey stopt bij de krul aan het uiteinde van het zwembad. Ze gebaart naar de schutting achter ons. 'Jullie kunnen naar binnen en naar buiten via de achterpoort.'

Mam knikt en trommelt tegen haar been met de opgerolde krant waarin ze de advertentie voor deze woonruimte heeft gevonden.

De sleutels rinkelen in Mrs. Hennesseys hand. Ze haalt de deur van het zomerhuis van het slot en overhandigt mam de sleutels. 'De huur altijd op de eerste van de maand.' Haar waterige blik glijdt over Tamra en mij. 'En ik hou van mijn rust,' zegt ze.

Ik laat het aan mam over om haar gerust te stellen en loop het huis in. Tamra komt achter me aan. Ik staar naar de sombere woonkamer, die vaag naar schimmel en chloor ruikt. Mijn hart zinkt me nu helemaal in de schoenen, als het daar nog niet was.

'Niet slecht,' vindt Tamra.

Ik werp haar een blik toe. 'Dat zou je hoe dan ook zeggen.'

'Ach, het is voor tijdelijk.' Ze haalt haar schouders op. 'Binnenkort hebben we ons eigen huis.'

Dat had ze gedroomd. Ik schud mijn hoofd en bekijk de andere kamers, terwijl ik me afvraag hoe ze denkt dat dat gaat gebeuren. Mam moest haar kleingeld al tellen voor ons eten gisteravond.

De voordeur slaat dicht. Ik begraaf mijn handen diep in mijn zakken en wrijf de pluisjes die daar zitten tussen mijn vingers terwijl ik terugloop naar de woonkamer. Mam zet haar handen op haar heupen en bekijkt het huis – en ons – met werkelijk gemeende voldoening. Ik kan het niet geloven. Hoe kan zij zo gelukkig zijn terwijl ik zo... precies het tegenovergestelde ben?

'Zo, meiden. Welkom thuis.'

Thuis. Het woord echoot door me heen.

Het is avond. Ik zit aan de rand van het zwembad met mijn voeten in het water. Zelfs het water is warm. Ik hef mijn gezicht op, hopend op een beetje wind. Ik mis de nevels, de bergen, de frisse, vochtige lucht.

De deur achter me gaat open en dicht. Mam komt naast me zitten en kijkt voor zich uit. Het enige wat daar te zien is, is de achterkant van Mrs. Hennesseys huis.

'Misschien verandert ze nog van gedachten over het zwembad als we hier een poosje zijn,' zegt mam. 'Het zou lekker zijn om van de zomer te kunnen zwemmen.'

Ik neem aan dat ze me daarmee een beetje probeert op te vrolijken, maar ik hoor alleen de woorden 'als we hier een poosje zijn'.

'Waarom?' snauw ik en ik zwiep mijn benen sneller heen en weer. 'Je had duizend andere plekken kunnen uitkiezen. Waarom deze?'

We hadden overal kunnen gaan wonen. Een gehucht ergens in koele, mistige heuvels of bergen. Maar nee, ze koos Chaparral, een breed uitgewaaierd plaatsje midden in de woestijn, honderdvijftig kilometer van Las Vegas. Geen verkoelende vochtdruppeltjes die mijn lichaam kunnen voeden. Geen mist of nevel waarin ik me kan verschuilen. Geen makkelijk bereikbare heuvels of bergen. Geen vruchtbare aarde. Geen mogelijkheid om te ontsnappen. Het is gewoon wreed.

Ze ademt in. 'Ik dacht dat het op deze manier makkelijker voor je zou zijn om...'

Ik snuif. 'Er is hier helemaal niks makkelijks aan.'

'Nou, op deze manier wordt de keus voor je gemaakt.' Ze steekt haar hand uit en strijkt het haar van mijn schouder. 'Er gaat niets boven een onvruchtbare omgeving om een draki snel te laten afsterven. En ik kan het weten.'

Ik werp een blik op haar. 'Hoe bedoel je?'

Ze ademt diep in. 'Ik heb hier gewoond tijdens mijn rondreis.'

Ik ga rechtop zitten en staar haar aan. Veel draki's maken een rondreis om ervaring op te doen in de buitenwereld. Niet zo lang: een jaar, soms twee. Om te kunnen overleven moeten draki's leren hoe ze zich kunnen voordoen als mensen. Maar ze gaan nooit naar plaatsen waar het heet en droog is. Ze gaan nooit naar een woestijn. Af en toe kiest een draki ervoor om in de mensenwereld te blijven, maar dat komt niet vaak voor.

'Ik dacht dat je naar Oregon was geweest. Je maakte je rondreis samen met Jabel en jullie hadden daar een appartement.'

Mam knikt. 'Ik begon mijn rondreis met Jabel, maar na een paar maanden besloot ik...' Ze stopt even om adem te halen. 'Ik besloot dat ik niet terug wilde naar de kolonie.'

Ik verstijf. 'Waarom heb je dat nooit verteld?'

Ze klemt haar lippen op elkaar. 'Ik ben dus duidelijk wel teruggekomen. Het leek me niet nodig dat iedereen wist dat daar lichte dwang aan te pas was gekomen.'

Dan snap ik het. Ik begrijp wie die dwang heeft uitgeoefend. 'Pap,' zeg ik.

Haar glimlach wordt zachter. 'Weet je, hij heeft nooit een rondreis gemaakt. Dat was niet nodig. Hij wilde nooit iets anders zijn dan een draki.' Haar lippen trillen en ze strijkt over mijn wang. 'Je lijkt heel veel op hem.' Met een zucht laat ze haar hand vallen. 'Hij kwam iedere maand op bezoek in Oregon… en steeds probeerde hij me over te halen om met hem mee naar huis te gaan.' Haar glimlach vervaagt. 'Hij maakte het me heel moeilijk.'

Ze kijkt me recht aan. 'Ik wilde weg uit de kolonie, Jacinda. Toen al. Het was niets voor mij, maar je vader liet me niet zo makkelijk gaan. Daarom sloeg ik op de vlucht. Ik ging hiernaartoe.'

'Hier?'

'Ik had het idee dat je vader me hier niet zou vinden.'

Ik wrijf over mijn arm. Mijn huid begint al droog en schilferig aan te voelen. 'Nee, dat lijkt me ook niet.'

'Mijn draki begon vrijwel meteen weg te kwijnen. Zelfs als ik een keer toegaf aan de verleiding en het risico nam om te vliegen, was het moeilijk om te manifesteren. Het werkte. Ik was bezig een mens te worden.'

'Maar je bent teruggegaan.'

'Uiteindelijk zag ik de werkelijkheid onder ogen. Ik wilde van de kolonie af, maar ik miste je vader. Hij kon niet leven zonder zijn draki en ik kon niet leven zonder hem.'

Ik staar over het wateroppervlak, dat stil en doods is, zonder het kleinste rimpeltje van de wind, en probeer me voor te stellen dat je zo veel van iemand houdt. Zo veel dat je alles opgeeft wat je zelf wilt. Mam heeft dat gedaan.

Kan ik me dan niet opofferen voor mam en Tamra? Ik heb pap al verloren. Wil ik hen ook nog verliezen?

Op dat moment flitst de jager, Will, door mijn hoofd. Ik weet niet waarom. Misschien omdat hij me heeft laten ontsnappen. Hij kende me niet eens, maar toch liet hij me gaan… ook al is hij getraind om het tegenovergestelde te doen. Hij gaf niet toe aan zijn natuurlijke neiging om mijn soort te vernietigen. Als híj zich los kon maken van zijn wereld, moet ik me kunnen losmaken van de mijne. Zo sterk moet ik zijn.

Mams stem komt naar me toe rollen. 'Ik weet dat het nu moeilijk voor je is. Maar daarom heb ik voor deze plaats gekozen. De woestijn zal het voor je regelen. Uiteindelijk.'

Uiteindelijk. Ik hoef alleen maar te wachten tot mijn draki dood is. Zal ik me dan prettig voelen? Zal ik mam op een dag dankbaar zijn, zoals ze schijnt te denken?

Ze geeft een kneepje in mijn knie. 'Kom mee naar binnen. Ik wil een paar dingen met jullie bespreken voor we jullie gaan inschrijven op school.'

Mijn borst trekt samen, maar ik sta op en denk aan alles wat mam voor mij heeft opgegeven en aan alles wat ze is kwijtgeraakt. En aan Tamra. Zij heeft nooit iets voor zichzelf gehad. Misschien is die tijd nu eindelijk gekomen. De tijd voor hen tweeën.

'Jacinda Jones, kom eens naar voren en stel jezelf aan ons voor.'

Mijn maag draait zich om bij die woorden. Het is het derde uur, wat betekent dat ik dit nu voor de derde keer moet doen.

Ik sta op en stap over allerlei rugzakken naar de voorkant van het lokaal, waar ik naast Mrs. Schulz ga staan. Dertig paar ogen richten zich op mij.

Mam heeft ons vrijdag ingeschreven. Dat moest nu echt volgens haar. Naar de middelbare school gaan is de eerste stap op weg naar aangepast zijn. De eerste stap op weg naar normaal zijn. Tamra is opgewonden en totaal niet bang. Zij is er helemaal klaar voor.

Ik heb de hele afgelopen nacht wakker gelegen, misselijk bij de gedachte aan vandaag. Steeds weer gingen mijn gedachten naar de kolonie en naar alles wat ik moet opgeven. Wat maakt het uit dat het verboden was om overdag te vliegen? Daar kón ik tenminste vliegen. De regels van de kolonie waar ik me zo aan stoorde, verbleken bij deze nieuwe werkelijkheid. Ik weet niet eens meer waarom ik me zo afzette tegen Cassian. Was dat alleen vanwege Tamra? Of was er, afgezien van loyaliteit aan mijn zusje, nog iets anders waardoor ik in opstand kwam tegen het idee om met hem samen te moeten zijn?

Overal om me heen zijn jongeren. *Menselijke* jongeren. Honderden. Hun stemmen klinken luid en onophoudelijk. De lucht is gevuld met kunstmatige, veel te sterke geuren. De ergste nachtmerrie van een draki.

Ik was echt wel van plan om nog eens in de buitenwereld te gaan wonen, tussen de mensen. Waarschijnlijk zou ik ook een rondreis gemaakt hebben. Maar niemand doet dat op mijn leeftijd. Pas als je volwassen bent en je draki sterk is, volledig tot ontwikkeling gekomen. Nooit in de woestijn. En daar zijn goede redenen voor.

Het is pas voorjaar, maar mijn huid jeukt nu al door de hitte en de droogte. Ik probeer niet aan mijn armen te krabben. In het drukkende, fluorescerende licht voelt het alsof er iets in me verschrompelt.

Ik schraap mijn keel en mijn stem klinkt krakerig. 'Hallo, ik ben Jacinda Jones.'

Een meisje dat vooraan zit, draait een streng haar om haar vinger. 'Ja, dat weten we nou wel.' Ze grijnst met overdreven glanzende lippen.

Mrs. Schulz schiet me te hulp. 'Waar kom je vandaan?'

Mam heeft de antwoorden er bij me ingehamerd. 'Colorado.'

Een bemoedigende glimlach. 'Wat leuk, wat leuk. Ski je soms ook?'

Ik knipper. 'Nee.'

'En waar ging je naar school?'

Dat heeft mam ook al bedacht. 'Ik kreeg thuisonderwijs.' Dat was de makkelijkste uitleg om ons ingeschreven te krijgen. We kunnen de kolonie moeilijk vragen om mijn schoolrapporten op te sturen.

Een paar klasgenoten beginnen hardop te lachen. Het meisje dat aan haar haar zit te draaien, rolt met haar ogen. 'Freak.'

'Zo is het wel genoeg, Brooklyn.' De uitdrukking waarmee Mrs. Schulz nu naar me kijkt, is al wat minder hartelijk. Gereserveerder. Alsof ik net heb gezegd dat ik het leesniveau van een zesjarige heb. 'Dat is vast een interessante ervaring geweest.'

Ik knik en wil teruglopen naar mijn stoel, maar haar stem houdt me tegen, pint me vast.

'En je hebt toch ook een tweelingzus?'

Was die ondervraging nu maar eens afgelopen. Ik wacht even met antwoorden. 'Ja.'

Een jongen met een vlekkerig rood gezicht en kleine, wezelachtige ogen mompelt: 'Dubbele pret.'

Anderen lachen. Jongens vooral.

Mrs. Schulz hoort het niet, of ze doet alsof. Ook goed. Ik wil alleen maar dat hier een eind aan komt, zodat ik terug naar mijn stoel kan sluipen en mezelf onzichtbaar kan maken.

'Dank je, Jacinda. Je zult je hier wel snel thuis voelen.'

Ja, vast.

Ik loop terug naar mijn plaats. Mrs. Schulz stort zich op een eenzijdige discussie over *Antigone*. Dat toneelstuk heb ik twee jaar geleden gelezen. In de oorspronkelijke taal, Grieks.

Mijn blik dwaalt af naar het raam en het uitzicht op de parkeerplaats. Boven de glanzende daken van de auto's zie ik heel in de verte bergen aan de horizon. Ze roepen me.

Ik heb besloten dat ik ga proberen te vliegen. Mam heeft het ook gedaan toen ze hier woonde. Het is dus mogelijk. Nu is het nog moeilijk om thuis weg te komen. Mam is de hele tijd in de buurt. Ze brengt ons naar school en haalt ons weer op, alsof we kleine kinderen zijn. Ik weet niet of ze bang is dat de kolonie me zal opsporen of dat ze denkt dat ik zal weglopen. Maar ik geloof dat ze me wel genoeg vertrouwt om te weten dat ik dat niet zal doen.

Als ik af en toe even wegglip om mijn vleugels te strekken, hoeft dat mam en Tamra er niet van te weerhouden het leven te leiden dat ze zo graag willen.

Ik ga verzitten. Al mijn hoop is nu gevestigd op de stadsplattegrond in mijn broekzak. Ik heb hem al een paar keer bestudeerd om ieder park in de omgeving in mijn geheugen te prenten. Dat ik hier nu woon, wil nog niet zeggen dat ik bereid ben om mezelf weg te laten kwijnen. De gedachte dat ik weer zal vliegen is het enige wat me op de been houdt. Hoe gevaarlijk het ook is, ik móét de wind weer voelen.

De bel gaat en ik sta tegelijk met de anderen op.

Wezeloogje komt naar me toe. 'Hé.' Hij knikt langzaam en inspecteert me van boven tot onder. 'Ik ben Ken.'

'Hoi,' weet ik uit te brengen en ik vraag me af of hij soms denkt dat ik onder de indruk ben van zijn opmerking over 'dubbele pret'.

'Hulp nodig bij het vinden van het volgende lokaal?'

'Nee, ik red me wel. Dank je.' Ik stap langs hem heen en loop haastig, met gebogen hoofd, naar mijn kluisje.

Tamra staat op me te wachten. 'Hoe gaat het?' vraagt ze opgewekt.

'Prima.'

Haar glimlach vervaagt. 'Je moet ervoor openstaan, Jace. Jij bent de enige die kan zorgen dat je zelf gelukkig bent.'

Ik draai aan het slotje voor de goede cijfercode, doe het verkeerd en begin opnieuw. 'Bespaar me je gepsychologiseer alsjeblieft.'

Ze haalt haar schouders op en gaat met haar vingers door haar super-gladde haar. Ze is wel een uur met de stijltang in de badkamer bezig ge-weest om het zo te krijgen, want ze wilde er per se net zo uitzien als op een plaatje dat ze in een tijdschrift had gezien. Mijn eigen roodgouden haar hangt als een kroezige massa op mijn rug. Het is zo statisch dat het alle kanten op springt. Het heeft behoefte aan vocht en nevel, net als de rest van mijn lichaam.

Ik bekijk haar. Ze ziet er chic uit in haar strakke rode topje, donkere spijkerbroek en kniehoge laarzen, die ze dit weekend heeft gekocht bij zo'n koopjeswinkel. Er lopen een paar jongens langs, die nog eens naar haar omkijken. Zij is thuis in deze wereld, voelt zich niet beroerd, zoals ik, en ze verlangt zelfs niet meer naar Cassian. Ik ben er blij om, echt. Alleen betekent haar geluk dat ik me ellendig voel.

'Ik zal het proberen,' beloof ik haar en dat meen ik. Ik wil dit niet voor haar verpesten.

'O ja, dat vergat ik bijna.' Ze rommelt in haar tas. 'Kijk. Ze hebben proeflessen voor de cheerleaders, om te kijken wie er volgend jaar in de ploeg komen.'

Ik werp een blik op de helderoranje folder in haar hand en krimp in elkaar bij het zien van de plaatjes van pompons en meisjes in korte rok-jes die salto's doen.

Ze wappert met het papier. 'We kunnen het samen proberen.'

Ik heb eindelijk mijn kluisje open en wissel mijn boeken om. 'Neuh. Doe jij maar.'

'Maar jij bent zo...' haar amberkleurige ogen glijden veelbetekenend over me heen, '...atletisch.' Ze had net zo goed kunnen zeggen: draki.

Ik schud mijn hoofd en doe mijn mond open om haar duidelijk te maken dat ik echt niet wil, maar dan stop ik. Ik huiver. De haartjes in mijn nek gaan overeind staan. Ik laat een boek uit mijn hand glijden, maar buk niet om het op te rapen.

Tamra laat de folder zakken. 'Wat? Wat is er?'

Ik kijk over haar schouder, de drukke hal in. Er gaat een bel en iedereen begint gehaast een kant op te lopen. Kluisjes worden dichtgeslagen en schoenen piepen op de tegelvloer.

Ik blijf onbeweeglijk staan.

'Jace, wat ís er?'

Ik schud mijn hoofd, kan geen woord uitbrengen. Mijn blik glijdt over alle gezichten. Dan heb ik hem gevonden. Degene die ik zocht voor ik het zelf wist, voor ik het begreep... De mooie jongen. Ik staar naar hem.

Mijn huid voelt strak aan.

'Jacinda, wat is er? We moeten gaan, anders komen we te laat voor de les.'

Het kan me niet schelen. Ik blijf roerloos staan. Het kan hem niet zijn. Hij kan niet hier zijn. Waarom zou hij hier zijn?

Maar hij is het echt.

Will.

Hij staat tegen een kluisje geleund en is groter dan alle anderen om hem heen. Brooklyn-met-het-gedraaide-haar staat met de zoom van zijn shirt te spelen. Ze hangt schaamteloos tegen hem aan en haar glanzende lippen bewegen non-stop. Hij glimlacht, knikt, luistert naar haar geklets, maar ik weet dat hij niet echt geïnteresseerd is, dat hij ergens anders is... of wil zijn. Net als ik.

Ik kan mijn blik niet afwenden.

Zijn honingbruine haar valt nonchalant over zijn voorhoofd. Ik weet nog dat het donker en nat was, en uit zijn gezicht geveegd. Ik weet nog hoe we met z'n tweeën in de grot zaten, zijn hand op de mijne, en dat er een vonk tussen ons oversprong voor zijn gezicht dreigend en kwaad werd. Voordat hij verdween.

Naast me slaakt Tamra een zucht en ze draait zich om, om te kijken. 'Ah,' mompelt ze veelbetekenend. 'Ziet er goed uit. Jammer maar helaas. Zo te zien heeft hij al een vriendin. Je zult op zoek moeten naar iemand anders…' Als ze me aankijkt, hapt ze naar adem. 'Jace! Je gloeit!'

Daarmee heeft ze mijn aandacht weer. Ik kijk omlaag naar mijn armen. Over mijn huid ligt een schijnsel, een vage glinstering, alsof er goudstof over me is uitgestrooid.

De draki in mij roert zich, tintelt en hunkert om tevoorschijn te komen.

'Jezus, beheers je!' sist Tamra. Ze leunt naar me toe. 'Je ziet een lekkere jongen en begint te manifesteren? Hou jezelf onder controle, ja?!'

Maar dat kan ik niet. Dat is iets wat Tamra nooit heeft begrepen. Als de emoties oplopen, komt de draki in mij tevoorschijn. In tijden van angst, opwinding, spanning… dan komt de draki eruit. Zo zijn we nu eenmaal.

Ik kijk weer naar Will en de vreugde golft door me heen. Maar daaronder ook angst voor wat zijn aanwezigheid hier betekent.

Mijn zus pakt mijn arm en knijpt er gemeen in. 'Jacinda, je moet stoppen. Stop nu!'

Will tilt abrupt zijn hoofd op, als een roofdier dat zijn prooi ruikt, en ik vraag me af of jagers eigenlijk wel menselijk zijn. Misschien zijn ze wel net zo anders als de draki. Hij kijkt rond, speurt door de hal terwijl ik mezelf onder controle probeer te krijgen. Voordat hij me ziet. Voordat hij het weet.

Mijn longen beginnen te branden en ik voel de bekende gloed, precies op het moment dat zijn goudbruine ogen op me blijven rusten.

Ik schrik op van de knal van mijn kluisdeurtje en scheur mijn blik los van hem. Naar Tamra. Met haar hand duwt ze zo hard tegen het metaal van mijn kluisje dat haar vingers wit zien.

De laatste bel gaat.

Met een snelle duik graait ze mijn boeken van de grond en dan trekt ze me mee naar de wc's. Ik werp een blik over mijn schouder terwijl alle lichamen haastig uit de hal verdwijnen, in een wolk van kunstmatige geuren. Parfum, lotions, haarspray, gel… ze doen een aanval op mijn zintuigen. Niets hier voelt echt aan. Alleen de jongen die mij nakijkt. Hij wacht. Zijn glanzende blik volgt me als de blik van het roofdier dat ik in hem bespeur. Soepel en katachtig beweegt hij zich bij de kluisjes vandaan.

Mijn draki blijft nog steeds alert, klaarwakker en levend onder de hongerige blik waarmee hij me bekijkt. Mijn binnenste vibreert, de huid van mijn rug tintelt en kriebelt op de plek waar mijn vleugels tegenaan duwen. Ik houd ze binnen, maar ze zijn er wel.

Tamra's hand trekt harder, rukt me mee. En dan zie ik hem niet meer. Hij is opgeslokt door de mensenmassa, die als motten om een lamp heen dansen en botsen en de gangen verstoppen.

Maar ik voel hem nog steeds. Hunker naar hem. Weet dat hij er is, ook al zie ik hem niet langer.

Mijn neusgaten trillen van de scherpe geur van schoonmaakmiddel. Mijn draki trekt zich meteen terug bij die onnatuurlijk lucht. Ik duw mijn hand tegen mijn mond en neus. Het vuur in mijn longen verdwijnt. Mijn rug tintelt niet langer.

Tamra's blik glijdt over me heen. Ze is duidelijk opgelucht dat ik weer mezelf ben. De 'ik' die ze het liefste ziet, de enige versie van mij die ze om zich heen wil hebben.

'Je gloeit niet meer, godzijdank! Probeer je soms alles te verpesten voor ons?'

Ik kijk naar de deur van de toiletruimte, haast alsof ik verwacht dat hij achter me aan zal komen. 'Heeft hij het gezien?'

'Ik denk het niet.' Ze haalt één schouder op. 'Hij zou toch niet weten wat hij zag.'

Dat zal wel zo zijn, denk ik. Zelfs jagers weten niet dat draki's kunnen manifesteren in een menselijke gedaante. Dat is ons best bewaarde geheim. Onze beste verdediging. En ik heb daar in de hal niet mijn vleugels uitgevouwen of zo. Tenminste, niet helemaal.

Ik sla mijn armen om me heen en voel hoe de trilling uit mijn binnenste verdwijnt. Dit is mijn kans, bedenk ik. Nu kan ik haar vertellen over Will... bekennen hoeveel ik op het spel heb gezet die dag in de grot, met hem... bekennen hoeveel ik nu op het spel zet. Ik kan alles eruit gooien in deze smerige toiletruimte.

Tamra kijkt me aandachtig aan. 'Gaat het wel? Zal ik mam bellen?'

Daar moet ik even over nadenken. En over andere dingen, zoals wat mam zou zeggen als ik haar het hele verhaal vertelde. Wat zou ze doen? En meteen weet ik het. Ze zou ons ogenblikkelijk van school halen, maar ze zou ons niet mee terug nemen naar de kolonie. Echt niet. Ze zou ons gewoon neerplanten in een ander plaatsje. Op een andere school in een andere woestijn. Binnen een week zou ik deze hele beroerde eerste schooldag nog eens mogen overdoen, in de hitte op een andere plek, waar geen mooie, opwindende jongen rondloopt. Een jongen die alleen al door in de buurt te zijn mijn draki wakker maakt – het deel van mij dat zich niet meer goed heeft gevoeld sinds we de bergen achter ons hebben gelaten. Hoe kan ik daarvan weglopen? Van hem?

Tamra schudt haar glanzende haar over haar schouder en kijkt me onderzoekend aan. 'Ik denk dat het wel goed zit.' Ze zwaait haar vinger heen en weer voor mijn neus. 'Maar blijf voortaan uit zijn buurt, Jacinda. Je moet zelfs niet naar hem kijken. Tenminste niet tot je jezelf beter onder controle hebt. Volgens mam duurt het niet lang voor...'

Ze moet iets in mijn gezicht gezien hebben, want ze kijkt weg. 'Sorry,' mompelt ze. Ze is mijn zus en ze houdt van me, daarom zegt ze dat. Niet omdat het haar echt spijt. Ze wil net zo graag als mam dat mijn draki sterft. Ze wil dat ik normaal ben, net als zij. Zodat we samen een normaal leven kunnen leiden en cheerleaders kunnen worden of zo.

Mijn maag trekt samen. Ik pak mijn boeken van haar aan. 'Kom op, we zijn laat.'

'We mogen er vast wel wat langer over doen. We zijn nieuw.'

Ik knik en pluk wat aan de gehavende kaft van mijn wiskundeboek. 'Tot de lunch dan maar?'

Tamra loopt naar de spiegel om te zien of haar haar nog goed zit. 'Denk aan wat ik gezegd heb.'

Ik wacht en kijk naar haar schitterende spiegelbeeld. Het is moeilijk te geloven dat ik de tweelingzus ben van zo'n tot in de puntjes verzorgd persoon.

Ze legt een streng van haar perfecte roodgouden haar over haar schouder. Het uiteinde krult iets naar binnen. 'Blijf uit de buurt van die gast.'

'Oké,' stem ik in, maar als ik de verlaten hal in loop, stop ik om naar links en rechts te kijken. Om hem te zoeken. Vol hoop en vrees.

Maar hij is er niet.

6

Tijdens de lunchpauze verstop ik me. Ik weet dat het laf is, maar toen ik voor de dubbele deuren van de kantine stond, werd ik al beroerd van de herrie. De gedachte dat ik daar naar binnen moest, was meer dan ik kon verdragen.

In plaats daarvan loop ik door de gangen, en ik probeer niet te letten op het hongerige gevoel in mijn maag en op mijn schuldgevoel omdat ik Tamra aan haar lot overlaat. Maar op de een of andere manier weet ik dat ze zich wel zal redden. Daar weet ik mezelf in ieder geval van te overtuigen. Ze wacht al op deze dag vanaf dat we kleine kinderen waren. Vanaf het moment dat ik manifesteerde en zij niet. Toen Cassian haar begon te negeren en een droom werd die voorgoed buiten haar bereik lag.

Ik kom in de bibliotheek terecht. Meteen adem ik de lucht van muffe boeken diep in en geniet van de stilte. Ik ga aan een tafel vlak bij het raam zitten en laat mijn hoofd rusten op het koele formica tot de bel gaat.

De rest van de dag gaat in een waas voorbij. Tot mijn opluchting weet ik het laatste uur te halen. Het zit er bijna op.

Het studielokaal zit het zevende uur vol met leerlingen die niet mee willen doen met atletiek, of die niet mee mógen doen omdat hun gemiddelde niet hoog genoeg is. Dat hoor ik van Nathan, die me sinds het vijfde uur volgt als een schaduw.

Hij komt naast me zitten. Bij ieder woord sproeit hij een beetje spuug over zijn dikke lippen. 'Zo, Jacinda, vertel eens. Wat is er met jou aan de hand?'

Ik knipper verbaasd en schuif achteruit voor ik het begrijp. Tuurlijk. Dát kan hij niet bedoelen. 'Nou, eh… ik weet niet.'

'Weet je wat het met mij is?' Hij wijst met zijn duim op zijn opgezwollen borstkas. 'Het lukt me maar niet om Engels te halen. Pech, want misschien zou ons footballteam eindelijk eens een wedstrijd winnen als ik mee kon doen. En hoe zit het met jou?' Zijn blik glijdt langs mijn lange benen. 'Waarom zit je hier in het studielokaal? Je ziet eruit alsof je wel basketbal kunt spelen. We hebben een goed damesteam.'

Ik veeg een irritante haarstreng achter mijn oor. Die springt meteen weer los en valt terug in mijn gezicht. 'Ik wilde niet midden in het semester in een nieuw team beginnen.' Ook niet op een ander tijdstip trouwens.

Het lokaal staat vol tafeltjes met zwarte bladen. Mr. Henke, de natuurkundeleraar, staat voor in het lokaal achter een grotere versie van onze tafeltjes. Hij staart met een verwonderde, sombere blik naar de klas, alsof hij zich afvraagt waar al die goede leerlingen uit het vorige uur zijn gebleven. 'Iedereen pakt wat werk om te doen. Er wordt niet gepraat. Studeer of lees in stilte, alsjeblieft.' Hij zwaait met een oranje boekje. 'Heeft er nog iemand ergens een pasje voor nodig? De bibliotheek?'

Nathan begint te lachen als de halve klas in de rij gaat staan voor een pasje. De bel is nog niet eens gegaan, maar zo te zien zullen de meesten voor die tijd alweer verdwenen zijn.

'En daar gaat de kudde.' Nathan kijkt me aan en leunt samenzweerderig naar me toe. 'Wil je hier weg? Er is een Häagen-Dazs shop hier vlakbij.'

'Nee, mijn moeder komt mijn zus en mij straks ophalen.'

'Jammer.' Nathan komt nog dichterbij. Ik schuif in de richting van de hoek van de tafel. Zijn blik glijdt over me heen.

Met mijn elleboog stoot ik een boek van de tafel en dankbaar spring ik van mijn kruk om het op te rapen. Gehurkt op de groezelige tegels en met mijn hand uitgestrekt naar het boek, beginnen de haartjes in mijn nek te tintelen. Mijn ademhaling versnelt. Ik klem mijn lippen op elkaar om het geluid te dempen. Mijn huid begint te trekken, en ik weet dat hij er is voordat hij het lokaal binnenkomt.

Ik weet het. En ik wíl dat hij het is, ondanks de waarschuwing van Tamra, die nog in mijn hoofd klinkt. Ik veeg mijn zweterige handpalm af aan mijn broek en gluur onder de tafel door naar de deur. De herkenning brandt diep in mijn borst, maar ik blijf waar ik ben, in elkaar gedoken op de vloer, en kijk toe hoe hij binnenkomt.

Ik blijf stil zitten, afwachtend. Misschien komt hij ook een pasje halen en verdwijnt hij met de anderen.

Maar hij gaat niet in de rij staan. Hij loopt door het lokaal, met een schrift losjes in zijn hand. Dan stopt hij en houdt zijn hoofd schuin. Alsof hij iets hoort. Of iets vreemds ruikt. Precies zo keek hij vandaag in de hal, net voordat hij me zag.

Ik speel met mijn boek en druk de scherpe hoeken in de gevoelige kussentjes van mijn vingers.

'Gaat het goed daarzo?' dreunt Nathans stem boven me.

Ik krimp in elkaar en dwing mezelf om te gaan staan. Daarna laat ik me op mijn kruk zakken. 'Yep.' Ik kan me niet eeuwig blijven verstoppen. We zitten op dezelfde school. En blijkbaar in hetzelfde studielokaal.

Ik blijf strak voor me uit kijken, naar het schoolbord. Naar wat dan ook, als hij het maar niet is. Maar het is onmogelijk. Het is net zoiets als proberen je ogen wijd open te houden als je moet knipperen. En dus kijk ik naar hem.

Zijn blik vindt me. Ik kijk in ogen die geen duidelijke kleur hebben. Groen, bruin, goud – als ik te intensief kijk, raak ik de kluts kwijt en voel me duizelig. Ik moet denken aan de richel, wij tweeën, opgesloten in die vochtige, krappe ruimte. Zijn hand op mijn draki-huid. Het woord dat hij volgens mij zei.

Huiverend ruk ik me los van zijn blik en staar naar de tafel. Ik concentreer me op mijn ademhaling, neem langzame, gelijkmatige teugen. Bij het geluid van zijn stem kijk ik weer op, gevangen door de fluweelzachte klank.

'Is het goed als ik hier ga zitten?' vraagt hij aan Nathan terwijl hij mij aankijkt.

'Ja hoor.' Nathan haalt zijn schouders op, werpt een onzekere blik op mij en pakt zijn rugzak. 'Ik wilde toch net naar de bibliotheek gaan. Zie je, Jacinda.'

Will blijft even staan en kijkt naar de lege kruk voordat hij gaat zitten. Alsof hij verwacht dat ik iets ga zeggen. Hem tegenhou? Of uitnodig? Ik weet het niet. Dan ploft hij neer.

Hij draait zich een stukje om op zijn kruk en lacht naar me. Een klein lachje, maar leuk. Sexy.

Binnen in me begint zich een gevaarlijke hitte op te bouwen. Ongewenst. Mijn huid trekt strak, maar al te bereid om in draki-huid te veranderen. Een bekende trilling zwelt op in mijn borst. Van achter in mijn keel begin ik te spinnen. Mijn instinct neemt het over en ik ben bang dat als ik iets zeg, het zal zijn in de rommelende klanken van de draki-taal.

Het is wel grappig. Ik was zo bang dat mijn draki zou verschrompelen in deze woestijn, dat hij zou sterven zoals mam wil. Maar ik heb me nog nooit zo levend gevoeld als nu bij deze jongen. Ik wrijf met mijn hand over mijn arm en dwing mijn huid om af te koelen, mijn draki om zich terug te trekken. In ieder geval voor dit moment.

We zitten stil naast elkaar. En het is zo vreemd. Hij weet wat ik ben. Nou ja, niet echt wat ík ben. Hij kan onmogelijk weten dat ik ook díé ik ben. Maar hij weet over ons, over mijn soort. Heeft me gezien. Hij weet dat we bestaan. Hij heeft me gered. Ik wil alles over hem weten. En toch kan ik geen woord uitbrengen, ik kan niets zeggen. Helemaal niets. Ik heb het te druk met me concentreren op mijn binnenste, om het koel en ontspannen te houden. Om de draki weg te houden. Ik wil hem beter leren kennen, maar hoe dat moet als je niet kunt ademen en niet kunt spreken, is me een raadsel.

Het enige wat ik over hem hoef te weten, is dat hij uit een familie van jagers komt. Dat mag ik niet vergeten. Nooit. Ze vermoorden ons of verkopen ons aan de enkro's. Als we in hun kwaadaardige handen vallen, worden we óf tot slaven gemaakt óf afgeslacht. Ik krijg kippenvel. Hij maakt deel uit van die duistere wereld. Ook al heeft hij me helpen ontsnappen, ik zal bij hem uit de buurt moeten blijven. En niet omdat Tamra me dat heeft opgedragen. Ik moet mijn spullen pakken en aan een andere tafel gaan zitten.

Toch blijf ik waar ik ben, en ik beweeg me heel behoedzaam op mijn kruk, om ervoor te zorgen dat onze lichamen elkaar niet raken.

'Dus,' zegt hij, alsof we midden in een gesprek zitten. Alsof we elkaar goed kennen. Er trilt een zenuw bij mijn oog als ik het geluid van zijn stem hoor. 'Je bent hier nieuw.'

Ik verzamel al mijn kracht om er iets uit te persen. 'Yep.'

'Ik zag je al eerder.'

Ik knik en zeg: 'In de hal, ja. Ik zag jou ook.'

Zijn ogen worden warmer en glijden over me heen. 'Precies. En bij gym.'

Ik frons. Ik kan me niet herinneren dat ik hem het vierde uur heb gezien. Ik kan me niet herinneren dat ik hem heb gevoeld.

'Jij liep rondjes over de atletiekbaan,' legt hij uit. 'Wij zaten binnen, in het zwembad. Ik zag je door het raam.'

'O.' Ik weet niet waarom, maar ik vind het opwindend om te weten dat hij naar me keek.

'Je bent zo te zien aardig snel.'

Ik glimlach. Hij glimlacht terug en de plooien in zijn wangen worden dieper. Mijn hart knijpt zich samen. 'Ik hou van hardlopen.' Als ik heel snel ren, voel ik de wind in mijn gezicht en dan kan ik me bijna voorstellen dat ik vlieg.

'Af en toe,' gaat hij verder, 'gaan de jongens en de meisjes bij gym samen hardlopen. Ik weet alleen niet zeker of ik je wel kan bijhouden.' Zijn stem is laag, flirterig. De hitte slaat door me heen en golft laag in mijn buik.

Ik probeer het me voor te stellen, dat ik naast hem ren. Want dat bedoelt hij toch? De lucht komt bibberig over mijn lippen. Ik zou het geweldig vinden om met hem te rennen. Maar dat moet ik niet doen. Dat kan niet. Het zou geen goed idee zijn.

Twee jongens komen op het laatste moment binnen, net als de tweede bel gaat. Ze kijken onze kant op. Naar Will, niet naar mij. Ik ben het opmerken niet waard.

Degene met het ravenzwarte haar dat heel kort is afgeschoren, loopt voorop. Zijn gezicht is chic, smal en heel knap, met donkere, vloeibare ogen. Angst golft door mijn lichaam. Zijn ogen zijn ijskoud en berekenend.

Zijn zwaarlijvige vriend loopt branieachtig achter hem aan – zijn haar is zo rood dat het zeer doet aan mijn ogen.

'Hé.' De donkere knikt naar Will en stopt bij onze tafel. Ik maak mezelf kleiner; ik voel me bedreigd.

Will leunt achteruit op zijn kruk. 'Wat is er, Xander?'

Xander ziet er haast… verward uit. Hij trekt zijn wenkbrauwen op en richt zijn aandacht op mij. En dan snap ik het. Hij begrijpt niet waarom Will hier zit. Bij mij.

Ik begrijp het ook niet. Misschien is er ergens iets waardoor Will zich mij herinnert, me herkent. Mijn handpalmen zijn klam van het zweet. Onder tafel knijp ik hard in mijn dijbenen.

De Rooie draait er niet omheen. 'Kom je niet bij ons zitten?'

Will haalt een schouder op. 'Neuh.'

'Ben je kwaad of zo?' Dat is de Rooie weer.

Xander zegt geen woord. Hij blijft mij aankijken. Die inktzwarte blik maakt me misselijk. Er spookt een woord door mijn hoofd. *Kwaadaardig.* Het is een bizarre gedachte. Melodramatisch. Maar ik ben een draki. Ik weet dat het kwaad bestaat. Het jaagt op ons.

Ongemakkelijk schuif ik op mijn kruk. Het is wel duidelijk dat Xander begrijpt wat zijn vriend nog niet doorheeft. Om de een of andere reden heeft Will besloten om bij mij te zitten, omdat hij dat wil. Ik overweeg om naar een andere tafel te gaan, maar dat zou alleen maar meer aandacht trekken.

Gedraag je natuurlijk, Jacinda, zo natuurlijk mogelijk.

'Ik ben Xander,' zegt hij tegen mij.

'Jacinda,' reageer ik en ik voel Wills blik op de zijkant van mijn gezicht.

Xander glimlacht naar me. Een soort duistere charme, die vast en zeker werkt bij de meeste meisjes. 'Leuk je te ontmoeten.'

Ik weet een zwakke glimlach te produceren. 'Jou ook.'

'Volgens mij zit je bij mij in de klas bij gezondheidsleer.' Zijn stem klinkt glad en zijdeachtig.

'Ik denk dat je mijn zus bedoelt, Tamra.'

'Ah. Tweelingzussen?'

Hij zegt 'tweelingzussen' alsof het iets overdadigs en decadents is, als chocola in zijn mond. Ik kan alleen maar knikken.

'Cool.' Zijn blik blijft op mijn gezicht rusten en ik heb het gevoel dat hij door me heen kijkt. Ten slotte wendt hij zijn blik af en slaat met een hand op de rug van de Rooie. 'Dit is mijn broer, Angus.'

Ik knipper met mijn ogen. Ze lijken geen steek op elkaar. Alleen in de dreiging die ze uitstralen.

Hij gaat verder. 'En Will heb je al ontmoet, zo te zien.'

Ik knik, ook al hebben we elkaar niet echt ontmoet.

'We zijn neven.'

Neven. Jagers, maar anders dan Will.

Mijn longen zetten uit van de smeulende hitte. Ik hou mijn adem in. Ik onderdruk de stroom hitte in mijn buik en de rommelende vibratie in mijn binnenste. Toch ben ik niet verbaasd. Vanaf het moment dat die twee het lokaal in liepen, ben ik in de hoogste staat van paraatheid. Ze zijn anders dan de andere mensen om me heen. Mijn instinct zei meteen al dat ze een bedreiging vormen.

Xander en Angus hadden me nooit laten ontsnappen. Ze zouden genoten hebben van de kans om me te doden. Ik weet niet waar ik moet kijken. Ik ben me sterk bewust van hun aanwezigheid, van deze wrede jagers. Kunnen ze de waarheid in mijn ogen zien? Mijn blik schiet in het rond, op zoek naar iets veiligs om naar te kijken.

'Echt waar?' mompel ik binnensmonds. Onwillekeurig kijk ik toch weer naar hen. 'Neven. Cool.'

Angus krult zijn lippen en ontbloot zijn tanden. Ik weet dat ik stom klink. Als een suffe muts.

Met een zelfgenoegzaam lachje naar Will haalt hij zijn schouders op en hij loopt verder het lokaal in. Ik heb afgedaan. Opluchting overspoelt me, maar dat duurt niet lang. Xander blijft hangen. Hij vormt een grotere bedreiging, met die sluwe ogen van hem. Hij is slimmer dan zijn broer.

Hij kijkt van Will naar mij en weer terug. 'Kom je vanavond nog?' vraagt Xander.

'Weet nog niet.'

Xanders duivelse zwarte ogen flitsen geërgerd. 'Waarom niet?'

'Ik heb huiswerk.'

'Huiswerk.' Xander spreekt het uit alsof het een buitenlands woord is dat hij nog nooit heeft gehoord. Even lijkt het of hij in lachen zal uitbarsten. Dan staat zijn gezicht weer onbewogen en zijn stem klinkt spijkerhard als hij zegt: 'We hebben iets te doen. Onze vaders verwachten dat je komt.'

Wills hand op tafel balt zich tot een vuist. 'We zien wel.'

Zijn neef kijkt hem kwaad aan. 'Ja. Dat doen we zeker.' Dan richt hij zijn blik op mij. Zijn inktzwarte ogen worden zachter. 'Later, Jacinda.' Hij geeft een klopje op de tafel en slentert weg.

Zodra hij verdwenen is, kan ik makkelijker ademhalen. 'Je neven lijken wel... aardig.'

Will glimlacht even, maar zijn ogen staan serieus. 'Je kunt beter uit hun buurt blijven.' Zijn stem is laag, warme lucht die mijn huid streelt.

Dat was ik al van plan, maar toch moet ik het vragen. Ik wil hem beter begrijpen. 'Hoezo?'

'Een leuk meisje zou niet met zulke jongens om moeten gaan.' De pezen in zijn onderarm trekken samen als hij zijn hand opendoet en weer dichtknijpt. 'Het zijn eikels. Dat kan haast iedereen je vertellen.'

Ik probeer de sombere stemming een beetje op te vrolijken en zeg op een flirterig toontje: 'En wat zal haast iedereen van jou zeggen? Ben jij de goodguy?'

Hij draait zich naar me toe en kijkt me aan. Ik word gegrepen door die steeds veranderende ogen, die me herinneren aan het weelderige groen en bruin van thuis. Hij heeft geen zacht gezicht. De scherpe hoeken zijn erin geëtst.

'Nee, dat ben ik niet.' Hij kijkt weer voor zich.

Mr. Henke zit in een staccaoritme op het toetsenbord van zijn computer te tikken en let niet op de klas.

Mijn huid voelt strak en prikkerig aan. De warmte smeult. 'Waarom ben je bij mij komen zitten?'

De stilte duurt zo lang dat ik me afvraag of hij nog wel zal antwoorden. Uiteindelijk geeft hij toe: 'Geen idee. Daar probeer ik nog steeds achter te komen.'

Ik weet niet wat ik had verwacht dat hij zou zeggen. Dat hij me op een of ander niveau herkende? Allebei raken we geen boek aan. Ik durf nauwelijks adem te halen, zo bang ben ik dat de hitte die zich binnen in mij opbouwt, naar buiten komt via mijn lippen of neus. Ik neem kleine teugjes lucht en wacht tot de bel gaat.

De gesprekken om ons heen in het lokaal vormen een soort gelijkmatig gezoem. Mr. Henke stopt met typen. Ik kijk toe hoe zijn ogen dichtvallen en zijn hoofd naar zijn borst zakt. Zijn bril glijdt over zijn neus naar beneden.

Ik schrik op van een schrille lach achter me. Als ik over mijn schouder kijk, zie ik achter in de klas een meisje zitten, tussen Wills neven in geklemd. Angus kietelt haar en ze springt overeind, haar lange blonde haar golft als serpentines door de lucht. Ze klampt zich aan Xanders arm vast alsof hij haar kan redden van deze heerlijke marteling.

Xander heeft een luie glimlach op zijn gezicht, hij kijkt verveeld. Alsof hij voelt dat ik naar hem kijk, vangt hij mijn blik en de glimlach verdwijnt. Zijn donkere ogen houden de mijne vast.

'Kijk voor je.'

Mijn hart bonkt in mijn keel als ik zijn diepe stem hoor. Ik kijk naar Will.

Zijn lippen bewegen nauwelijks terwijl hij spreekt. 'Geloof me, je wilt niet dat Xander aandacht aan je gaat besteden. Het loopt nooit goed af voor die meisjes.'

'Ik heb nauwelijks een woord met hem gewisseld. Ik denk niet dat ik hem...'

'Je bent míj opgevallen.'

Een duister gevoel van opwinding raast door me heen. Ik veeg mijn vochtige handpalmen af aan mijn spijkerbroek.

Dan lacht hij. Laag en zacht. Het klinkt treurig. 'Dus, ja. Je bent hem ook opgevallen.' Hij krult zijn lippen. 'Het spijt me.'

De bel gaat. Het schelle, onnatuurlijke geluid snijdt door me heen, zoals het de hele dag al doet.

En hij maakt dat hij wegkomt. Hij is de deur al uit voordat ik mijn spullen kan pakken of gedag kan zeggen.

7

Ik sta weer met mijn kluisje te klungelen, het metaal van het slotje als een koude kus op mijn vingers. Lichamen botsen tegen me aan en haasten zich langs me heen. Vreemd genoeg branden mijn ogen. Tranen liggen op de loer. Wat behoorlijk stom is. Dat ik mijn kluisje niet open krijg, is nog geen reden om in snikken uit te barsten.

Maar het is niet alleen het kluisje, dat weet ik wel. Het is alles. Ik kijk snel naar links, in de hoop dat Tamra hier gauw zal zijn, zodat we dit vreselijke oord kunnen verlaten.

'Will Rutledge. Ik ben onder de indruk.' Als ik de humoristische klank in de stem hoor, draai ik me om en herken een meisje van de gymles van het vierde uur. Ze was sneller dan de meeste anderen. Ik heb haar maar één keer ingehaald op de atletiekbaan vandaag. Met haar glanzende bruine haar doet ze me een beetje aan Az denken, maar haar ogen zijn groot en blauwgroen, wijd opengesperd onder haar pony. Die is aan de lange kant en een beetje ongelijk, alsof ze zelf de schaar heeft gehanteerd.

'Sorry?' zeg ik.

'Will en zijn neven. Die zijn nogal hot hier.' Haar stem is laag en slepend.

'Is dat zo?' mompel ik.

'Rijk, ze zien er goed uit en dan hebben ze die uitstraling van bad boys, dat helpt ook.' Ze knikt. 'Xander en Angus zijn players. Die hebben de helft van alle meisjes hier op school al gehad. Maar Will niet. Hij is…'

Ik leun naar haar toe, benieuwd wat ze over hem te vertellen heeft.

'Tja, Will…' Een smachtend lachje krult haar lippen. 'Hij is ongrijpbaar. Heeft geen enkele interesse in de meisjes hier.' Ze rolt met haar schitterende ogen en zucht dramatisch. 'En natuurlijk willen we hem daardoor nog meer.'

Stom genoeg voel ik me opgetogen.

'Ik ben Catherine,' zegt ze.

'Hoi, ik ben…'

'Jacinda. Ja, dat weet ik.'

'Hoe…'

'Iedereen kent je naam al, en die van je zus. Geloof mij maar. Zo groot is de school nou ook weer niet.' Ze doet een stap naar voren en duwt mijn hand weg van het cijferslot. 'Wat is je code?'

Ik noem de zes cijfers. Ergens vraag ik me af of het wel zo slim is om mijn code te geven aan iemand die ik niet ken, en of het me ooit zal lukken om dat ding zelf open te krijgen. Catherines vingers vliegen over de toetsen en ze trekt de hendel omhoog. Het deurtje klikt open.

'Dank je.'

'Graag gedaan.' Ze leunt met haar schouder tegen de kluisjes en ziet er tevreden uit. Ze staat erbij alsof we dit elke dag doen. 'En dan komt nu mijn goede raad. Misschien kun je toch beter bij hem uit de buurt blijven.'

'Bij Will Rutledge?' vraag ik. Alleen al het noemen van zijn naam is opwindend.

Ze knikt. Even heb ik het gevoel dat ik weer met Tamra sta te praten. De frustratie golft in me omhoog. Mijn hele leven krijg ik al allerlei adviezen die ik word geacht op te volgen.

Ik hou mijn scheikundeboek vast en laat mijn literatuurboek van de plank glijden. 'Hoezo?'

'Omdat Brooklyn Davis je zal vermorzelen. Dat doet ze met ieder meisje dat achter hem aan gaat.'

Ik dacht dat ze me wilde waarschuwen omdat hij problemen met zich meebrengt. Dat heeft hij me zelf verteld. En ik geloof ook dat het zo is. Ik weet dat het zo is. Elke keer dat hij in de buurt is, word ik eraan herinnerd door het strak trekken van mijn huid.

'Ah.' Ik knik. Brooklyn, het meisje dat tijdens Engels bij me in de klas zit. Dan haal ik mijn schouders op. Sinds ik heb moeten rennen voor mijn leven om aan een stel jagers te ontkomen, kan ik niet erg bang worden van een meisje met te veel lipgloss op. Ik heb wel vaker te maken gehad met meisjes die een hekel aan me hadden. Miriam, het jongere zusje van Cassian, bijvoorbeeld. Zij haatte me. Ze vond het onverdraaglijk dat haar familie zo veel aandacht aan mij besteedde – haar vader en Cassian. Zelfs haar tante bemoeide zich altijd met me, op een manier waar ik de kriebels van kreeg. Alsof ze dacht dat ze mijn moeder was of zo.

Catherine kijkt me nog steeds aan alsof ze een reactie verwacht, dus ga ik verder: 'Ik ga echt niet achter hem aan.'

'Mooi. Brooklyn kan je het leven behoorlijk zuur maken, omdat je hier nieuw bent.' Ze krimpt even in elkaar en verschuift de band van haar rugzak op haar schouder. 'Of eigenlijk kan ze elk meisje het leven zuur maken. Neem dat maar van mij aan. Ik spreek uit ervaring.'

Ik doe mijn kluisje dicht. Het geluid vermengt zich met het geklap van andere deurtjes dat door de hal echoot. 'Dan maakt het ook niet uit wat ik doe, of wel?'

'Gewoon een waarschuwing. Ze heeft waarschijnlijk al gehoord dat hij bij je kwam zitten en is nu jouw langzame, pijnlijke dood aan het voorbereiden.'

'Hij kwam bij me zitten.' Ik haal mijn schouders op. 'We hebben nauwelijks een woord gewisseld.'

'We hebben het wel over Will Rutledge,' helpt ze me herinneren, alsof dat belangrijk is. En dat is het natuurlijk ook. Maar voor mij op een andere manier dan voor andere meisjes.

Ik voel me verbonden met Will, ik word naar hem toe getrokken. Met elke vezel van mijn lichaam herinner ik me die momenten in de grot: de prooi en het roofdier die samensmelten. Maar het laatste wat ik wil, is toegeven dat Will iets speciaals voor mij betekent, en daarom zeg ik: 'Dus.'

'Dus?' Ze legt de nadruk op dat woord. 'Hij gaat niet uit met meisjes van school. Hij wisselt nauwelijks een woord met wie dan ook. En niemand weet dat beter dan Brooklyn. Hou haar dus maar in de gaten.'

'Dus als Brooklyn hem niet kan hebben, dan mag niemand hem?'

'Zoiets ja.'

Ongelooflijk. Ik ben hier pas een dag en heb nu al een vijand gemaakt? 'Waarom vertel je dit eigenlijk allemaal?'

'Beschouw me maar als een Barmhartige Samaritaan.'

Ik moet lachen en merk dat ik Catherine aardig vind. Misschien zal ik hier dan toch nog vrienden maken. Dat zou ik best willen. Ik mis Az verschrikkelijk. Catherine kan haar nooit vervangen, maar met haar is het hier in elk geval wat beter vol te houden. 'Dank je.'

'Kom morgen maar bij mij zitten in het studielokaal.'

In plaats van bij Will. Alsof Will weer bij me zou willen zitten. 'Oké.'

'Goed.' Ze stapt weg bij de kluisjes en strijkt haar warrige pony uit haar ogen. 'Ik moet mijn bus halen. Tot morgen.' Net als ze in de menigte leerlingen verdwijnt, zie ik Tamra, die tussen een jongen en een meisje in loopt. Ze heeft mij nog niet in de gaten. Ze lacht. Nee, ze straalt. Ze is gelukkiger dan ik haar heb gezien sinds pap doodging. Of zelfs voor die tijd. Sinds duidelijk werd dat zij niet zou manifesteren.

Ik voel me treurig, ik kan het niet helpen. Treurig en eenzaam, zoals ik daar sta in die overvolle hal.

Mam staat voor de school langs de stoep als wij naar buiten stappen. De lucht trilt van de hitte. Het voelt als stoom in mijn mond en neus. Mijn huid jeukt, alsof ik word geroosterd in de droge warmte. Ik pers mijn lippen op elkaar en haast me naar de auto.

Onze roestige blauwe hatchback staat voor aan een lange slang van voertuigen.

Naast me gromt Tamra: 'We moeten zelf een auto hebben.'

Ik neem niet de moeite te vragen hoe we dat voor elkaar moeten krijgen. Mam heeft een paar stadjes terug de stationwagen ingeruild voor deze hatchback en moest toen zelfs nog bijbetalen. En dan is er nog de onbeduidende kwestie van in leven blijven: een dak boven ons hoofd en eten in onze buik. We konden nauwelijks genoeg bij elkaar schrapen voor de borg en de huur van ons huisje. Gelukkig begint mam vanavond met een baan.

Tamra werpt een blik op mij. 'Hoewel jij natuurlijk niet mag rijden. Dat zal ik wel doen.'

Ik rol met mijn ogen. Het is een steeds terugkerende grap bij ons. Ik kan wel vliegen, maar al zou mijn leven ervan afhangen, ik kan niet autorijden. Mam heeft het me al zo vaak geprobeerd te leren, maar ik ben een hopeloos geval achter het stuur.

Tamra gaat voorin zitten en ik op de achterbank.

'En?' vraagt mam overdreven opgewekt. Jammer dat zij geen cheerleader kan worden samen met Tamra. Ze krijgt een tien voor enthousiasme.

'Geweldig,' reageert Tamra. Alsof ze het wil bewijzen, zwaait ze uit het raampje naar de twee met wie ik haar door de hal zag lopen. Ze zwaaien terug.

Ik voel me beroerd en hang opzij met mijn gezicht tegen het warme, zonverhitte raam.

Mam kijkt over haar schouder. 'En hoe ging het met jou, Jacinda? Heb je een paar leuke mensen ontmoet?'

Wills gezicht verschijnt voor mijn geestesoog.

'Een paar.'

'Mooi zo. Zien jullie wel? Ik zei toch al dat deze verhuizing goed voor ons zou zijn?' Alsof we gezamenlijk hebben besloten om een frisse start te maken en niet midden in de nacht met de noorderzon zijn vertrokken. Alsof ik een keus had.

Blijkbaar hoort mam niet hoe ellendig mijn stem klinkt. Of wil ze het niet horen. Dat laatste, vermoed ik. Voor ouders is het makkelijker om dingen te negeren en net te doen alsof alles geweldig is, en vervolgens precies te doen wat ze zelf willen in de overtuiging dat jij het ermee eens bent.

Gelukkig zet ze de auto in zijn versnelling en stuurt het drukke parkeerterrein op. Ze moet een paar keer hard remmen omdat er leerlingen vlak voor onze neus uitparkeren om maar zo snel mogelijk weg te komen. Andere blijven in groepjes bij hun auto's rondhangen.

Dan zie ik opeens een voertuig dat ik ken. Met de herinnering komt ook de angst… die mijn mond vult met de metaalachtige smaak van bloed. Mijn huid trekt zich samen, wil veranderen. Ik vecht ertegen; ik wil niet manifesteren en schud mijn angst af. Het draki-instinct, dat bedoeld is om mij te beschermen, keert zich nu tegen me.

De glanzende zwarte Land Rover met de schijnwerpers op het dak is achteruit ingeparkeerd, alsof hij snel weg moet kunnen rijden. Dit voertuig is meer dan een statussymbool. Het is ergens voor gemaakt.

Het is ontworpen om mij te doden.

De oude vering van de achterbank kreunt onder me als ik naar voren leun. 'Kunnen we hier weg?'

Mam gebaart naar de auto's voor ons. 'Wat wilde je voorstellen? Zal ik er maar gewoon overheen rijden?'

Ik kan er niets aan doen, ik moet weer naar de Land Rover kijken. Een groep meisjes staat bij de voorbumper, vlak bij Xander en Angus, die tegen de motorkap leunen. Brooklyn is er ook bij. Ze praat met haar hele lichaam, gooit haar shampooreclamehaar naar achteren en laat haar handen door de lucht fladderen.

Ik zak terug op de achterbank en vraag me af waarom híj er niet bij is. Ik ben opgelucht en teleurgesteld tegelijk.

En bijna alsof ik hem heb opgeroepen, voel ik dat hij eraan komt. Mijn huid begint te huiveren en de kleine haartjes in mijn nek komen overeind. Net als vandaag in de hal, toen ik hem nog niet zag maar al wist dat hij in de buurt was.

Ik ga rechtop zitten en zoek het parkeerterrein af. Hij komt tussen twee auto's tevoorschijn; hij beweegt zich met de souplesse en het zelfvertrouwen van een kat. De zon legt een gouden gloed op zijn haar.

Iedere keer dat ik Will zie, trekt mijn borst samen en beginnen mijn longen te branden. Ik adem diep in door mijn neus en probeer de hitte binnen in me af te koelen.

Ik moet een geluid gemaakt hebben, een zucht misschien. Ik weet het niet, maar Tamra kijkt achterom naar me. Misschien is het ook gewoon iets wat tweelingen hebben. Het doet me denken aan de tijd dat we nog echt verbonden waren. Ze werpt me een vreemde blik toe en kijkt dan weer uit het raam. Ik kan er niets aan doen, maar ik móét ook kijken. Ik heb geen keus.

Will stopt en heft zijn gezicht op. Alsof hij mijn aanwezigheid heeft geroken, maar dat is onmogelijk. Hij kan mij niet voelen zoals ik hem voel. Dan ziet hij me.

Even zijn onze blikken aan elkaar vastgeklonken. Dan krult hij zijn mond in een glimlach, waardoor mijn maag een salto maakt. Hij loopt verder. Brooklyn huppelt naar hem toe. Hij houdt niet in voor haar en ze moet haar best doen om hem bij te houden.

Tamra mompelt iets onverstaanbaars.

'Wat?' vraag ik verdedigend.

'Je bent toch niet aan het manifesteren, hè?'

'Wat?!' vraagt mam met haar oude stem. De hoge, gespannen klank die ik zo goed ken. Weg is de opgewekte toon.

'Jacinda manifesteerde vandaag op school bijna,' verklapt Tamra op een huilerig toontje. Het doet me denken aan de keren dat ik haar poppen afpakte om hun haren te knippen.

Mam kijkt me aan via de achteruitkijkspiegel. 'Jacinda?' vraagt ze. 'Wat is er gebeurd?'

Ik haal mijn schouders op en kijk weer uit het raam.

Tamra is zo vriendelijk om voor me te antwoorden. 'Ze begon te manifesteren toen ze een leuke jongen zag…'

'Welke jongen?' onderbreekt mam haar.

Tamra wijst hem aan. 'Hij staat…'

'Niet wijzen!' snauw ik en ik voel mijn gezicht warm worden.

Te laat. Mam heeft hem al gezien. 'En jij… zág hem alleen maar?'

'Ja,' geef ik toe en ik zak onderuit op de achterbank.

'En toen begon je te manifesteren?'

Ik voel hoofdpijn opkomen en wrijf over mijn voorhoofd. 'Ik probeerde echt niks te doen. Het gebeurde gewoon.'

Door het vuile raam zie ik hoe Will achter het stuur gaat zitten. Zijn neven stappen ook in. Voor iemand die beweert dat hij ze niet mag, trekt hij wel veel met ze op. Het is de reminder die ik nodig heb. Hij hoort bij hen.

Ook Brooklyn kijkt naar hem, met haar armen strak over elkaar voor haar borst. Haar vriendinnen staan om haar heen.

'Jacinda.' Mam spreekt mijn naam zacht uit, en met zo veel teleurstelling in haar stem dat ik zin krijg om ergens mee te smijten. Of te schreeuwen. Ik vind het vreselijk dat ik zo'n tegenvaller voor haar ben. Daardoor krijg ik het gevoel dat ze niet van me kan houden zoals ik ben.

Pap hield van me. Hij was zo trots toen ik voor het eerst manifesteerde. En nog veel trotser toen bleek dat ik een vuurspuwer was, de eerste sinds generaties.

Mam niet. Zij nooit. Zij was altijd waakzaam, alsof ik een of ander gevaarlijk wezen was dat ze op de wereld had gezet. Iemand van wie ze hoort te houden, maar die ze nooit zelf zou hebben uitgekozen.

Eindelijk komt de auto in beweging. Ik geef niet toe aan de neiging om de Land Rover na te kijken, die tussen de andere auto's door manoeuvreert.

Er verschijnen scherpe lijnen op mams gezicht, naast haar mond, terwijl ze optrekt en wegrijdt van de school. Ze knikt, alsof die beweging haar ergens van overtuigt.

'Het geeft niet,' zegt ze. 'Zolang je maar niet echt manifesteert… en dat lukt hier niet zo makkelijk.' Ze werpt me een strenge blik toe. 'Het is net als bij een spier. Die wordt minder sterk als je hem niet regelmatig traint.'

Zo is het bij haar gegaan. Ik kan me nog maar vaag herinneren dat mam manifesteerde. Het is jaren geleden. Zelfs toen ze het nog kon, deed ze het maar zelden. Ze bleef liever thuis bij Tamra en mij terwijl pap ging vliegen. Toen Tamra niet manifesteerde, gaf ze het helemaal op. 'Ik kan het weten.'

Alleen ben ik anders dan zij. Hoe verstikkend het ook was in de kolonie, hoe onzeker ik me ook voelde bij Cassian… het is veel erger om in deze woestijn te wonen en mijn draki opzettelijk te laten sterven.

'Maar voor de zekerheid kun je beter bij die jongen uit de buurt blijven.'

Nu is het mijn beurt om te knikken. 'Goed,' zeg ik, ook al denk ik van niet. Ook al denk ik dat ik mijn moeder een klein beetje haat. Ik weet ook heus wel dat ik Will beter uit de weg kan gaan, maar ik heb er genoeg van dat zij altijd alles voor me beslist. Waren de plannen die de kolonie voor mij had zo erg dat we hierheen moesten om veilig te zijn? Is Cassian echt zo slecht? Ik had geen hekel aan hem. Ik wilde gewoon niet dat er voor mij beslist werd. Vooral omdat mijn zus al vanaf haar derde verliefd op hem was. Hij liet haar altijd op zijn rug rijden, hoe vaak mam ook zei dat hij haar neer moest zetten. Ik hing er altijd maar zo'n beetje bij. Tot Cassian manifesteerde en ons allebei vergat. Hij zag me niet meer staan tot ik ook manifesteerde. En Tamra… Tja, zij manifesteerde niet en dat bezegelde haar lot. Cassian vergat haar volkomen.

Veilig, veilig, veilig.

Dat woord gebruikt mam steeds weer. Veiligheid is alles voor haar. Daarom ben ik nu hier. Daarom heb ik de kolonie verlaten en moet mijn draki sterven. Daarom moet ik uit de buurt blijven van de jongen die mijn leven heeft gered, de jongen die midden in deze verschroeiende hitte mijn draki wekt. De jongen die ik zo graag wil leren kennen.

Begrijpt ze het dan niet? Wat heb je nu aan veiligheid als je van binnen dood bent?

8

Mrs. Hennessey gluurt naar ons door haar jaloezieën. Ze heeft vast staan wachten tot we thuiskwamen. We komen stilletjes binnen door de achterpoort en letten goed op dat we hem niet laten dichtslaan.

Hoe stil we ook doen, toch staat ze klaar en bespioneert ons vanuit haar eigen veilige huis. Dat heeft ze al vaak gedaan sinds we hier wonen. Alsof ze bang is dat ze het zomerhuis heeft verhuurd aan een familie van misdadigers.

Blijkbaar ben ik niet de enige die het opvalt. 'Ze gluurt naar ons,' sist Tamra. 'Alweer.'

'Niet kijken,' beveelt mam. 'En praat niet zo hard.'

Tamra gehoorzaamt en fluistert: 'Vind je het niet een beetje griezelig om in de achtertuin van zo'n oud vrouwtje te wonen?'

'Het is een leuke buurt.'

'En meer kunnen we niet betalen,' help ik Tamra herinneren.

We lopen achter elkaar aan langs de rand van het zwembad. Mam gaat voorop met een tas vol groente op haar heup. Ik ben de laatste. Ik kijk naar beneden in het hemelsblauwe water, naar een rimpelige reflectie van mezelf. De chemische geur brandt in mijn neus.

Toch ziet het water er verfrissend uit in deze droge hitte, die mijn huid laat verschrompelen en poriën laat samentrekken. We hebben niet eens een bad, alleen een douche. Misschien kan ik later nog even stiekem gaan zwemmen. Ik ben nooit zo goed in het gehoorzamen aan regels.

Tamra moppert: 'Ik hoop alleen dat ze onze spullen niet doorzoekt als we weg zijn.'

Welke spullen? We hebben bijna niets meegesmokkeld in onze haast. Kleding en een paar persoonlijke dingetjes. Ik kan me niet voorstellen dat ze onze edelstenen vindt. Ik heb ze zelf niet eens kunnen vinden. Ik heb ernaar gezocht toen mam weg was om een baan te zoeken, omdat ik ze zo graag even wilde zien. Ze even wilde aanraken om hun levenskracht te voelen.

Mam doet de deur van het slot. Tamra loopt achter haar aan naar binnen. Ik wacht en kijk nog een keer achterom – Mrs. Hennessey gluurt nog steeds. Als ze ziet dat ik naar haar kijk, klapt ze de jaloezieën dicht. Ik draai me om en ga het naar schimmel ruikende zomerhuis binnen. Ik vraag me af hoe laat ze naar bed gaat.

Het water roept me. En op dit moment is het dichterbij dan de lucht.

Terwijl Tamra en ik de afwas doen, kleedt mam zich om voor haar werk. De geur van boter en kaas hangt nog in het kleine keukentje. Mams macaroni met vijf soorten kaas en een unieke mix van kruiden is mijn favoriete maaltijd. Mam is trouwens in het algemeen een geweldige kok. Ze is een verda-draki – ik bedoel: ze wás een verda-draki.

Verda-draki's weten alles wat je maar kunt weten over kruiden, vooral hoe je ze het beste kunt gebruiken in voedsel en medicijnen. Mam weet van de flauwste maaltijd nog iets lekkers te maken. En ze kan ook een papje maken dat je in één nacht van een puistje af helpt, of dat het gif uit een wond trekt.

Vanavond heeft ze voor mij gekookt.

Ze probeert lief voor me te zijn, vast omdat ze met me te doen heeft. Ik ben degene over wie ze zich zorgen maakt. Ze wil dat ik hier ook gelukkig word. Voor Tamra staat dat al vast, zij wilde jaren geleden al weg van de kolonie.

Het eten was lekker, heerlijk zelfs. Het smaakte net als thuis. Mijn maag voelt aangenaam vol van te veel eten.

Mam komt tevoorschijn uit haar kamer, gekleed in een zwarte lange broek en een paars haltertopje met lovertjes. Haar blote schouders glanzen als marmer. Misschien dat ze hier een kleurtje zal krijgen. Ik frons mijn voorhoofd. Misschien wij allemaal wel.

'Weten jullie zeker dat het wel zal gaan vanavond?' Ze kijkt mij aan terwijl ze het vraagt.

'Tuurlijk,' antwoordt Tamra opgewekt. 'Ga maar gauw aan de slag en zorg dat je veel fooien krijgt.'

Mam lacht een beetje bibberig. 'Ik zal mijn best doen, maar het voelt niet goed om jullie alleen te laten.'

Ik weet dat het vreselijk egoïstisch is, maar ik ben blij dat ze een baan voor de avonden heeft gevonden. Ik vind het op dit moment moeilijk om steeds bij haar in de buurt te zijn. En op deze manier hoef ik me alleen maar zorgen te maken over Tamra als ik het huis uit sluip. Wannééér ik het huis uit sluip, zodra ik heb besloten wat de beste plaats is om te manifesteren. Het mag niet te ver weg zijn, want ik moet ernaartoe lopen.

Ik voel de lachkriebels opkomen, als zuur in mijn borst. Want het is hier nergens veilig om te manifesteren. Het is een woestijn, zonder nevels en bergen om dekking achter te zoeken. Ik zal nooit helemaal onzichtbaar zijn.

'Ga op tijd naar bed,' zegt mam. 'En zorg dat je je huiswerk af hebt.'

Het is de eerste nacht dat ze aan het werk gaat bij het plaatselijke casino. De nachtdienst betaalt het beste. Ze is weg van tien uur 's avonds tot vijf uur 's morgens. Dan kan ze ons naar school brengen, slapen, terug naar haar werk voor nog een paar uurtjes, voordat ze ons uit school haalt en de avond met ons doorbrengt. Het is ideaal, zolang ze tenminste blijft functioneren op vijf uurtjes slaap overdag.

'Als er wat is, kun je altijd terecht bij Mrs. Hennessey, die is vlakbij.'

Ik snuif. 'Ja hoor! Die gaan we echt niet storen.'

'Als jullie maar voorzichtig zijn.' Ze kijkt waarschuwend van mij naar Tamra en ik vraag me af waar ze nu eigenlijk bang voor is. Dat de kolonie opeens verschijnt en ons mee terug neemt? Of dat ik zal opstijgen en zelf naar ze terugvlieg?

'Weet je,' zegt Tamra. 'Je kunt ook gewoon een paar robijnen verkopen, of een smaragd of een diamant.' Ze haalt haar schouders op. 'Dan hoef je ons niet alleen te laten en je zou zelf niet zo veel hoeven te werken.' Mijn zus kijkt om zich heen in de kleine, met hout betimmerde woonkamer. 'Dan zouden we een leuk appartement kunnen huren.'

Mam pakt haar tasje. 'Je weet dat dat niet kan.'

Omdat de kolonie het meteen zou weten als een van de edelstenen, die al generaties lang in het bezit van onze familie zijn, ergens opduikt. Dat is precies waar ze op gespitst zijn. Ze verwachten dat wij dat zullen doen om te overleven.

Als dat niet zo was, zou mam alle edelstenen die we bezitten, verkopen. Dat weet ik. Voor haar hebben ze geen enkele sentimentele waarde, omdat de stenen de erfenis van onze draki-familie zijn, en daarmee wil zij alle banden verbreken.

Het verzamelen van edelstenen is een deel van onze identiteit. Dat is een van de redenen waarom er op ons gejaagd wordt. Geld. Hebzucht. Behalve voor ons bloed, onze huid en onze botten – die helende eigenschappen schijnen te hebben voor mensen – worden we ook opgespoord vanwege onze schatten.

Maar voor ons vertegenwoordigen die geen geld. Ze geven ons leven.

Vruchtbare aarde voedt ons, maar edelstenen doen nog iets meer. Ze zijn de meest pure energie van de aarde. Ze geven ons kracht. Net als onze drakenvoorvaderen kunnen we edelstenen onder de grond voelen. We zijn afgestemd op hun energie. En als we niet in de nabijheid van vruchtbare aarde óf van edelstenen zijn, zal ons binnenste sterven.

Tamra zet haar handen in haar zij. 'Toe nou. Verkoop er dan eentje. Ik heb echt nieuwe kleren nodig.'

Mam schudt haar hoofd. 'Vrijdag krijg ik mijn loon. Dan zien we wel of we iets overhouden.'

'Zou het zo erg zijn om één steentje te verkopen?' vraag ik terloops, alsof ik niet doordrongen ben van het gevaar. Om het nog maar niet te hebben over de pijn die ik zal hebben door het verlies van mijn familie-edelstenen. Als we er eentje verkopen, zou dat hetzelfde voelen als wanneer ik een deel van mezelf verkoop. Maar misschien is het dat wel waard. Want hier nog veel langer moeten wonen, betekent dat er helemaal niets van me zal overblijven. En als die steen hier opduikt, zal de kolonie ons vinden en mee terug nemen.

Mams blik richt zich op mij, een harde schittering in haar ogen. Ze doorziet mijn bedoelingen. 'Dat lijkt me een heel slecht idee, Jacinda.'

Het is een waarschuwing. Haar dreigende toon betekent dat de discussie gesloten is.

'Ook goed,' zeg ik. Ik zet het laatste bord in het afdruiprek en stamp door de woonkamer naar de kamer die ik met Tamra deel.

'Jacinda,' roept ze als ik me op mijn bed laat vallen. Mam komt achter me aan en blijft in de deuropening staan, met een zachte uitdrukking op haar gezicht. 'Wees nou niet boos.'

Ik stomp in het slappe kussen. 'Wat is er hier dan waar ik me goed van zou kunnen voelen?'

'Ik weet dat het moeilijk is.'

Ik schud mijn hoofd en rol op mijn zij. Ik kan haar niet eens meer aankijken. Ze weet wat het is. Ze heeft het zelf ook meegemaakt. Daar kan ik nog het kwaadst om worden. 'Jij hebt ervoor gekozen om je draki te laten sterven. En nu beslis je voor mij.'

'Het is voor mij ook niet makkelijk.'

Ik kijk haar over mijn schouder aan. 'Jíj hebt besloten dat we dit moesten doen.'

Ze schudt verdrietig haar hoofd en even denk ik dat ik haar er misschien van kan overtuigen dat dit een vergissing is. Dat ze zal beseffen dat ik hier niet thuishoor en dat ook nooit zal doen.

'Ik weet dat het mijn beslissing was. Ik heb jou geen keus gegeven,' erkent ze. 'Maar ik wil dat je veilig bent.'

Ik krijg het gevoel dat ik naar beneden getrokken word. Weer die veiligheid. Hoe kan ik daar wat tegen inbrengen?

Ze gaat verder: 'En het is niet meer veilig om bij de kolonie te blijven. Ik ben je moeder. Je moet me hierin vertrouwen. Hiernaartoe verhuizen was het beste wat we konden doen.' Er klinkt iets door in haar stem... iets waardoor ik denk dat ze nog steeds niet alles vertelt. Dat er meer gevaar dreigde in de kolonie dan ik mag weten.

Ik kijk weer weg en staar naar de geruite gordijnen. Ik adem de kunstmatige lucht in die in het zomerhuis hangt en die in mijn neus brandt. In deze kamer is het sterker. Het verdringt zelfs de schimmelgeur. 'Straks kom je te laat op je werk.'

Haar zachte zucht zweeft door de lucht. 'Welterusten, lieverd. Tot morgenochtend.'

En weg is ze.

Tamra en zij praten nog even met elkaar. Zo zacht dat ik het niet kan verstaan, en daardoor weet ik dat ze het over mij hebben.

Ik hoor dat de voordeur open- en dichtgaat, en mij opsluit in mijn gevangenis.

De laatste keer dat ik samen met Tamra op een kamer sliep, was toen we zeven waren. Ik weet niet hoe ik haar optimisme moet verdragen nu ik me zo ongelukkig voel, maar ik doe mijn best. Ik hoef haar feestje niet te verpesten.

'Wat trek jij morgen aan?' Ze staat in haar kast te staren. Ingespannen. Een tijdlang. Alsof er op magische wijze iets zal verschijnen dat er eerder niet was.

Mam heeft ons de grootste kamer met de grootste kast gegeven. Maar erg vol zit die niet. De afmetingen van de kast benadrukken alleen maar hoe armoedig onze garderobe is.

Ik haal mijn schouders op. 'Een spijkerbroek.'

'Vandaag had je ook al een spijkerbroek aan.'

'Wat maakt dat nou uit? Ik doe wel een ander topje aan.'

Ze ploft op haar bed. Ik zit in kleermakerszit op het mijne en wrijf lotion op mijn benen. Alweer. De fles is al bijna halfleeg, maar mijn huid is nog steeds uitgedroogd en verlangt naar meer.

'Mis je niets van thuis?' vraag ik in de hoop dat er íéts is. Iets waardoor ze zou willen overwegen om terug te keren.

'Nee.'

Ik raap al mijn moed bij elkaar. 'Zelfs Cassian niet?' vraag ik.

Meteen verandert haar stemming. Haar gezicht betrekt en ze gooit eruit: 'Dat is niet aan mij hè, om hem te missen?' Daar is hij weer, de oude wond.

'Dat heeft je er ook niet van weerhouden om al die jaren gek op hem te blijven.'

'Cassian kan niks beginnen met een defecte draki. Zijn vader zou het nooit toestaan. Dat begreep ik meteen al.'

Was dat zo? Waarom voelde ik dan woede en pijn bij haar? Waarom bleef ze al die jaren dan steeds naar hem staren, als ze het begreep?

'Jullie waren vroeger toch goede vrienden?' help ik haar herinneren.

'Wij alle drie. En wat dan nog?'

'Ik was niet zo dik met hem als jij.'

Ze zucht. 'Dat was toen. We waren nog kinderen, Jace.' Ze schudt haar hoofd en kijkt me aan. 'Wat wil je nou eigenlijk? Wil je me laten geloven dat ik een kans maak bij Cassian? Dat ik terug zal gaan voor hem? Wow, je bent echt wanhopig als je denkt dat ik zo stom ben om daarin te trappen.'

Een warme schaamte kruipt omhoog in mijn hals. Ben ik zo doorzichtig? 'Ik kan gewoon niet geloven dat je hem nu al vergeten bent.'

Haar ogen vonken en haar stem beeft van de emotie. 'Wil je dan dat ik mezelf voor de gek blijf houden? Ik maak heus geen kans bij Cassian. Daar zorgt de kolonie wel voor. En Cassian zelf ook trouwens. Ik ga hier gewoon helemaal opnieuw beginnen.' Haar blik wordt harder en haar ogen staan kil. 'Ik heb mijn trots, Jacinda. Ik wil nu eindelijk wel eens echt leven en daar laat ik zo'n stomme verliefdheid niet tussen komen. Zullen we het nu ergens anders over hebben?'

Ik ga er toch nog op door en begin over iets wat ik al heel lang niet meer ter sprake heb gebracht; ik durfde het niet omdat ik mijn zus geen valse hoop wilde geven. 'Weet je zeker dat je het genoeg tijd hebt gegeven om...'

Haar ogen flitsen woedend. 'Alsjeblieft zeg. Als ik zou manifesteren, was dat inmiddels wel gebeurd.'

Ik haal mijn schouders op. 'Misschien ben je een laatbloeier. Nidia is ook pas laat gemanifesteerd...'

'Iemand van dertien is een laatbloeier, ik niet. En wil je hier nu eindelijk over ophouden? Ik heb geen zin meer om over de kolonie te praten.'

'Oké, oké,' zeg ik en ik richt mijn aandacht weer op mijn benen. Die zijn alweer droog.

Ik schud heftig mijn hoofd. Ik duw nog harder om de lotion diep in mijn huid te wrijven. Lotion zonder geurstoffen, omdat ik genoeg heb van al die geuren om me heen, luchtjes die me constant verstikken in deze mensenwereld.

Ik voel me nu al anders. Het werkt. Mam krijgt haar zin. Mijn draki verschrompelt en kwijnt weg in de woestijn.

Maar niet als Will in de buurt is.

Mijn vingers blijven stil op mijn huid liggen. Ik voel de hoop in me opflakkeren. Niet als Will in de buurt is. Dan leeft mijn draki. *Will.* Het is gevaarlijk, dat weet ik. Maar het gevaar is overal om me heen. Mijn leven is allesbehalve veilig – hoe mam zich ook aan dat idee vastklampt.

Ik loop achter de meisjes aan naar de gymzaal en probeer een veilige afstand tot al die duwende lichamen te bewaren. Alle indrukken zijn overweldigend: de vreemde geuren, de piepende geluiden, het gebrek aan ruimte en frisse lucht. Het geluid van stuiterende ballen weerkaatst tegen de houten vloer en wordt luider als we in de buurt van de dubbele deuren komen.

'Zo te zien trainen we vandaag samen met de jongens,' zegt Catherine als we door de deuren de bedompte, zweterige atmosfeer in stappen.

Dat speciale gevoel spoelt weer over me heen en meteen weet ik dat hij er is. Ik zie Will aan de andere kant van de gymzaal. Hij veert licht op zijn voeten en schiet een bal op de basket. Nog voordat de bal door het net is, kijkt hij me aan. De bekende hitte kruipt in me omhoog, naar mijn gezicht.

'De jongens aan die kant en de meisjes aan deze kant.' De lerares blaast op haar fluitje en gebaart dat we aan weerszijden van het speelveld moeten gaan staan.

'Gatver, het gevreesde basketbaluur,' mompelt Catherine op haar slepende toon. 'Ik ga veel liever hardlopen.'

We gaan in de rij staan om vrije worpen te oefenen. Halverwege het veld komen de uiteindes van de twee rijen bij elkaar. Het is daar een beetje rommelig. Iedereen loopt door elkaar heen, en jongens en meisjes staan elkaar uit te dagen.

Uit mijn ooghoeken zie ik hoe Will zijn plaats in de rij verlaat en naar achteren loopt, waar Catherine en ik aan het eind van onze rij staan.

'Hoi,' zegt hij tegen mij.

'Hoi.'

Catherine kijkt van Will naar mij. 'Ook hallo,' merkt ze droog op.

Will en ik kijken haar aan.

'Dus,' zegt ze langzaam. Ze schudt haar pony uit haar ogen en gaat met haar rug naar ons toe voor me staan.

'En,' begint Will, 'ben je net zo goed in basketbal als in hardlopen?'

Ik schiet in de lach, ik kan er niets aan doen. Hij is leuk en ontwapenend en mijn zenuwen staan op springen. 'Niet bepaald.'

Ons gesprek wordt afgekapt doordat we allebei opschuiven in onze rijen. Catherine kijkt me over haar schouder aan. Haar grote zeegroene ogen staan peilend, alsof ze me niet helemaal kan doorgronden. Mijn glimlach verdwijnt en ik kijk de andere kant op. Ze zal me nooit doorgronden, dat mag ik niet laten gebeuren. Niemand hier.

Ze slaat haar armen over elkaar. 'Jij maakt snel vrienden, zeg. Sinds vorig jaar heb ik met ongeveer…' Ze stopt en kijkt omhoog, alsof ze in haar hoofd aan het tellen is, '…drie, nee… vier mensen gepraat. En die nummer vier ben jij.'

Ik haal mijn schouders op. 'Het is gewoon een jongen.'

Catherine gaat achter de vrije-worplijn staan, dribbelt even en gooit. De bal suist keurig door het net. Ze vangt hem op en gooit hem naar mij.

Ik probeer haar bewegingen precies na te doen, maar mijn bal gaat te laag en vliegt onder het bord door. Ik loop weer naar het eind van de rij.

Will staat al halverwege het veld te wachten en laat anderen voorgaan. Ik voel mijn gezicht warm worden door zijn overduidelijke getreuzel.

'Het was dus geen grapje,' zegt hij plagerig met het gedreun van de basketballen op de achtergrond.

'Gooide jij raak?' vraag ik. Ik wilde dat ik had gekeken toen hij aan de beurt was.

'Yep.'

'Uiteraard,' zeg ik spottend.

Hij laat weer iemand voorgaan en ik doe hetzelfde. Catherine staat nu een paar plaatsen voor me.

Hij bekijkt me aandachtig; zijn blik glijdt over mijn gezicht en haar, zo intens dat het lijkt alsof hij precies wil onthouden hoe ik eruitzie. 'Tja, nou ja. Ik kan niet zo goed hardlopen als jij.'

Ik schuif naar voren in de rij, maar als ik een blik over mijn schouder werp, kijkt hij ook net om.

'Wauw,' mompelt Catherine met haar lage, diepe stem terwijl ze naast me komt staan. 'Nooit geweten dat het zo ging.'

Ik richt mijn blik op haar. 'Wat?'

'Je weet wel. Dat Romeo-en-Julia-gedoe. Liefde op het eerste gezicht en zo.'

'Zo is het niet,' zeg ik snel.

'Als jij het zegt.' We zijn aan de beurt. Catherine werpt de bal weer feilloos door het net.

Bij mijn volgende worp stuitert de bal keihard tegen het bord, vliegt door de lucht en knalt tegen het hoofd van de lerares. Ik sla een hand voor mijn mond. Ze weet maar net op de been te blijven. Een paar leerlingen lachen. Ze staart me aan en zet haar pet weer goed op haar hoofd.

Met een klein verontschuldigend gebaar loop ik terug naar het eind van de rij.

Daar staat Will al en hij probeert zijn lachen in te houden. 'Mooie worp,' zegt hij. 'Maar goed dat ik aan de andere kant van het veld sta.'

Ik sla mijn armen over elkaar en doe mijn best om niet te glimlachen, om me niet goed te voelen bij hem. Maar hij maakt het me moeilijk. Ik wil lachen. Ik wil hem leuk vinden, bij hem zijn, hem leren kennen. 'Blij te horen dat je het leuk vond.'

Zijn glimlach verdwijnt en hij kijkt me weer aan met die vreemde intense blik. Ik ben de enige die begrijpt waarom hij zo kijkt. Hij herinnert zich mij… Op een of ander niveau herkent hij me, ook al begrijpt hij het zelf niet.

'Wil je een keer met me uit?' vraagt hij opeens.

Ik knipper. 'Bedoel je een date?'

'Ja. Dat bedoelen jongens meestal als ze zoiets vragen.'

Het fluitje snerpt. De jongens en meisjes lopen allebei een kant op.

'Gered door de bel,' mompelt Will terwijl hij met een ongelukkig gezicht naar de lerares kijkt, die shirtjes staat uit te delen. 'Ik spreek je straks in het studielokaal nog wel, oké?'

Ik knik. Mijn borst is onprettig samengetrokken en ik krijg haast geen lucht. Het zevende uur. Ik heb nog een paar uur om te beslissen of ik een afspraakje met een jager wil. Het zou geen ingewikkelde beslissing moeten zijn, dat weet ik wel. Maar ik heb nu al hoofdpijn. Ik vraag me af of er ooit nog wel eens iets makkelijk zal zijn voor mij.

Bij de lunch houdt Catherine een stoel voor me vrij. Ik ga tegenover haar en een vriend van haar zitten. Blijkbaar een van de andere drie mensen met wie ze tot nu toe heeft gepraat hier op school.

Ze stelt ons aan elkaar voor. Brendan bestaat vooral uit slungelige ledematen en een uitstekende adamsappel. Hij zit over zijn lunchpakket heen gebogen en eet van een boterham met pindakaas die hij in zijn twee grote handen klemt alsof iemand hem zou kunnen afpakken.

'Hoi,' zegt hij zacht, haast onhoorbaar. Zijn ogen schieten heen en weer, en blijven nooit lang op mijn gezicht rusten. Eigenlijk nergens op, alleen op Catherine.

'Hoi,' reageer ik, en kijk dan om me heen of ik mijn zus zie, zonder te letten op alle gezichten die me aangapen. Ik probeer ze de hele dag al te negeren.

Dan ontdek ik haar aan de andere kant van de kantine. Ze staat met een dienblad in haar hand naast een ander meisje. Ze ziet er zelfbewust uit, zeker van zichzelf. Zo heb ik haar nog nooit gezien.

Onrustig schuif ik heen en weer op mijn stoel. Ik duw een lok kroezig, droog haar achter mijn oor. Enigszins wanhopig krab ik aan mijn arm en ik krimp in elkaar als het begint te branden. Mijn huid verstikt hier. Ik kijk naar beneden, naar het geïrriteerde, vlekkerige vel. Zo is het de hele dag al. Ik voel me niet op mijn gemak en een beetje ziek. De vlinders in mijn buik, zijn duidelijk van de verkeerde soort. Alleen tijdens gym was het anders. Toen voelde ik me goed… bij Will.

Tamra krijgt me in het oog, ziet dat ik bij een paar anderen zit en kijkt opgelucht. Ze is vrij om te gaan zitten waar ze wil. Ze knikt naar me terwijl ze aanschuift bij een tafel waaraan allemaal knappe, goedgeklede leerlingen zitten. Overduidelijk de crème de la crème van Chaparral High. Brooklyn zit er ook tussen, uiteraard.

De manier waarop ze zich gedroeg tijdens het derde uur bevestigde alles wat Catherine me heeft verteld. Blijkbaar had ze gehoord dat Will gisteren bij me kwam zitten en dat liet ze niet over haar kant gaan. Iedere keer dat Mrs. Schulz naar het bord keek, draaide Brooklyn zich om op haar stoel en probeerde mij met haar blik te doden. Ik vraag me af of ze al weet dat hij bij gym met me heeft gepraat.

Waarschijnlijk zou die blik de meeste meisjes de stuipen op het lijf jagen, maar mij kon het niets schelen. Ik heb wel wat anders aan mijn hoofd.

Will heb ik niet meer gezien sinds gym. Aangezien ik nog niet weet of ik een afspraakje met hem wil, ben ik daar blij om. Ja, mijn draki wordt gevoed als ik bij hem in de buurt ben, en dat is het belangrijkste voor me. Ik doe wat ik kan om dat deel van mij in leven te houden. Maar Will vertegenwoordigt alles wat ik moet mijden.

Voor een draki betekent hij de dood. Het is ironisch: om dat deel van mezelf in leven te houden, moet ik juist in de buurt blijven van datgene wat mijn draki wil vermoorden.

Ik kijk de kantine rond, maar ik kan hem niet vinden. Hij heeft zeker lunchpauze op een ander tijdstip. Een pijnlijke steek snijdt door mijn hart. En daar ben ik dan weer boos om. Ik ben in de war. Mijn vingers knijpen in een zakje ketchup.

In elk geval heb ik ook zijn neven niet gezien. Wat hen betreft heb ik geen last van verwarring. Hen moet ik ten koste van alles zien te mijden. Xander met die sluwe ogen van hem en Angus met zijn krullende lippen. Ik weet niet wat ik zou doen als Tamra bij hen aan een tafel ging zitten. Brooklyn is tot daar aan toe, maar zij?

'Je zus heeft zich al aardig aangepast,' merkt Catherine op.

'Ja,' mompel ik en ik trek mijn blikje fris open. Ik probeer te doen alsof ik er geen problemen mee heb. Dat heb ik ook niet.

Echt niet.

Het is logisch dat ze in die groep past. Tenslotte is ze zelf ook bijna helemaal menselijk. Ze was altijd al gek op uitstapjes naar de stad of waar we ons ook maar waagden buiten de kolonie. 'Dat kan ze goed,' mompel ik.

'Wat?'

'Zich aanpassen,' antwoord ik en ik neem een slok sinas. Zoiets mogen we van mam nooit drinken. De citrus kriebelt in mijn keel. De scherpe geur vult mijn neus.

'Waarom zit jij niet daar, bij de mooie mensen?'

Ik haal mijn schouders op.

'Dat zou best kunnen,' komt Brendan er zacht tussen. Hij kauwt op de korst van zijn brood, met een verlegen halve glimlach op zijn lippen.

'Ja, duh.' Catherine geeft hem een speelse por in zijn zij. 'Ze zijn tweelingen.'

Ik moet lachen. Met een frietje halverwege mijn mond wacht ik even. 'Is dat het enige? Hoef je alleen maar knap te zijn om bij die groep te horen? Jij bent toch ook knap. Er komt vast wel meer bij kijken.' Ik bijt in mijn frietje, haal het broodje van mijn hamburger en inspecteer de twijfelachtige substantie waar die van is gemaakt. Met opgetrokken neus leg ik het broodje er weer op.

'Je zus kan maar beter uitkijken.'

Brendan, de man van weinig woorden, vult aan: 'Ze zullen zorgen dat ze een van hen wordt.'

Alsof het vampiers zijn. Toch krijg ik de rillingen van zijn voorspellende woorden.

Dan schud ik het gevoel van me af. Tamra en ik zijn zussen. We houden van elkaar en zouden elkaar nooit verdriet doen. Niets kan tussen ons komen. Misschien is het nu gewoon haar beurt om ergens bij te horen.

Catherine knikt en strijkt haar te lange pony uit haar zeeblauwe ogen. 'Hij heeft gelijk. Je wilt niet dat ze net als zij wordt.'

Er zijn zo veel dingen die ik niet wil. Ik wil niet hier zijn. Ik wil mezelf niet kwijtraken in deze nieuwe wereld, die al het leven uit me zuigt. Moet ik het feit dat mijn zus optrekt met de populaire leerlingen nu ook toevoegen aan die lijst? Ook al wordt ze er gelukkig van?

Catherine zwaait met de hamburger in haar hand. 'Geloof me, die meiden zijn net een roedel wolven.'

Ik heb geen zin om me hier ook nog zorgen over te maken. Het is al lastig genoeg om het eind van de dag te halen en te bedenken wat ik met Will aan moet. Ik probeer een grapje. 'Je bent wel erg opgewekt, hè? Laat me raden. Volgens mij ben je een cheerleader!'

Brendan snuift.

Catherines mond zakt open – een en al afschuw. Ze krijgt een kleur op haar wangen. Dan haalt ze haar schouders op. 'Oké, misschien heb ik nog wel een appeltje te schillen met Brooklyn.'

'Je meent het,' zeg ik spottend.

'Vroeger waren ze beste vriendinnen,' vertelt Brendan. 'Toen ze een jaar of twaalf waren.'

'Dat mocht je niemand vertellen,' zegt Catherine verwijtend.

'Echt waar?' vraag ik, en nu laat ik het spottende toontje achterwege.

'Tja, nou. Dat eindigde in de eerste week dat we hier op school zaten, toen de populaire kliek…'

'Ouderejaars,' vult Brendan aan.

'…Brooklyn onder hun vleugels nam. Vanaf dat moment was ik alleen nog een slechte herinnering.'

Onwillekeurig moet ik aan Cassian denken, en aan mezelf en de andere draki's die een talent hebben dat in de ogen van de kolonie van onschatbare waarde is. Wij waren de uitverkorenen. Daar werd ik bewonderd en geprezen. Intussen was Tamra onzichtbaar. Zij en de anderen die niet manifesteerden.

Het is grappig. Hier stel ik niets voor. Niemand zou me hier missen. Een vreemd meisje dat niet lekker in haar vel zit – dat wil zeggen, haar mensenvel. Dat zich niet prettig voelt in deze omgeving. Dat niet weet hoe ze moet praten, hoe ze zich moet gedragen en hoe ze zich moet kleden.

Ik krijg alleen maar meer zin om naar huis te gaan. Naar de kolonie, ook al word ik daar voortdurend in de gaten gehouden. Ik kan er in ieder geval mezelf zijn.

Langzaam voel ik de zekerheid in me groeien. Ik moet ervoor zorgen dat mijn draki lang genoeg in leven blijft om terug te gaan. De gedachte dat mijn draki zal sterven, maakt me doodsbang en diep wanhopig. Zo wanhopig dat ik dingen ga doen die ik niet moet doen.

Wanhopig genoeg om ja te zeggen tegen Will.

'Je vraagt je nu waarschijnlijk af wat je verkeerd hebt gedaan in een vorig leven dat je nu met ons zit opgescheept,' zegt Catherine. Ze dompelt een frietje onder in de ketchup. Haar vele ringen glinsteren aan haar vingers.

'Goh, bedankt,' mompelt Brendan.

Ze werpt hem een blik toe. 'Doe niet zo lichtgeraakt. Je weet dat ik dol op je ben.'

Ik laat mijn vrijwel onaangeroerde hamburger zakken. 'Echt niet. Ik ben blij met iedereen die mijn vriend wil zijn.'

'Hé, Jacinda!' roept Nathan vanaf zijn tafel en hij komt half overeind.

Hij zwaait en gebaart met zijn hoofd dat ik bij hem moet komen zitten.

Catherines glimlach verdwijnt. Ze pakt nog een frietje en mijdt mijn blik. 'Er zijn genoeg mensen die je vriend willen zijn. Toe maar. Ga maar bij Nathan zitten. Hij is best aardig, ondanks dat vreselijke roze shirt. Ik vind het niet erg.'

Ik zwaai terug naar Nathan, maar blijf zitten waar ik zit. 'Het bevalt me hier wel.' Dat wil zeggen: het bevalt me om bij Catherine en de rustige Brendan te zijn. Ze stellen geen eisen en ze zijn ongecompliceerd. Ze zijn makkelijk in de omgang, terwijl verder alles moeilijk is. Dat kan ik wel gebruiken. 'Of wil je dat ik wegga?'

'Nee.' Catherine grijnst breed. 'Blijf maar.'

Ik knik en neem nog een frietje. Mijn blik dwaalt naar de andere kant van de ruimte, naar mijn zus. Haar haar golft glad over haar schouders en glanst als vlammende zijde.

De jongen met wie ze gisteren door de hal liep, zit nu naast haar. Tegenover haar probeert een ander haar aandacht te trekken. Het zijn leuke jongens. Mijn hart zwelt op, voor haar. Wie had gedacht dat ze kon flirten? Cassian was niet de enige die haar heeft afgewezen. Die haar met de nek aankeek als ze eraan kwam. De jongens in de kolonie zeiden haast geen woord tegen haar. Dat konden ze niet. Hun families waren veel te bang dat ze iets zouden krijgen met een defecte draki. Ze wilden niet riskeren dat hun genen besmet raken.

Ik kijk weg en staar naar mijn dienblad. Het spijt me dat ik niet samen met haar lol kan maken. Dat ik alles op alles moet zetten om dit leven zelfs maar vol te houden, het leven waar zij zo blij van wordt.

Het spijt me dat ik uiteindelijk misschien de strijd zal opgeven en haar zal moeten achterlaten.

10

De dag duurt eindeloos. Het lijkt wel alsof het zevende uur nooit zal aanbreken. De wijzers van de ronde klok in de hal kruipen vooruit en de secondewijzer maakt iedere tel een zenuwachtig sprongetje. Tegen de tijd dat ik bij het studielokaal aankom, bonkt mijn hart op de maat van die springende secondewijzer.

Ik blijf even in de deuropening staan en kijk snel het vrijwel lege lokaal door. Nu zal ik hem eindelijk weer zien.

Met bonzend hart ga ik aan dezelfde tafel zitten als gisteren. Ik hoop dat hij er eerder zal zijn dan Catherine, zodat ik haar niet hoef uit te leggen dat ik bij hem wil zitten. Want dat doe ik, dat zie ik nu wel in. Ik wil bij hem zitten, met hem praten, naar hem kijken, met hem uitgaan... alles. In ieder geval zolang ik hier ben. En dat wil ik niet alleen vanwege mijn draki. Ik zou Will Rutledge altijd aardig vinden, wie ik ook was.

Met een snelle glimlach naar mij zet Nathan koers naar een andere tafel. Ik hoef in ieder geval niet meer bang te zijn dat hij bij me komt zitten.

De bel rinkelt boven mijn hoofd. Ik adem sneller en houd de deur in de gaten. Hij kan nu ieder moment komen.

Catherine komt binnenrennen, haar lange pony omhooggewaaid. Ik probeer mijn teleurstelling te verbergen dat zij, en niet Will, naast me neerploft. De tweede bel gaat. Ik wacht nog steeds op Will.

Voor in het lokaal dreunt Mr. Henkes stem. Hij draait dezelfde toespraak af als gisteren. Ik blijf de deur in de gaten houden.

'Hij is er niet.'

Ik schrik op van Catherines stem. 'Wie?'

'Will. Ik zag hem vertrekken met zijn neven, tijdens het vijfde uur.'

Ik haal mijn schouders op alsof het me niet kan schelen. Alsof ik niet heb besloten om met hem uit te gaan. Alsof hij dat niet gevraagd heeft. Alsof niet elke vezel van mijn lichaam wanhopig naar hem verlangt.

'Het is goed, hoor. Na de vonken die er gisteren en vandaag bij gym vanaf vlogen, had ik zo'n idee dat je op hem wachtte.'

Ik geef geen antwoord. Mijn handen trillen. Ik stop ze onder tafel. Ik had erop gerekend dat ik hem zou zien. Dat ik mijn draki weer zou voelen. Dat hij me tot leven zou wekken, en me zou helpen herinneren wie ik ben. Ik heb het zo hard nodig, en nu het niet kan, voelt het of een gewicht mijn borst verplettert. Het gewicht van mijn teleurstelling.

Catherine diept iets op uit haar rugzak. Ik ben zo wanhopig dat ik vraag: 'En? Waar is hij?' Alsof ik verwacht dat zij dat weet.

'Hier.' Ze schuift een briefje over de tafel naar me toe. 'Hij wilde dat ik dit aan je gaf.'

Ik staar een lang moment naar het opgevouwen stukje papier. Mijn hart bonkt. Ten slotte pak ik het aan. Het papier voelt koel en stevig in mijn trillende vingers terwijl ik het openvouw. Ik neem de tijd om het glad te strijken en bestudeer zijn handschrift.

Jacinda,

Het spijt me, maar ik moet de stad uit voor een familiekwestie.

Probeer geen andere leraren bewusteloos te slaan terwijl ik weg ben.

Tot snel (maar niet snel genoeg),

Will

Er ontsnapt een zucht aan mijn lippen. Ik schud mijn hoofd. Dit is waanzin, dat ik zit te smachten naar een jager. Dat een jager naar mij smacht. Ik zou beter moeten weten, ook al doet hij dat niet. Hij kan het niet weten.

'Will en zijn neven verzuimen best vaak,' gaat Catherine verder.

Dat wil ik wel geloven. Een week geleden waren ze in het noorden, in het Cascade-gebergte. Op jacht naar mij. Ze beperken hun activiteiten vast niet tot het weekend, dus dan missen ze af en toe wel wat lessen.

'O ja?' Ik trommel met mijn vingers tegen mijn lippen. Zo te voelen zijn ze gebarsten. Net zo droog als de rest van mijn lichaam.

'Hm-mm.' Catherine pakt haar scheikundeboek en slaat het open bij het periodiek systeem. Ze begint een werkblad in te vullen. 'En weet je waarom ze zo vaak weg zijn?'

Ik schud mijn hoofd, ook al weet ik het best. Beter dan zij. Mijn hart knijpt zich samen als een vuist in mijn borst. Het knijpt… en knijpt…

'Hun familie is goed in vliegvissen. Best leuk, hè? Spijbelen om te gaan vissen.' Ze tikt met het uiteinde van haar potlood op tafel terwijl ze de tabel bestudeert. Het geluid is een echo van het geroffel van mijn hart. Ik wankel op mijn kruk en klamp me vast aan de hoek van de tafel.

Vliegvissen. Het is haast grappig. Als het mijn hart niet zo veel pijn zou doen.

Catherine gaat verder: 'Ze maken regelmatig zulke tripjes, ongeveer elke… Gaat het, Jacinda?'

Will is weer… op jacht. Waarschijnlijk zijn ze terug naar de plaats waar ze mij bijna te pakken hadden. Op jacht naar de draki's van mijn kolonie.

Will is niet mijn redder. Hij is een moordenaar.

Eindelijk word ik wakker geschud. Ik ben niet goed wijs als ik denk dat een jager mij zal redden. Mij zal beschermen. Mij in leven zal houden. Ik vind wel een andere manier om te overleven. Mijn hand klemt zich om het briefje en verkreukelt het tot een bal. Ik zal Will uit mijn hoofd zetten. De band die ik met hem voel, zal ik verbreken.

Maar van deze beslissing voel ik me niet beter. Nu heb ik nog meer pijn in mijn hart.

De nachten daarna lukt het me twee keer om weg te sluipen naar de golfbaan in de buurt en daar te vliegen. En beide keren voel ik me achteraf vreselijk beroerd. De manifestaties zijn moeizaam en pijnlijk, maar ik blijf vastberaden. Ik heb geen keus. Ik moet het blijven proberen. Ik moet vliegen. Zelfs als Will wel in de buurt was, zou ik dit moeten doen. Ik moet leren om zelf mijn draki in leven te houden.

Intussen ben ik bezig mam te bewerken. Zodra ik de kans krijg, bid en smeek ik, net zo lang tot ze me glazig aankijkt en zwijgt omdat alle argumenten zijn opgebruikt. Maar ze houdt vast aan haar besluit dat we in Chaparral blijven. Vanavond is het echter Tamra's beurt om met haar te bekvechten.

Mam draait zich weg van het fornuis, een lepel met bolognesesaus in haar hand. Ze herhaalt weer op die ongelovige toon: 'Hoeveel?'

Achter haar stijgt stoom op uit een pan pasta. Ik probeer niet naar die wervelende wolk te kijken, die me aan de nevels thuis doet denken.

Mijn huid begint zeer te doen.

Ik dwing mijn blik terug naar mam. Ze ziet er moe uit. Meer naar haar leeftijd van zesenvijftig. Draki's worden op een andere manier oud dan mensen. Het gaat langzamer. Gemiddeld worden we ongeveer drie-honderd jaar. Als we beginnen te puberen, vertraagt het verouderings-proces. Op dit moment zie ik er nog uit als iemand van mijn leeftijd, maar ik blijf er nog jaren als een tiener uitzien. Wel tot mijn dertigste.

Maar nu beginnen de jaren te tellen voor mam. Dat komt doordat ze haar draki heeft opgegeven. Ze is nu menselijk en zo ziet ze er ook uit. De rimpels in haar voorhoofd. De kleine lijntjes rond haar ogen. Die lijntjes zijn er nu de hele tijd, niet meer alleen wanneer ze zich zorgen maakt.

Ik sta bij de tafel met drie borden in mijn hand en kijk hoe Tamra met haar folder wappert. Handig ontwijkt ze mams vraag. 'Toe nou, mam. Het staat goed op mijn cv als ik me ga aanmelden voor de universiteit.'

Ik zet een bord midden op een placemat en kijk naar beneden om te verbergen dat ik met mijn ogen rol.

Dit is precies wat Tamra wil. Ik zou haar moeten steunen. Ik zou moe-ten proberen om het niet benauwd te krijgen van het idee dat Tamra met Brooklyn optrekt, en met de andere cheerleaders.

'Het is een heleboel geld, Tamra.'

'Geld dat we niet hebben.' Ik kan het niet laten om dat op te merken. Omdat ik zie hoe hard mam werkt. De muffe geur van sigarettenrook hangt om haar heen, zelfs nadat ze heeft gedoucht en haar haren gewas-sen. Het is diep in haar poriën getrokken.

Tamra staart me aan. Ik staar onaangedaan terug. Ziet ze de wallen onder mams ogen niet? Hoort ze haar niet thuiskomen om vijf uur 's morgens?

'Ik kan wel een parttimebaantje nemen. Alsjeblieft, mam. Teken dat formulier nou. We weten nog niet eens of ik wel in het team kom. En we hoeven pas te betalen als dat is gelukt.' De wanhoop in Tamra's stem is nieuw. Voorheen, bij de kolonie, heb ik die alleen in haar ogen gezien. Nooit in haar stem gehoord. Thuis wilde ze ook van alles, maar ze had zich maar te schikken in het leven zoals het was. Ik vraag me af waarom ze dit nu zo graag wil.

Zonder erbij na te denken flap ik de vraag er uit.

Tamra kijkt me aan met ogen die zo hard zijn als stukjes amber. 'Ik heb nooit durven hopen dat ik zo'n kans zou krijgen – en nu kan het echt.'

Dan snap ik het. Ze kan nu alles hebben. Een normaal leven. Geaccepteerd worden. Voor zo lang we in Chaparral blijven. Ik voel het als een last op me drukken, want ik weet dat het vooral aan mij ligt of het hier een succes wordt.

Dit is haar droom. De droom een normaal meisje te zijn met een normaal leven. Voor Tamra staat cheerleaden voor normaal zijn en daarom wil ze het.

Mam staart naar het inschrijfformulier en de plooien bij haar mond worden dieper. Als ze het ondertekent, mag Tamra meedoen met de selectie en als ze in het cheerleadersteam komt, zullen we ergens het geld vandaan moeten halen voor de kleding en de andere benodigdheden.

Ik twijfel er geen moment aan dat Tamra zal worden geselecteerd. Benieuwd kijk ik wat mam zal doen, of ze in elk geval één dochter haar zin zal geven. Ik weet dat dit iets heel anders is, maar toch denk ik: waarom kan het haar niets schelen wat ík wil?

Mam knikt met een vermoeid gebaar, verslagen. 'Oké.'

En op dat moment voel ik me ook verslagen.

Mijn leven is in een rustige regelmaat vervallen sinds Will is vertrokken. School, avondeten met mam, huiswerk, muziek luisteren en tv-kijken met Tamra.

Ik loop op school als een automaat door de gangen. Mijn draki blijft langzaam verdwijnen. Dat deel van mij lijdt in stilte en sterft weg in de duisternis. Net als een wond die geneest, klopt het minder hard, doet het minder zeer, voel ik minder. Ik wil het openrukken, de rafelige kanten van elkaar trekken... zorgen dat het weer gaat bloeden. Ik wil dat het er weer is.

Tegen de tijd dat het vrijdag is, begin ik me af te vragen of er niet iets is gebeurd met Will. Ik denk voortdurend aan waar hij is, waar hij jaagt. Er bestaan meer kolonies dan de onze, maar daar hebben we geen contact mee en ik weet dus niet waar die zich bevinden... waar Will zou kunnen zijn.

Het is fout van me om te denken, maar ik hoop dat zijn familie op jacht is naar een andere kolonie. Als het de mijne maar niet is. Ik wil dat degenen die ik heb achtergelaten veilig zijn: Az, Nidia... zelfs Cassian.

Mijn gevoelens voor Will zijn vreselijk verwarrend. Het ene moment wil ik dat hij veilig terugkomt, maar het volgende moment bid ik dat de draki op wie hij jaagt veilig en vrij is. En die twee wensen gaan niet samen.

Ik probeer mezelf ervan te overtuigen dat mijn kolonie in orde is. We zijn geen zwak ras. We hebben onze talenten. Onze kracht. Als onschuldig rondtrekkende wandelaars per ongeluk langs Nidia's nevels naar binnen lopen, benevelt ze hun geheugen en leidt hen weer naar buiten. Maar wat gebeurt er met jagers?

Ik krimp in elkaar. Het is een van die dingen waar nooit over gesproken wordt, maar die iedereen begrijpt. De kolonie moet beschermd worden. Zelfs als Nidia het geheugen van een jager benevelt, kan hij toch nog terugkomen om op ons te jagen. Hij is en blijft een roofdier.

Een roofdier dat vernietigd moet worden.

Tot nu toe heb ik dat nooit verkeerd gevonden. Zeker niet na wat er met pap is gebeurd. Maar nu…

Ik kan alleen maar Wills gezicht voor me zien. Bij de gedachte dat hij dood is, doet mijn keel zeer. Om de jongen die mij heeft gered. De jongen die zo mooi is dat het een onmogelijke droom lijkt, heel onwerkelijk op dit moment, nu het al zo lang geleden is dat ik hem voor het laatst gezien heb.

'Hoi Jacinda.'

Geschrokken kijk ik op. Ik herken het gezicht. Volgens mij zit ze met Engels bij me in de klas.

'Hoi.' Ik knik naar haar. Geen idee hoe ze heet.

Ik probeer weer een beetje bij mijn positieven te komen als ik naar de hal toe loop. Probeer de automatische piloot uit te zetten. Ik begin te lijken op de woestijn die mij aan alle kanten omringt. Droog en ongastvrij. Gewend te leven in het niets.

En hierover, over deze rustige regelmaat, maak ik me zorgen. Ik word in slaap gewiegd door de golven van aanvaarding, die me onder dreigen te trekken. Mam heeft gelijk. Niets werkt zo goed als een onvruchtbare omgeving om je draki te vernietigen.

Zo wil ik niet zijn. Ik kan hier niet blijven. Ik moet een uitweg vinden. Ik moet vliegen, dat moet ik blijven proberen.

Voordat ik het studielokaal in loop, haal ik diep adem. Vandaag hadden we geen gym samen met de jongens. Zij trainden met gewichten terwijl wij in de gymzaal bezig waren. Ik weet dus niet of Will al terug is, maar ik probeer mezelf wijs te maken dat het toch niet uitmaakt. Ik kan geen date met hem hebben en ik kan hem niet vertrouwen. Dat mag niet.

Grote woorden. Ik voel me zo'n bedrieger. Want ondanks de belofte die ik mezelf heb gedaan om hem uit mijn hoofd te zetten, heb ik dat niet gedaan. Ik herinner me alles van hem. Ik voel zijn afwezigheid, zoals ik het gemis voel van de vochtige lucht, de nevels en de pulserende aarde.

Hij kan niet alles zijn wat ik me herinner, alles waar ik zo naar hunker. Ook al weet ik dat het verkeerd is. Ook al weet ik dat ik uit zijn buurt moet blijven.

Ik loop het studielokaal binnen, maar ik hou mijn pas in als ik Xander en Angus achterin zie zitten. De kou prikt in mijn nek.

Ze zijn terug.

11

Meteen zoek ik Will. Maar ik zie hem nergens.

Mijn verraderlijke hart zinkt in mijn schoenen. Xander kijkt naar me, zijn teerzwarte ogen staan ondoorgrondelijk. Hij begroet me met een knikje. Angus praat met de meisjes aan de tafel naast hem; zijn enorme, verpletterende handen bewegen in de lucht. Hij heeft me niet in de gaten.

Er klinkt maar één wanhopige gedachte door mijn hoofd: *Niet Will. Niet Will.*

Ik laat me op mijn kruk zakken en kijk voor me uit. Catherine is er nog niet. Het is een heel stuk lopen vanaf het tekenlokaal.

Ik wrijf met mijn handen over mijn spijkerbroek. Iedereen gaat bij Mr. Henke in de rij staan voor een pasje om hier weg te komen. Ik voel Xanders blik in mijn rug en overweeg om ook aan te sluiten.

Hij komt net terug van de jacht. Kleeft er draki-bloed, paars en iriserend, aan zijn handen? Heeft hij een neus voor zijn prooi, zoals een jachthond? Voor draki's? Voor *mij*? Dat zou verklaren waarom hij altijd zo begerig naar me kijkt.

De eerste bel krijst oorverdovend. Ik begin eraan te wennen. Spring nauwelijks meer op van mijn zitplaats. Een somber gevoel spoelt door me heen. Ik knipper hard en knijp mijn ogen dicht. Ik wil helemaal niet wennen aan deze dingen.

'Hé Jacinda, heb je zin om met Mike en mij naar de bieb te gaan?' Nathan wacht naast mijn tafel, met een vrolijke grijns op zijn ronde, jongensachtige gezicht.

'Bedankt voor het aanbod, maar nee. Ik zou hier met Catherine gaan studeren.'

Nathan haalt zijn schouders op en gaat met zijn vriend in de rij staan voor een pasje. Ik vraag me af of ik niet beter met ze mee had kunnen gaan. Misschien kan ik dat nog doen.

Dan komen al mijn gedachten over ontsnappen knarsend tot stilstand. De vibratie die ik zo heb gemist, brandt in mijn borst en spreidt zich uit naar mijn hele binnenste. Mijn huid komt tot leven. Ik draai mijn hoofd en kijk zoekend rond. Mijn blik hecht zich aan Will, die het lokaal in loopt.

Alles aan hem is nog mooier dan ik me herinner.

De gouden strepen in zijn haar. De glans van zijn bruine ogen. Zijn lengte. De breedte van zijn schouders. Naast hem lijken alle andere jongens klein, jong en kinderachtig.

Opeens lijkt het alsof de tijd zonder hem eeuwig heeft geduurd. Ik heb te lang gewacht op dit moment. Dat ik hem weer zie. Dat mijn longen zich weer samentrekken. Dat mijn hart weer bonkt en tegen mijn ribben duwt.

Dat ik mijn draki voel bewegen.

Zijn blik vindt me, zijn bruine ogen helder en zo verlangend dat mijn huid begint te gloeien. Maar ik voel niet alleen zíjn ogen. Achter me branden Xanders ogen in mijn rug.

Will komt naar mijn tafel toe en ik vergeet iedereen om me heen. Ik vergeet dat ik uit zijn buurt moet blijven. Als ik zo dicht bij Will ben, vergeet ik zelfs de angst die Xander me aanjaagt. Het enige wat ik wil, is dat Will blijft staan en iets zegt. Dat hij zijn magie laat inwerken op mijn wegkwijnende ziel. Dat is wat ik nodig heb. Hij is nu bijna bij mijn tafel. Mijn longen zetten uit. Ze smeulen. Er komt stoom omhoog in mijn keel. Het is een geweldig gevoel. Het gevoel dat ik leef.

Mijn huid trekt samen en wordt heter. Even flitst er een roodgouden glans overheen. Ik knijp hard in mijn arm, mijn vingers strak en pijnlijk. Alsof de greep van mijn hand kan voorkomen dat ik ga manifesteren in een lokaal vol mensen.

Hij is nu zo dichtbij dat ik de groene, gouden en bruine spikkeltjes in zijn ogen kan zien. Nog één stap, dan staat hij naast mijn tafel.

Ik hou mijn hete adem in. Wacht tot hij een teken geeft…

Dan kijkt hij weg, over mijn hoofd heen, naar de tafel waar zijn neven zitten. Er glijdt iets over zijn gezicht, een rimpeling die de intensiteit ervan afspoelt. Met een verveelde uitdrukking loopt hij langs de plek waar ik zit te trillen op mijn kruk.

Zijn kille afwijzing beneemt me de adem. De hitte verdwijnt met een trage sis uit mijn neus. Het vuur in mijn longen dooft tot er alleen as over is.

Niets. Zelfs geen woord?

Ik denk aan de laatste keer dat ik hem heb gezien, aan zijn warme aandacht. Ik denk aan het briefje dat hij voor me heeft achtergelaten. En ik begrijp er niets van. Mijn handen trillen. Ik druk ze tegen elkaar en knijp er stevig in. Ik zou me niet zo ontredderd moeten voelen. Tenslotte had ik besloten om bij hem uit de buurt te blijven. Om er een punt achter te zetten voordat het goed en wel begonnen was.

De tweede bel gaat net op het moment dat Catherine naast me komt zitten, met die heldere ogen van haar, die licht lijken te geven onder de harde lampen in het lokaal.

'Hoi,' zegt ze, buiten adem door de lange wandeling vanaf het teken-lokaal. 'Wat is er aan de hand?' Ze werpt een blik over haar schouder en gaat vriendelijk verder: 'Ik zie dat ze er weer zijn. O... daar komt-ie.'

Ik kijk vanuit mijn ooghoeken toe hoe Will langs onze tafel loopt en haast onzichtbaar een briefje naast Catherines elleboog laat vallen.

Ze begint te grijnzen. 'Ik denk dat het voor jou is.'

Ik staar naar het papiertje, maar geef niet toe aan de neiging om het te pakken. 'Ik hoef het niet. Verscheur maar.'

Ze kijkt me verbaasd aan. 'Meen je dat nou?'

Ik gris het briefje van tafel en scheur het in kleine stukjes, terwijl Will een pasje haalt bij Mr. Henke. Als hij zich omdraait om het lokaal uit te lopen, ontmoeten onze blikken elkaar heel even. Die van hem glijdt omlaag naar het bergje snippers. Het is of er een luik dichtslaat voor zijn ogen, als wolken die neerdalen op een bos, en mijn borst trekt samen.

'Okééé.' Catherine kijkt van de snippers naar mij. 'Dat was wel erg dramatisch. Wil je vertellen wat er aan de hand is?'

Omdat ik geen woord kan uitbrengen, schud ik mijn hoofd. Ik sla mijn scheikundeboek open en staar naar de bladzijde zonder iets te zien. Ik zeg tegen mezelf dat ik blij ben dat hij langs me heen liep. Dat was precies wat ik nodig had om herinnerd te worden aan de belofte die ik mezelf heb gedaan om uit zijn buurt te blijven. Ik ben zelfs blij dat ik zijn briefje heb verscheurd. Blij dat hij het hoopje snippers heeft gezien.

Vannacht. Meer dan ooit wil ik vliegen. Ik moet het weer proberen. Ik kan alleen op mezelf vertrouwen en dat is voldoende. Dat moet ik geloven. Tenslotte is het altijd zo geweest.

Later die nacht laat ik me uit mijn bed glijden, en op de tast vind ik mijn schoenen bij het voeteneinde. Ik heb goed opgelet waar ik ze neerzette, want ik wil Tamra niet wakker maken door onhandig gestommel.

Op dit tijdstip, midden in de nacht, is de kamer helemaal verduisterd. Er komt geen licht door de jaloezieën. Tamra's kant van de kamer is zo donker als een graftombe. Ik hoop dat het buiten net zo donker is. En bewolkt. Wolken en duisternis. De perfecte bescherming.

Ik haak mijn vingers in mijn schoenen en glip de kamer uit. De vloer kraakt onder mijn gewicht en ik krimp in elkaar. Met ingehouden adem sluip ik snel op mijn tenen door het huis. Pas buiten durf ik weer uit te ademen.

De lampen van Mrs. Hennessey zijn uit en gelukkig begint haar kleine keffertje niet te blaffen als de poort zachtjes in het slot klikt.

Op straat ga ik op de stoep zitten om mijn sokken en schoenen aan te trekken. Ik kijk naar de lucht terwijl ik de veters vastmaak. Volle maan, geen wolken. Dat is jammer. Maar ik laat me niet ontmoedigen.

Ik begin in de richting van de golfbaan te lopen waar ik al eerder ben geweest, en zeg tegen mezelf dat het vannacht anders zal gaan. Ik zal makkelijk manifesteren, hoog vliegen, op de lucht surfen zoals vroeger... doen waar ik voor gemaakt ben. Ik leg de acht kilometer in een goede tijd af. De golfbaan doemt plotseling voor me op als een golvende groene zee, een abrupt verschil met de woestijn en kale rotsen overal.

Met een heimelijke blik om me heen steek ik over naar een wereld van zinderend groen. Sinds ik weg ben uit de bergen, heb ik niets meer gezien wat zo veel op begroeiing lijkt. Ik zou me haast kunnen voorstellen dat de woestijn is verdwenen, als die hitte er niet was geweest, en de droogte die zorgt dat mijn haar statisch is en mijn huid jeukt.

Ik trek mijn schoenen en sokken uit, stap op de green en geniet van het kussen van gras onder mijn voeten. Naast me is een zandkuil, de bunker. Ik zie een paar strategisch geplaatste keien. Voor me ligt een meertje te glanzen als een spiegel. Met grote passen loop ik naar een klein bosje. Ik schud mijn kleren af en de droge hitte omarmt mijn lichaam.

Met een zucht hef ik mijn gezicht op en ik adem de dunne, verhitte lucht in, breng die binnen in me, laat mijn longen vollopen. Ik strek mijn armen, wil manifesteren…

Ik sluit mijn armen en concentreer me harder dan ooit.

Nee! Het gaat zelfs nog moeizamer dan de andere keren.

De botten in mijn gezicht trekken, worden scherper, met harde lijnen en hoeken. Mijn ademhaling versnelt als mijn neus verandert: richels komen omhoog met een zacht gekraak van botten en kraakbeen. Het doet een beetje zeer. Alsof mijn lichaam het niet prettig vindt. Ertegen vecht. Niet wil dat dit gebeurt.

Langzaam worden mijn armen en benen langer en soepeler. Mijn menselijke huid smelt weg en wordt vervangen door iets dikkers: stevige, compacte draki-huid.

Een warme traan glijdt over mijn wang. Een kreun komt over mijn lippen en geeft me het laatste duwtje.

Mijn huid wordt vager, glanst rood met goud. Diepe, spinnende vibraties borrelen op uit mijn borst.

Eindelijk komen mijn vleugels vrij en ontvouwen zich, de spinragstructuur opent zich achter me en laat de lege lucht wervelen. Ik zet me meteen af en kan wel huilen, zo hard moet ik mijn best doen, zo onmogelijk voelt het aan.

Mijn spieren branden en gieren protesterend. Achter me zijn mijn vleugels hard aan het werk, ze klapperen wild om me de lucht in te tillen. Maar de lucht heeft geen dichtheid. Geen substantie. Mijn vleugels zoeken houvast, iets om zich tegen af te zetten, worstelen om hoger te komen. Zo. Zwaar. Zo zwaar!

Ik stijg op, buiten adem van de inspanning. Tranen van frustratie prikken in mijn ogen en vertroebelen mijn zicht. Vocht dat ik beter niet kwijt kan raken. Het groen golft ver onder me. Ik knipper, kijk rond en focus op de rode pannendaken die zich uitstrekken tot aan de horizon. De lichten van de auto's op de highway in de verte lijken klein. Nog verder weg spreiden de bergen zich uit, als een vochtige vlek in de nacht.

Ik blijf stilhangen, ik zweef in de duisternis, met heimelijke slagen van mijn vleugels.

Mijn lichaam voelt niet goed aan. Zelfs mijn longen lijken vreemd… klein. Krachteloos en gewoon. De Jacinda die als een automaat functioneert, voelt nog natuurlijker dan dit. Ik kan wel schreeuwen. Janken.

Toch dwing ik mezelf door te gaan. Ik vlieg over de groene golfbaan, probeer uit alle macht snelheid te maken, hoewel ik niet ver durf te gaan uit angst dat ik mijn manifestatie niet kan vasthouden. Ik snuif de lucht in en pers die met grote teugen door mijn keel. Maar het helpt niet. De lucht vult me niet, maakt mijn krimpende longen niet groter.

Ik hou vol en mat mezelf af tot mijn piepende ademhaling het enige is wat ik nog kan horen. Ten slotte geef ik het op, ik stop en daal in een steeds groter wordende cirkel. Als het gefladder van een stervende mot.

Mijn adem giert als ik neerkom en terugloop naar het bosje. Demanifesteer. Meteen buig ik voorover en grijp naar mijn maag. Mijn lichaam straft me omdat ik iets doe waar het niet langer toe bereid is. De krampen ranselen door me heen als ik moet overgeven zonder dat er iets komt. Het klinkt afgrijselijk. De marteling duurt eindeloos.

Met één hand grijp ik een boom en ik begraaf mijn vingers in de bast. Ik voel een nagel scheuren door de kracht.

Eindelijk stopt het. Met trillende handen kleed ik mezelf aan en laat me dan krachteloos op mijn rug vallen, met mijn armen wijd en mijn handpalmen naar boven gekeerd. Ik kan niets meer. Mijn hartslag zakt weg tot een angstaanjagend traag geklop, dat alleen nog voelbaar is bij mijn polsen.

De grond onder me is stil. Geen edelstenen te voelen. Geen energie. Onder het tapijt van gras is er alleen harde, dode aarde.

Met mijn gebalde vuist sla ik een keer op de grond. Hard. Hij geeft niet mee. Onder het dunne kussentje gras slaapt de aarde zonder ziel.

Ik staar omhoog naar de donkere nacht door het netwerk van takken. Heel even kan ik mezelf voor de gek houden. Doen alsof mijn lichaam goed voelt. Doen alsof ik weer thuis ben en naar de nacht kijk door een dikke laag dennentakken. Alsof het bos om me heen mij voedt en liefdevol beschermt.

Az is vlakbij. Samen staren we naar de lucht. We praten en lachen en hoeven ons geen zorgen te maken over morgen. Zo blijf ik nog even fantaseren. Ik lig als een dwaas in het donker te lachen bij de herinnering aan de tijd dat alles nog eenvoudig was en ik niets anders te verdragen had dan de donkere ogen van Cassian.

Achteraf lijkt dat maar zo onbeduidend, vergeleken bij deze hel.

12

Eindelijk sta ik op. Ik moet zorgen dat ik thuiskom. *Thuis.* Het woord klinkt niet vertrouwd.

Ik schiet niet erg op. Mijn hele lichaam doet zeer en bij iedere stap voelt het verslagen en zwaar aan. Het is stil. Op dit uur van de nacht rijden er geen auto's door deze rustige buurt. Mijn schoenzolen schrapen over de grond. Ik volg de kronkelende stoep en kijk hoe mijn schoenen om de beurt op het zongebleekte beton neerkomen. Ik sla de bocht naar onze straat om.

Als ik vlak bij Mrs. Hennesseys huis ben, kijk ik op.

Er komen koplampen de hoek om, tegenover me. Ze komen dichterbij. Ik ga aan de zijkant van de stoep lopen, zo ver mogelijk van de rijbaan. Het voertuig is nu bijna voor het huis van Mrs. Hennessey, met een laag brommende motor.

Het mindert vaart. Ik ook.

Ik heb er geen behoefte aan dat iemand mij ziet lopen op dit uur van de nacht. Een vriendin van Mrs. Hennessey of iemand uit de buurt die het aan mijn moeder vertelt.

Nu zie ik dat het geen gewone auto is. Een SUV? De voorruit glimt als een spiegel terwijl het voertuig dichter naar de stoeprand rijdt. Ik huiver en mijn hart bonkt in mijn keel. Ik heb genoeg naar misdaadseries gekeken om het gevaar te herkennen. Een plotselinge angst giert door mijn lichaam. En ik weet dat ik op mijn instinct kan vertrouwen.

Ik sla mijn armen om me heen en ga langzamer lopen, tot ik nauwelijks meer vooruitkom. Ik wacht en kijk, laat mijn ogen snel heen en weer schieten om de situatie te beoordelen. Intussen probeer ik mijn angst te beheersen voor ik echt doodsbang ben en begin te manifesteren... als dat tenminste lukt.

Dan zie ik het. Er zitten schijnwerpers op het dak van de auto, die niet branden. Alsof hij onopgemerkt wil blijven. Meteen begrijp ik het.

Ze zijn hier. Bij mijn huis. Ze houden me in de gaten. Op de een of andere manier hebben ze ontdekt wat er met mij aan de hand is. Misschien heeft Will me uiteindelijk toch herkend en is hij hier om zijn goede daad van toen in de bergen ongedaan te maken.

Op dat moment zien ze mij. De Land Rover schiet vooruit, recht op me af.

Ik draai me om en ren weg.

De adrenaline pompt door me heen en het zieke, vermoeide gevoel van daarnet verdwijnt. Weer wordt er op mij gejaagd. Alleen ben ik nu in een vreemde stad. In een lichaam dat ik niet meer ken.

Vroeger zou ik meteen gemanifesteerd zijn als ik zo bang was als nu. Dat instinct is zo sterk dat draki's zich er niet tegen kunnen verzetten. Nu ben ik nog steeds in mijn menselijke gedaante en dat kan alleen maar betekenen dat ik zwakker word, dat ik stervende ben.

Mijn sneakers roffelen over de stoep, de luide stappen dreunen door mijn hoofd en vermengen zich met het geruis van het bloed in mijn oren… het gegrom van de Land Rover die optrekt achter me. Als een enorm monster dat tot leven komt.

De straat strekt zich voor me uit. Zolang ik dat open pad volg, kan ik me nergens verbergen, me niet ongezien maken.

Ik neem het risico, lanceer mezelf naar de overkant van de straat en duik een tuin in. Banden gillen, komen piepend tot stilstand. Zonder over mijn schouder te kijken ren ik door en spring tegen een schutting op. De zolen van mijn schoenen beuken ertegenaan, glijden over het hout. Ik grijp de bovenkant. De scherpe punten die daar zitten, boren zich in mijn handpalmen.

Ik gooi mezelf over de schutting, ren door een rotstuin met cactussen. Neem nog een schutting en kom in iemands voortuin terecht.

Mijn huid begint te trekken en golft van de hitte. De brug van mijn neus drukt zich omhoog en de richels komen naar buiten. Mijn longen branden en smeulen, en mijn borst begint te vibreren. Eindelijk mijn draki. Dat zou me eigenlijk gerust moeten stellen. Ik zou er blij om moeten zijn dat mijn lichaam nog steeds reageert. Dat ik niet helemaal dood ben van binnen.

Gierende remmen dringen mijn oren binnen. Koplampen zwaaien wild door de nacht. Ik draai me om en val weer een schutting aan.

'Jacinda! Stop! Wacht!'

Ik kan er niets aan doen. De stem dringt meteen tot me door en trekt aan me als een onzichtbare hand. Terwijl ik aan de schutting hang, kijk ik over mijn schouder.

Hij staat onder een straatlantaarn; in het licht heeft zijn bruine haar een gouden glans. Zijn ogen lijken ook van goud. Schitterend en brandend staren ze me aan; de Land Rover staat vlak naast hem te snorren. Hij strekt een hand uit in een kalmerend gebaar, alsof hij een of ander wild dier wil temmen.

'Will.' De naam ontsnapt me, zo zacht dat hij het niet kan horen.

Ik knijp mijn ogen stevig dicht, laat de angst wegvloeien… en daarmee mijn draki. Dan doe ik mijn ogen weer open en laat de schutting los.

Mijn blik schiet door de straat, op zoek naar de anderen. Maar tenzij iemand zich in de auto verbergt, is hij alleen. Ik laat een bibberige zucht ontsnappen.

De hand is nog steeds naar me uitgestrekt.

'Wat doe je hier zo laat?' Er verschijnt een bezorgde trek om zijn mond. 'Het is al één uur.'

'Ik?' Ik steek langzaam de straat over, nog steeds op mijn hoede. 'Wat doe jíj hier?' En nee, ik geloof echt niet dat hij toevallig langs kwam rijden. 'Ben je me aan het stalken of zo?' Of op me aan het jagen, wil ik eraan toevoegen.

Hij knippert. De spanning die op zijn gezicht staat, verdwijnt. Er komt iets anders voor in de plaats. Hij wrijft over de achterkant van zijn nek. Het is een beschaamd gebaar. Menselijk. Verlegen.

'Ik…'

'Dat doe je, hè?' werp ik hem voor de voeten en onwillekeurig moet ik lachen.

'Nou kijk,' gromt hij en zijn ogen staan boos. Verdedigend. 'Ik wilde gewoon weten waar je woont.'

Ik ga voor hem staan. 'Waarom?'

Hij wrijft weer over de achterkant van zijn nek, met een boos, geïrriteerd gebaar deze keer. Of die woede voor hemzelf bedoeld is of voor mij, weet ik niet. Links van ons gaat een buitenlamp aan. Ik schrik en knijp mijn ogen samen tegen het onvriendelijke gele licht.

'Kom mee,' dringt Will aan bij het geluid van een voordeurslot dat wordt opengedraaid.

In paniek loop ik naar zijn auto en ik aarzel niet eens als hij de deur voor me openhoudt. Ik spring naar binnen en de sterke geur van de leren bekleding slaat meteen op mijn keel. De deur valt achter me in het slot.

Even ben ik alleen. Ik kijk naar alle glanzende knoppen en instrumenten in het enorme dashboard. Ik werp een blik op de achterbank. Die is groot genoeg voor een paar passagiers. Ik krijg de rillingen als ik bedenk wie dat meestal zijn.

Voor ik de kans krijg om me te bedenken, komt Will naast me zitten en net op het moment dat er een man in een ochtendjas uit een huis tevoorschijn komt, rijdt hij weg.

Langzaam dringt het besef tot me door. Ik zit hier met een draki-jager. Om één uur 's nachts. We zijn alleen.

En niemand weet waar ik ben.

Dit kan wel eens het allerstomste zijn wat ik ooit heb gedaan. Als Will niet naar mijn huis rijdt maar precies de andere kant op, ben ik ervan overtuigd dat dat inderdaad zo is.

'Je weet toch waar ik woon?' vraag ik.

'Ja.'

'Waarom breng je me daar dan niet heen?'

'Ik hoopte dat we even konden praten.'

'Oké,' zeg ik langzaam en ik knijp met beide handen in mijn dijbenen. Als hij verder niets zegt, vraag ik: 'Hoe weet je waar ik woon?'

'Dat is niet zo moeilijk te ontdekken. Je adres staat in de leerlingenlijst van school.'

'Heb je daar ingebroken?'

'Nee. Ik ken een van de assistentes. Zij heeft me jouw adres gegeven, meteen die eerste dag.'

Op mijn eerste dag. Hij heeft mijn adres al de hele tijd. Waarom? Ik sla mijn armen over elkaar. Er blaast koude lucht uit de ventilator en ik ril een beetje. Maar niet van de kou.

Hij drukt op een knopje. 'Heb je het koud?'

'Waar had je mijn adres voor nodig?'

'Ik wilde wel eens zien waar je woont. Je weet wel. Voor het geval dat.'

Dat geval was nu blijkbaar aangebroken.

'Wel apart, aangezien je me vandaag volkomen negeerde.'

'Je hebt mijn briefje verscheurd,' zegt hij beschuldigend. Er beweegt een spiertje op zijn kaak.

'Wat maakt dat nou uit.' Ik haal een schouder op.

'Het maakt wel uit. Je had het moeten lezen.'

Ik weersta de neiging om te vragen wat erin stond. Ik weiger om me te laten meeslepen. Tenslotte heb ik besloten om bij hem uit de buurt te blijven. Ik wil niet om hem geven, wil hem niet toelaten. 'Was je van plan om om één uur 's nachts te gaan aanbellen?'

'Natuurlijk niet…'

'Maar waarom…'

'Ik kon niet slapen. En ik bedacht dat ik in elk geval wel eens kon gaan kijken waar je woont.'

Hij kon niet slapen? Daar heb ik ook last van. Maar wat hield hem wakker? Schuldgevoel? Het bloed van mijn soort dat aan zijn handen kleeft? Of zou het iets met mij te maken hebben?

Eerst vroeg hij of ik met hem uit wilde en toen veranderde hij van gedachten – in het studielokaal behandelde hij me alsof ik een besmettelijke ziekte had. Waarom deed hij dat? Ik wil het weten, maar durf er niet over te beginnen. Dat is vragen om problemen. Dan open ik een deur die ik voorgoed dicht moet laten, dat heb ik mezelf beloofd.

De stilte hangt tussen ons in. Zo diep dat ik hem kan proeven. Will kijkt me van opzij aan. Het goud in zijn bruine ogen sprankelt en ontsteekt een vuur in mij waarvan ik dacht dat het bezig was uit te doven.

Door één blik van hem laait het weer op. Als ritselende bladeren, die wakker worden door de wind die opsteekt. Dat effect heeft hij op mij. Hoe graag ik ook wil geloven dat ik hem niet nodig heb om mijn draki te wekken, hij bewijst elke keer dat ik het mis heb. Misschien gaat het er niet om wat ik wil, maar wat ik nodig heb.

Hij rijdt een poosje doelloos rond. De ene straat na de andere. Ze zien er allemaal hetzelfde uit. Eenvoudige huizen, gestuct in verschillende tinten wit en beige, staan keurig langs de stoep. De pannendaken golven als een rode zee.

Mijn hart slaat snel, opgewonden doordat hij vlakbij is. Zo levend heb ik me niet gevoeld in die eeuwigdurende dagen die achter me liggen.

Ik weet wat ik mezelf heb beloofd: dat ik uit zijn buurt moet blijven. Ik voel de echo van die belofte in mijn hoofd. In mijn botten. Maar ik denk terug aan die andere belofte die ik mezelf heb gedaan toen ik hier aankwam. De belofte dat ik koste wat het kost mijn draki in leven zou houden. En als ik bij hem ben, kan mijn draki zich nauwelijks beheersen. Er kan geen twijfel over bestaan dat mijn draki dan leeft. Ik leg mijn handen op mijn dijbenen en wrijf erover om mijn kippenvel op te warmen. Tot het moment dat ik mam heb overgehaald om ons mee terug te nemen, is vlak bij hem blijven misschien wel de enige optie. En hem toelaten in mijn buurt... Mijn hart slaat over bij die gedachte.

Zijn lage stem verbreekt de stilte. 'Je hebt nog niet verteld wat jij buiten deed op dit tijdstip.'

'Ik kon ook niet slapen,' antwoord ik. En dat is geen leugen.

Zijn mond krult. 'Dan passen we goed bij elkaar. Een stelletje slapelozen.'

We passen goed bij elkaar.

Ik lach, met een stompzinnige, domme grijns.

Zelfs als zijn glimlach al is verdwenen, zit ik nog steeds te grijnzen. Ik kan het gelukzalige gevoel dat door me heen huppelt niet onderdrukken.

'Je bloedt,' zegt hij. Snel stuurt hij naar de kant van de straat en parkeert de auto.

Ik volg zijn blik naar beneden, naar een veeg bloed op mijn dijbeen. De paniek knijpt mijn hart samen. Ik draai mijn hand om en zie een sneetje op de bolling van mijn handpalm waar bloed uit komt. Alsjeblieft, alsjeblieft, alsjeblieft, laat hij het niet zien.

Bij daglicht zie je meteen de paarsachtige gloed van mijn bloed. In het halfdonker zal hij het niet zo snel ontdekken. Dat zeg ik tenminste tegen mezelf terwijl ik diep inadem.

'O, het stelt niks voor. Ik heb me opengehaald aan die schutting.'

Will trekt zijn shirt over zijn hoofd. Mijn adem blijft in mijn keel steken. Zijn borst is breed en glad. Een en al spieren en pezen, die golven onder zijn huid. Hij maakt een prop van het shirt en drukt die tegen mijn handpalm. Alsof ik dodelijk gewond ben of zo.

'N...nee, dat hoeft niet,' protesteer ik. Mijn vingers hunkeren ernaar om zijn borst aan te raken, om hem te voelen. 'Zo verpest je je shirt.'

'Het was mijn schuld dat je over die schutting klom. Laat me nou maar even.'

Zwijgend knik ik. Ik kan hem toch niet weerstaan. Op de plaatsen waar zijn vingers mijn hand raken, voel ik gloeiende puntjes op mijn huid. Ik sluit mijn ogen. Zijn ridderlijkheid doet me denken aan de eerste keer dat we elkaar aanraakten. Samen in die kleine grot. Zo dicht bij elkaar. Zijn ogen die mij verslonden.

Nu hij vlak bij me is, adem ik diep in en neem zijn geur in me op. De zoute warmte van zijn huid. Als een weelderig bos. Vochtige wind. Ik weet waar hij is geweest. Waar hij heeft gejaagd. Thuis.

Ik open mijn ogen en bestudeer zijn gezicht, de snelle hartslag in zijn hals. Zijn neusvleugels staan wijd, alsof hij mij ook ruikt.

Zijn blik glijdt naar de zachte ronding van mijn dij en het paarsachtige veegje bloed. Mijn huid gloeit goudachtig in het licht van een straatlantaarn. Tenminste, ik denk dat het daardoor komt. Alsjeblieft, ik wil niet ook nog eens manifesteren.

Hij laat zijn hand zakken. Die trilt als hij naar beneden gaat. Zijn hoofd buigt naar het mijne toe. Onze adem vermengt zich, smelt samen. Ik huiver gespannen als zijn hand mijn bevende dij raakt. De lucht sist tussen mijn tanden.

Zijn blik gaat naar mijn gezicht. Vragend. De pupillen van zijn ogen zijn diepzwart, de bruine irissen daaromheen lichtgevend en gloeiend. Hij kijkt weer naar beneden, zijn gezicht aandachtig. Hij kijkt naar mijn dij, naar de veeg bloed op mijn huid.

Het gebaar herinnert me eraan dat hij een roofdier is. Die hongerige blik op zijn gezicht verraadt zijn ware aard. Een jager.

Met zijn duim strijkt hij over het veegje bloed, smeert het uit. Ik hap naar adem. De liefkozing verschroeit me.

'Je huid.' Zijn duim aait me weer.

Mijn buik verkrampt zo heftig dat het haast zeer doet.

Hij fronst zijn voorhoofd. 'Die is zo heet.'

En dat is ook zo, besef ik. De hitte bouwt zich in me op. Stoom zet mijn longen uit. Ik moet hem laten stoppen. Mijn been wegtrekken. De bekende vibratie begint in mijn binnenste te trillen en ik weet wat er zal gebeuren als ik hier geen eind aan maak.

Er is zo veel aan hem waar ik bang voor zou moeten zijn. Waar ik voor op de vlucht zou moeten slaan. Maar het enige wat ik wil, is meer. Meer Will.

Mijn maag wordt dichtgeknepen door de sensatie van zijn hand op mijn dij. Hij veegt het bloed eraf met zijn duim en trekt zijn hand dan weg. Ik adem in door mijn neus.

Hij pakt zijn shirt van mijn hand en inspecteert mijn verwonding. 'Het is niet ernstig,' constateert hij.

Ik knik. Mijn hart klopt zo snel dat ik geen woord kan uitbrengen.

Hij gaat verder: 'Heb je iets in huis om het te ontsmetten?'

Ik kan nog steeds niets zeggen. Heeft hij het nu echt over eerste hulp? Mijn been tintelt en klopt waar hij me heeft aangeraakt. Zijn zachte greep om mijn hand heeft hetzelfde effect.

Als ik blijf zwijgen, kijkt hij op. Vangt me met die bruine ogen, met enorme, inktzwarte pupillen. Vreemd maar prachtig. Ik vraag me af of hij aan de drugs is, maar diep van binnen weet ik dat dat niet zo is. Omdat ik er niets van bespeur of omdat ik gewoon niet wil dat het zo is.

'Jij bent anders,' fluister ik terwijl ik hem aanstaar. Zijn vraag is al vergeten. Mijn handpalmen tintelen en jeuken, zo graag wil ik hem aanraken... zijn gezicht, zijn brede borst.

Hij staart terug, vreet me op met zijn ogen.

Je bent anders dan je neven, denk ik. Anders dan alles wat ik ooit gehoord heb over jagers. Anders dan de draki-jongens die ik ken. Die waakzame ogen van Cassian hebben me nooit naar adem doen snakken. Hebben mijn draki nooit tot leven gewekt, mij nooit dit gevoel gegeven.

Ik lik over mijn lippen en adem diep en sidderend in. 'Waar zijn je neven? Ik dacht dat jullie alles samen deden.'

Want dat mag ik niet vergeten. Nooit. Ook al geloof ik niet dat hij een bedreiging voor me is, zíj zijn dat wel.

Er valt een luik dicht voor zijn ogen. Hij gaat naar achteren en laat mijn hand los. 'Blijkbaar heeft iemand je verteld over mij en mijn familie.'

'Je hebt zelf gezegd dat ik bij hen uit de buurt moet blijven. Dan wordt mijn nieuwsgierigheid natuurlijk gewekt. Dus luister ik als andere mensen iets vertellen.' Dat wil zeggen: Catherine.

Hij knikt langzaam. 'Ja, dat heb ik gezegd. En dat zou je ook moeten doen.' Met een zucht haalt hij een hand door zijn haar. 'En als je toch bezig bent, kun je ook maar beter bij mij uit de buurt blijven. Tenminste, dat zou ik eigenlijk tegen je moeten zeggen.' Hij laat zijn hoofd tegen de hoofdsteun vallen en sluit zijn ogen. De pijn staat op zijn gezicht geëtst. Weer wil ik hem aanraken, met mijn hand over zijn platte borst strelen en hem laten vergeten wat hem dwarszit.

Zijn woorden echoën door mijn hoofd. *Je kunt ook maar beter uit mijn buurt blijven.* Dat wist ik al, maar nu ik hier naast hem in zijn auto zit, ben ik daar blijkbaar toch niet helemaal in geslaagd. Ik wilde dat ik het kon. Dat ik deze aantrekkingskracht niet voelde, dat ik niet steeds naar hem toe gezogen werd. Ik wilde dat mijn draki niet tot leven kwam als ik bij hem ben. Ik schuif mijn linkerhand onder mijn dij en klem hem daar vast.

'Jíj kwam achter mij aan,' help ik hem herinneren, en dan krimp ik in elkaar. Ik trek mijn hand los om over mijn dij te wrijven, waar zijn aanraking nog steeds brandt.

'Je hebt gelijk.' Hij doet zijn ogen open en rijdt weg van de stoeprand. Na een paar bochten merk ik dat hij naar mijn huis toe rijdt. De wanhoop steekt in mijn binnenste en ik vraag vlug: 'Waarom ben je vannacht naar mijn huis gekomen?' *Midden in de nacht?*

Hij knijpt zo hard in het stuur dat zijn knokkels wit worden. 'Ik had niet verwacht dat jij buiten zou zijn, maar...'

'Ja?' dring ik aan.

Hij stopt abrupt voor mijn huis. Schakelt de koplampen uit. Draait zich naar me toe. Vooroverleunend legt hij een arm over mijn stoel. Bijna raakt hij mijn schouder aan.

Zijn uitdrukking is ondoorgrondelijk. Zijn ogen zien er vreemd uit met die grote pupillen. 'Je bent anders dan andere meisjes. Je bent speciaal.'

Een bedwelmende warmte verspreidt zich over mijn wangen. Ik ben blij met deze bekentenis. Blij dat ik voor hem net zo bijzonder ben als hij voor mij is. In de kolonie heb ik me altijd alleen maar veilig gevoeld, beschermd en aanbeden. Zelfs bij Cassian had ik het gevoel dat hij niet gek op mij was om mezelf, maar om wat ik de kolonie te bieden had.

Bij Will heb ik het gevoel dat ik kwetsbaar ben. Het gevaar ligt op de loer, net zo tastbaar als de dichte nevels die ik heb achtergelaten. En ik kan er geen genoeg van krijgen. Van hem. Ik hunker nog steeds naar hem. Hij is als een drug die ik nodig heb om in leven te blijven, om de dagen door te komen. Een verslaving. Krachtig en verwoestend.

'Ik heb geprobeerd om het te negeren,' gaat hij verder, 'maar dat lukt niet. Elke keer als ik je zie, weet ik dat er iets is. Als je net zo was als andere meisjes…' Hij lacht hees. 'Als je net zo was als andere meisjes zou ik hier niet eens zijn.'

Plotseling verlegen ga ik verzitten en vouw mijn vingers om mijn knieën. Hij zou hier niet zijn als hij de waarheid kende. Als hij wist wie ik werkelijk ben, wát ik ben.

Ik lik over mijn lippen. 'Ik ben anders dan je denkt…'

Bijna wil ik het doen. Bijna vertel ik hem de waarheid, maar dat kan niet.

'Misschien kunnen we…' Hij stopt en schudt zijn hoofd.

'Wat?' Ik herken mijn eigen stem nauwelijks, zo gespannen klinkt die. Mijn hart bonkt in mijn oren. Diep in mijn buik flakkert de hoop op, hoop die ik nooit eerder heb gevoeld.

'Laat maar. Stom idee.' Zijn stem daalt, hees en bijna onhoorbaar. 'Vergeet maar gewoon dat ik hier geweest ben.' Hij mompelt iets, zo zacht dat ik het niet kan verstaan, maar ik denk dat het een vloek was. 'Dit kan niet. Niet met de familie die ik heb. Ze zijn… ongewoon.'

'Wat is er mis met je familie?' vraag ik, hoewel ik dat allang weet. Dat wil zeggen, ik weet wat er volgens míj mis mee is. Will kan daar natuurlijk een andere kijk op hebben.

Hij knijpt zijn lippen samen, waardoor hij er haast meedogenloos uitziet. Als de jager die ik niet in hem wil zien. 'Laten we het er maar op houden dat we niet zo goed met elkaar kunnen opschieten.'

Ik probeer onschuldig te kijken. 'Je vader…'

'Hij is geen type voor een partijtje voetbal in de achtertuin. Zodra ik mijn diploma heb, ben ik daar weg.'

De opluchting spoelt door me heen. Dit bevestigt dat hij anders is dan zij. Geen jager, geen moordenaar. Ik probeer niet al te blij te kijken. Het is beter als ik mijn gevoelens binnenhou en ze niet aan hem toon.

Ik lik over mijn lippen en vraag: 'En tot die tijd kun je geen vrienden hebben?'

Hij strijkt met een hand door zijn haar. De goudbruine lokken blijven even overeind staan en vallen dan weer op hun plaats. 'Het ligt niet zo eenvoudig, dus ja, ik wil met niemand iets beginnen… niemand mee naar huis nemen.' Hij kijkt me aan. Grimmig. Vastbesloten. 'Ze zijn vergif, Jacinda. Ik wil jou niet aan hen blootstellen. Daarvoor geef ik te veel om je.' Hij schudt zijn hoofd. 'Ik wilde je niet aan het lijntje houden. Sorry dat ik je uit heb gevraagd, sorry dat ik niet kan…' Zijn stem hapert en zijn vingers klemmen zich om het stuur. 'Het spijt me gewoon.'

Mijn hart bloedt. Omdat hij het ook heeft. Dit gevoel van verbondenheid. Hij voelt het, maar wil er niet aan toegeven. Ik weet niet welke impuls hem vannacht hiernaartoe heeft gedreven, maar hij zal er niet voor zwichten.

Waarschijnlijk is dat maar goed ook, maar op dit moment kan ik er weinig dankbaarheid voor opbrengen.

Hij gebaart naar het huis van Mrs. Hennessey. 'Ga nu maar naar binnen.'

Een woeste hitte spoelt door me heen. 'Ik had nooit gedacht dat je zo'n watje was,' flap ik er uit.

Hij draait zijn gezicht naar me toe. 'Wat bedoel je daarmee?'

'Je bent hier vannacht naartoe gekomen om iets te doen. Waarom doe je dat dan niet?' Voor ik het besef, leun ik over de middenconsole en kijk hem recht aan. 'Sla je altijd op de vlucht als je iets graag wilt?'

Misschien begeef ik me op glad ijs door te suggereren dat hij míj wil, maar het adertje dat in zijn nek klopt, wijst erop dat het waar is. En tenslotte is hij hier.

Zijn blik dwaalt naar mijn mond. 'Ik kan me niet herinneren dat ik ooit iemand zo graag wilde,' zegt hij hees, zo zacht dat ik het nauwelijks kan verstaan. Het is meer alsof ik zijn woorden voel. Ze echoën door me heen en raken me zo diep dat ik zeker weet dat dit met een bedoeling gebeurt. Er moet een reden voor zijn dat we elkaar hebben gevonden, eerst in de bossen en nu hier. Een reden. Iets. Meer dan stom toeval. 'Ik ook niet.'

Hij leunt over de middenconsole. Laat een hand achter mijn nek glijden en trekt mijn gezicht naar zich toe. Ik beweeg me alsof ik van vloeistof ben, en smelt naar hem toe. 'Misschien is het tijd om daar eens verandering in te brengen.'

Bij de eerste aanraking van zijn mond golft de hitte door me heen en ik kan me niet meer bewegen. Mijn aderen en mijn huid kloppen.

Ik ga op mijn knieën zitten en grijp met klauwende vingers zijn schouders vast, om nog dichterbij te komen. Mijn handen dwalen over zijn zachte schouders, glijden over zijn stevige borst. Zijn hart slaat als een trommel onder mijn vingers. Mijn bloed staat in brand, mijn longen zetten uit en smeulen. Ik kan niet genoeg lucht door mijn neus krijgen… niet genoeg om mijn stomende longen af te koelen.

Zijn handen glijden over mijn wangen en houden mijn gezicht vast. Zijn huid voelt ijskoud aan vergeleken bij mijn gloeiende hitte en ik zoen hem nog harder.

'Je huid,' fluistert hij tegen mijn mond, 'is zo…'

Ik drink zijn woorden in, zijn aanraking, ik zucht om zijn smaak, om het branderig samentrekken van mijn huid. Van dat heerlijke gevoel op mijn rug, waar iets tegenaan duwt.

Hij kust me dieper, met koele, droge lippen. Beweegt zijn handen over mijn gezicht naar beneden, langs mijn kaken naar mijn nek. Zijn vingers strijken langs mijn oor en ik huiver. 'Je huid is zo zacht, zo warm…'

En dan realiseer ik ineens wat die prikkende tinteling op mijn rug betekent. Mijn vleugels zijn wakker geworden. Klaar om naar buiten te komen. Zo heb ik ze niet meer gevoeld sinds ik in Chaparral ben. Ze drukken tegen mijn rug en staan op het punt om eruit te barsten.

Met een kreet ruk ik me los en ik tast naar de deurhendel. Ik hap naar adem en smijt het portier open, rol naar buiten en val hard op mijn knieën op de oprit.

Ik krabbel overeind, neem niet de moeite om het portier dicht te doen… ik moet weg, weg.

Zijn wanhopige schreeuw komt achter me aan: 'Jacinda!'

Een paar meter verderop, ver genoeg om zeker te weten dat hij de subtiele verschillen in mijn uiterlijk niet kan ontdekken, stop ik en kijk om. Mijn borst gaat woest op en neer van de diepe, oververhitte ademhalingen.

Hij leunt over de middenconsole heen en zit al haast op de passagiersstoel. Er trekt iets over zijn gezicht, een emotie die ik niet kan thuisbrengen. 'Ik zie je op school,' roept hij beslist, alsof er geen twijfel mogelijk is.

Zonder te antwoorden draai ik me om en ren de oprijlaan op, zo snel mijn benen me kunnen dragen. Sla rechts af.

'Jacinda!' Hij brult mijn naam en ik krimp in elkaar bij de gedachte dat hij Mrs. Hennessey of de buren wakker maakt.

Ik heb niets gezegd, maar mijn antwoord was op mijn gezicht te lezen en uit mijn haast om van hem weg te komen. Hij heeft het luid en duidelijk gehoord en blijkbaar beviel het hem niet. Blijkbaar heeft onze kus hem ervan overtuigd dat we wat er tussen ons is verder moeten uitdiepen.

Maar op mij had onze kus het tegenovergestelde effect. Die kus vertelde me wat ik eigenlijk al wist, maar niet wilde accepteren: het is veel te gevaarlijk om met hem om te gaan. Als hij over al zijn bezwaren om iets met mij te beginnen heen stapt, dan heb ik er zelf nog wel een paar. Het is natuurlijk mooi dat ik kracht uit hem kan putten… maar als ik zo opgewonden raak dat ik voor zijn neus manifesteer, wordt het toch een ander verhaal. Dat weet ik nu. Ik weet wat ik moet doen.

Op school zal ik niet meer met hem praten, niet meer naar hem kijken… en ik zal hem absoluut nooit meer aanraken. Zelfs al wordt het mijn dood, ik zal hem compleet negeren en voorgoed op afstand houden.

Terwijl ik me langs het pad haast, krommen mijn vingers zich en strijken langs de wond in mijn handpalm, gaan heel licht over de beschadigde huid en voelen het vocht daar. Bloed. Mijn bloed. Het bewijs van wat ik ben.

De paniek slaat om mijn hart en knijpt mijn borst samen.

Ik stop en draai me om, alsof Will nog steeds langs de stoep staat te wachten, maar hij is verdwenen. Het shirt… is ook verdwenen. Recht in de armen van mijn vijanden.

Met gesloten ogen schud ik mijn hoofd. De angst grijpt me bij de keel. Hij is weg. Hij is vertrokken met een shirt waar mijn bloed op zit. Mijn paarsgekleurde draki-bloed.

Zodra hij het ziet, zal hij het begrijpen. Dan weet hij precies wat ik ben.

Het huis is stil als ik naar binnen sluip. Als een schaduw beweeg ik me door de kamers, die me lijken in te sluiten. Nu nog meer dan anders. Tamra ligt bewegingloos onder haar dekbed als ik stilletjes mijn schoenen uittrap.

Het bed buigt door onder mijn gewicht. Ik adem uit terwijl ik mijn dekbed optrek tot mijn kin en mijn handen over mijn borst vouw. Ik doe mijn best om rustig te worden, maar al mijn gedachten zijn verstrikt in het shirt met mijn bloed, dat Will in zijn bezit heeft.

'Als je dit voor mij verpest, zal ik het je nooit vergeven.'

Vreemd genoeg schrik ik niet van de stem van mijn zus, die door de duisternis klinkt. Ik heb wel wat anders aan mijn hoofd, zoals bedenken hoe ik het bewijsmateriaal dat ik niet menselijk ben, terug kan krijgen.

Ze vraagt niet wat ik gedaan heb en ik vertel het niet. Het feit dat ik ben weggeslopen, zegt al genoeg. Dat betekent dat ik weinig goeds heb uitgespookt.

Haar bed kraakt als ze zich op haar andere zij draait. Er is niets wat ik kan zeggen. Niets waarmee ik haar kan geruststellen. Niets waardoor ik me minder schuldig ga voelen, minder egoïstisch.

Mijn lippen gloeien na bij de herinnering aan Wills zoen. Ik had daar in de auto bijna de controle verloren. Had bijna getoond wie ik ben. Had bijna de ondergang veroorzaakt van ons allemaal.

Dat zou nog steeds kunnen gebeuren als ik dat shirt van Will niet te pakken krijg.

Ik moet het hebben. Hoe dan ook.

De volgende dag loopt het zweet langs mijn rug terwijl ik de laatste kilometers naar Wills huis ren. Het dreunen van mijn schoenen op het asfalt werkt vreemd geruststellend.

Ik heb mam beloofd dat ik voor het avondeten terug ben. Op zaterdag wil ze graag op tijd eten en ik wil haar niet van streek maken. Er hangt al genoeg spanning in huis.

Als ik geluk heb, heeft Will net zo'n wasmand als Tamra en ik. Ik stel me voor hoe het shirt daarin opgepropt ligt, zodat je mijn bloed – paars en iriserend en glanzend, zelfs als het mijn lichaam heeft verlaten – niet kunt zien. Hopelijk. Juist hij zou meteen weten wat die paarse vlekken betekenen. En als hij ontdekt dat ik een draki ben, zijn we allemaal in gevaar. Iedere draki, ook mam en Tamra. Alleen maar omdat ze aan mij verwant zijn, zou hun leven op het spel staan.

In de buurt van zijn huis vertraag ik mijn tempo. Ik zie het dak met de rode dakpannen tussen de bomen door. Ik heb de routebeschrijving die Catherine me over de telefoon heeft gegeven, uit mijn hoofd geleerd. Ik wist wel dat ik haar met een reden aardig vond. Ze zei alleen veelbetekenend 'hmmm', maar stelde geen nieuwsgierige vragen over waarom ik wilde weten waar Will woont.

Het hek staat open, dus ren ik de oprijlaan op. Vlak voor het brede bordes houd ik in als ik de Land Rover in het oog krijg, die voor de vrijstaande garage geparkeerd staat. Met een schok kom ik tot stilstand en ik vraag me af wat ik nu zal doen.

In de ideale wereld zou het huis verlaten zijn, maar er zou wel een raam openstaan of een deur niet afgesloten zijn. Ik zou naar binnen sluipen, het shirt vinden, en in vijf minuten weer buiten staan. Maar mijn wereld is nooit ideaal.

Ik heb geen keus. Ik kan niet nog een dag wachten. Ik moet het nu regelen. Met een onderdrukte vloek zet ik door.

Voordat ik me kan bedenken, neem ik de treden van het bordes en klop op de grote dubbele deuren. Het geluid weergalmt alsof er aan de andere kant een enorme grot of een afgrond is. Ik wacht. Ik wilde dat ik iets anders aanhad dan mijn gestreepte sportbroekje en een hemdje. Mijn haar zit in een paardenstaart, die golvend over mijn rug hangt. Niet mijn beste look.

Als de deur langzaam openzwaait, komt dat gevoel weer over me en voordat ik hem zie, weet ik al dat het Will is die opendoet.

Hij probeert niet eens om blij te kijken als hij me ziet. Als je nagaat hoe hard ik gisteravond ben weggerend, is het niet zo vreemd dat hij verbaasd is. 'Jacinda. Wat kom je doen?'

Ik kaats de uitleg die hij gisteravond gebruikte terug. 'Ik wilde wel eens zien waar je woont. Je weet wel. Voor het geval dat.'

Hij lacht niet om mijn grapje – ik gebruikte exact zijn eigen woorden. In plaats daarvan kijkt hij gespannen over zijn schouder. In elk geval alarmeert hij niet iedereen dat er een draki op de drempel staat. Hij heeft zijn shirt blijkbaar nog niet goed bekeken.

'Mag ik niet binnenkomen?'

'Will? Wie is daar?' De deur wordt verder opengetrokken. Een man met net zulke bruine ogen als Will komt naast hem staan. De gelijkenis houdt op bij de ogen. Hij is niet zo groot als Will en hij is pezig, alsof hij veel tijd in de sportschool doorbrengt om zijn lichaam te perfectioneren.

'Hé, hallo.' In tegenstelling tot Will lacht hij makkelijk, maar het is een lege lach. Alsof hij het de hele tijd doet zonder dat het iets betekent.

'Pap, dit is Jacinda. Van school.'

'Jacinda,' zegt hij warm en hij steekt zijn hand uit. Ik neem die aan. Het is alsof ik de hand van de duivel schud. Hij lijkt totaal niet op Will, dat zie ik in zijn ogen en voel ik in zijn aanraking. Deze jager zou nooit een draki laten ontsnappen.

'Mr. Rutledge,' weet ik uit te brengen. 'Leuk om u te ontmoeten.'

Mijn hand verdwijnt in de zijne. 'Van hetzelfde. Will neemt niet zo vaak iemand mee naar huis.'

'Pap,' zegt Will gespannen.

Hij laat mijn hand los en slaat Will op zijn rug. 'Oké, ik zal je niet verder in verlegenheid brengen.' Hij kijkt weer naar me, met een goedkeurende blik. 'Kom bij ons zitten, Jacinda. We zijn aan het barbecueën op het terras achter het huis.'

'Pap, ik denk niet dat...'

'Lijkt me leuk,' lieg ik. Eten met Wills vader is ongeveer net zo erg als mijn kiezen laten boren, maar ik moet dit huis in zien te komen. Ik doe het niet alleen voor mezelf: Tamra, mam, de kolonie, alle draki's... als ik dat shirt hier in huis achterlaat, breng ik ons allemaal in gevaar.

Mr. Rutledge gebaart dat ik binnen moet komen. Ik wurm me langs

Will het ijskoude huis in.

'Hou je van spareribs, Jacinda? Ze liggen al een tijd op het vuur, dus ze zullen zo wel gaar zijn.'

Will komt naast me lopen terwijl we zijn vader volgen door de enorme hal. Onze voetstappen echoën op de tegelvloer. Het huis heeft een kille perfectie. Levenloze kunstwerken hangen aan de muren en gigantische witte ventilatoren wervelen de lucht naar beneden vanaf het hoge plafond. We lopen achter Wills vader aan een brede gang in.

Wills stem mompelt in mijn oor: 'Waarom ben je hier?'

Door die vraag dringt het besef tot me door dat ik híér ben. In zíjn huis. In het hol van de leeuw. Is dit de plaats waar ze gevangen draki's naartoe brengen? Voordat ze hen verkopen aan de enkro's? Mijn huid trekt samen, de angst is gevaarlijk dichtbij. Ik adem diep in en wrijf met mijn hand over mijn arm terwijl ik probeer om mijn fantasie niet op hol te laten slaan.

Ik raap al mijn moed bij elkaar. 'Is het zo'n teleurstelling om me te zien?' vraag ik. Zijn vader slaat voor ons een hoek om. 'Vannacht wilde je me toch ook zien?' Ik krijg bijna geen lucht als ik eraan terugdenk.

Hij grijpt mijn arm en dwingt me stil te blijven staan. Die veranderlijke ogen van hem dwalen over mijn gezicht, op zoek naar iets. Ik voel zijn verwarring, zijn onvermogen om me te begrijpen… waarom ik hier ben. 'O, ik wil je absoluut zien, ik kan bijna nergens anders aan denken…' Zijn stem hapert en hij voelt zich duidelijk opgelaten. 'Alleen niet hier.'

'Will? Jacinda? Komen jullie?'

Hij krimpt in elkaar als hij de stem van zijn vader hoort. Zijn blik glijdt over mijn schouder, naar iets achter me. 'We kunnen elkaar toch ergens anders ontmoeten? Ik heb je verteld hoe ik over mijn familie denk. Je kunt beter weggaan,' zegt hij zacht.

'Ach, ik ben er nu toch. Nu wil ik hier blijven ook.' Ik trek mijn arm los en loop voor hem uit. Ik roep over mijn schouder: 'Ik ben precies op tijd, want ik lust wel wat.'

'Jacinda,' smeekt hij. Ik begrijp niet waarom zijn stem zo wanhopig klinkt. Dat hij me zo graag weg wil houden uit zijn huis en van zijn familie, heeft te maken met het feit dat hij een draki-jager is, dat weet ik zeker. Maar wat heeft dat met mij te maken? Hij weet niet wat ik ben. Zijn familie krijgt toch geen achterdocht als hij een meisje mee naar huis neemt?

Will haalt me weer in als we in een keuken zijn vol glanzende oppervlakken en hypermoderne apparatuur. Ik voel zijn onrust als we door de dubbele deuren het terras op lopen. We worden aangestaard door een aantal gezichten. Niemand zegt een woord.

Mr. Rutledge gebaart naar mij terwijl hij het vlees op de barbecue controleert. 'Jongens, dit is…'

'Jacinda,' vult Xander aan en hij komt omhoog uit een smeedijzeren stoel met een beslagen frisdrankflesje in zijn hand. 'Goh Will, ik wist niet dat je iemand zou meenemen.'

Angus zit chips te vermalen uit een grote zak. Hij doet geen moeite om op te staan of iets te zeggen; hij kijkt alleen maar met die onheilspellende blik van hem.

'Zeker vergeten te zeggen.' Will neemt me mee naar een van de terrastafels en stelt me aan iedereen voor: de ouders van Xander, een paar ooms en tantes en nog wat neven en nichten. Allemaal jagers, volgens mij. In elk geval iedereen die ouder is dan dertien. Ik neem aan dat de peuter die aan een pakje sap zit te sabbelen en het kind van zeven op de schommel geen jagers zijn. Nog niet.

Iedereen heet me welkom en bekijkt me met dezelfde gretigheid als Wills vader. Terwijl we eten, word ik onderworpen aan een kruisverhoor. Waar woon je? Waar kom je vandaan? Wat doen je ouders? Heb je zussen of broers? Doe je aan sport? Alsof het een interview is of zo. Mr. Rutledge is vooral geïnteresseerd in het feit dat ik hardloop... dat ik de tien kilometer naar hun huis heb gerend.

'En ze is nog snel ook,' vertelt Will, haast met tegenzin, alsof hij weet dat zulke gesprekken erbij horen maar hij geen zin heeft om eraan mee te doen.

'Is dat zo?' Mr. Rutledge trekt zijn wenkbrauwen op. 'Als je lange afstanden loopt, moet je een enorm uithoudingsvermogen hebben. Daar heb ik altijd veel bewondering voor.'

Tijdens het hele gesprek zit Xander me vanaf de andere kant van de tafel rustig en geconcentreerd te bestuderen. Dat Will naast me zit, stelt me enigszins gerust. Dat, en de sproeiers die koele waterdruppeltjes over het terras vernevelen. Mijn huid zuigt ze op.

Als de maaltijd bijna afgelopen is, staan Wills tantes op om het nagerecht uit de keuken te halen. Ik zie mijn kans schoon en spring op om hen te helpen. In de keuken ontsnap ik met het excuus dat ik even naar de wc moet.

Vanaf de voordeur neem ik de trap naar boven. Mijn sneakers vliegen geruisloos over een rode loper terwijl ik de ene na de andere deur opentrek en mijn hoofd naar binnen steek, tot ik Wills kamer heb gevonden.

Ook als ik niet had gevoeld hoe de ruimte doortrokken is van zijn aanwezigheid, had ik geweten dat deze met hout betimmerde kamer van hem is. Hier heerst niet de kille perfectie van de rest van het huis. Het bed is netjes opgemaakt, maar hier wordt geleefd. Er liggen boeken en tijdschriften opgestapeld op een tafel naast zijn bed. Zijn literatuurboek ligt opengeslagen op het bureau, met een halfgeschreven opstel ernaast. Er staat ook een ingelijste foto van een vrouw met Wills goudbruine haar en ik weet meteen dat het zijn moeder is. Ik herken hem in haar lachende gezicht.

Ik ruk mijn blik los en trek zijn kast open. Onder de kleren die daar hangen, staat een wasmand. Snel spit ik door de kledingstukken en trek met een zucht van verlichting het bebloede shirt tevoorschijn. Mijn trillende handen klemmen zich eromheen terwijl ik de kastdeur dichtdoe. Mijn hart klopt koortsachtig in mijn keel. Wat nu?

Misschien kan ik het shirt zolang buiten verstoppen, bedenk ik als ik voorzichtig de gang in gluur. Ergens onder de struiken voor het huis, waar ik het later kan ophalen, nadat ik mezelf uit dit huis heb bevrijd. Met dat plan in mijn hoofd haast ik me over de overloop; ik ben tevreden over mezelf, maar nog steeds op mijn hoede. Ik heb dat shirt haast te makkelijk te pakken gekregen.

Langzaam dringt er een geluid tot me door – voetstappen die de trap op komen.

De paniek schiet door mijn lichaam. Ik duik de dichtstbijzijnde kamer in en sluit de deur achter me met een zacht klikje. Ik pak de deurklink beet, mijn oren gespitst op het kleinste geluidje aan de andere kant. Met grote teugen adem ik in om de vurige greep van de angst van me af te schudden en ik concentreer me op het afkoelen van mijn longen. Nu manifesteren is zo ongeveer het allerdomste wat ik kan doen.

Mijn blik boort zich in de deur, haast alsof ik erdoorheen kan kijken. Ik laat de deurklink los en doe een stap naar achteren. En nog een stap. Mijn ogen zijn nog steeds strak op de deur gevestigd terwijl ik het shirt in mijn handen fijnknijp. Alsof ik het zo kan laten verdwijnen, kan zorgen dat het er niet meer is. Als ik kon manifesteren en het met mijn adem tot as kon laten verschroeien zonder het rookalarm in werking te zetten, zou ik dat doen.

De seconden gaan voorbij zonder dat er iemand binnenkomt en de spanning ebt weg uit mijn schouders. Opgelucht ademend richt ik mijn aandacht op de kamer waarin ik terecht ben gekomen.

De afschuw raakt me met volle kracht. Verlamt me. Mijn blik schiet in het rond en neemt alles met duizelingwekkende snelheid op.

Draki-huid… overal om me heen.

Het bureau, de lampenkapjes, de meubels. Alles is bedekt met de huid van mijn soortgenoten. Bitterzure gal komt omhoog in mijn keel.

Mijn knieën knikken en ik wankel, wil een stoel grijpen om mezelf overeind te houden, maar trek mijn hand dan met een kreet van pijn weg. Het shirt valt op de grond en ik staar geschokt naar de glanzende zwarte bekleding die ik net heb aangeraakt: onyxhuid, met de vertrouwde paarse waas. Ik moet aan mijn vader denken. Zou het kunnen dat…

Nee! Een razende woede neemt bezit van me. Ik sla beide handen voor mijn mond en smoor een kreet, mijn vingers diep in mijn wangen geduwd. Mijn ogen prikken en ik merk dat ik huil. De tranen lopen over mijn handen.

Toch blijf ik rondkijken ik draai om mijn as en onderdruk een snik als ik de kussens op de bank zie. Ze zijn overtrokken met het diepe brons van een aard-draki, de op een na meest voorkomende drakisoort, die bekendstaat om zijn vermogen om edelstenen, eetbare planten en ondergrondse waterstromen op te sporen… eigenlijk alles wat te maken heeft met de aarde. Het is verschrikkelijk om hun overblijfselen hier aan te treffen, in dit huis, in deze woestijn, ver van de aarde waar ze zo van houden.

Ik wend mijn blik af, misselijk van de walgelijke bewijzen van de moord op mijn soortgenoten.

Mijn blik valt op een enorme kaart van Noord-Amerika, die een hele muur in beslag neemt. Her en der zijn er zwarte, groene en rode vlaggetjes op geprikt, vooral bij de bergachtige gebieden die ideaal zijn voor draki's. Mijn maag knijpt zich samen als ik begrijp wat dit betekent. Ik laat mijn handen iets zakken en loop ernaartoe. Ik kan mijn ogen niet van al die zwarte vlaggetjes afhouden. Het zijn er zo veel. Ik ril van angst als ik denk aan wat die betekenen.

Er zitten slechts twee rode vlaggetjes op de kaart, maar die zijn groter dan de andere. Ze staan apart, zonder zwarte of groene vlaggetjes eromheen. Eentje in Canada. De andere in Washington. Jachtgebieden?

Mijn ogen blijven de kaart koortsachtig bekijken, en zoeken het Cascade-gebergte, de kleine uithoek waar ik mijn hele leven gewoond heb. Daar zie ik nog twee vlaggetjes. Eén groen. En één zwart. Ik wring mijn handen tot ik mijn vingers niet meer voel.

De groene vlag staat in de buurt van mijn thuis en de zwarte vlag daar vlakbij. Eén enkele zwarte vlag. Onwillekeurig moet ik weer aan pap denken. Hij is de enige draki in onze kolonie die op een onnatuurlijke manier aan zijn eind is gekomen in de afgelopen twee generaties. Ik blijf naar die zwarte vlag staren tot mijn ogen er zeer van doen. Een duister, vreselijk besef dringt tot me door. Het is een doodsvlag.

Een afgrijselijk vermoeden komt in me op, kronkelt zich om me heen als een wurgslang. Misschien was Will wel bij de groep die mijn vader vermoordde.

We zijn hier maar een paar honderd kilometer ten zuiden van onze kolonie… Ik had dit eerder moeten bedenken. En misschien heb ik dat ook wel gedaan, wist ik het wel diep in mijn hart, maar weigerde ik de waarheid onder ogen te zien. Nu ik naar deze kaart kijk, kan ik het niet langer ontkennen. Ze jagen in ons gebied. Dat wist ik.

Mijn ogen beginnen te steken en ik knipper snel. Het is een vreselijk besef. Een bittere pil die ik moet slikken en die in mijn keel blijft steken.

Pap begreep me. Hij begreep dat ik móést vliegen, omdat hij het zelf ook zo voelde. Hij zou nooit gewild hebben dat ik mijn draki onderdrukte. Ik kan gewoon niet geloven dat Will verantwoordelijk is voor de dood van het enige lid van mijn familie dat van me hield om wie ik was.

Ik schud heftig mijn hoofd. Hij was toen vast te jong om te jagen. Dat wil ik geloven, diep van binnen. Hij is anders. Will heeft me laten ontsnappen. Hij kan mijn vader niet vermoord hebben.

Maar zijn familie wel. En die zitten beneden.

Ik buk en grijp het shirt van de grond. Ik moet maken dat ik hier wegkom, dit huis ontvluchten voor het te laat is. Voor ik hier nooit meer kan ontsnappen.

Maar ik kan mijn ogen niet losmaken van die muur. Net als bij een afgrijselijk verkeersongeluk móét ik kijken.

Het geluid van de deur die achter me wordt dichtgedaan, rukt me los uit de vreselijke trance.

Ik probeer mezelf onder controle te krijgen terwijl ik me omdraai naar Xander. Wanhopig duw ik de angst weg en probeer niet te denken aan de plaats waar hij me gevonden heeft... aan de verschrikkingen in deze kamer, die gevuld is met afgestroopte huid van mijn soortgenoten.

'Wat doe jij hier?' snauwt hij.

'Ik was op zoek naar de wc.' Ik knipper mijn ogen droog en adem voorzichtig in door mijn neus; ik concentreer me op het afkoelen van de hitte in mijn luchtpijp.

'Er is er eentje vlak bij de keuken.' Hij houdt zijn hoofd scheef en bestudeert me met fonkelende donkere ogen. 'Waarom ben je naar boven gegaan?' Zijn blik glijdt door de kamer, flitst naar de kaart en blijft dan weer op mij rusten, doordringend en geconcentreerd. 'Waarom ben je hier aan het rondneuzen?'

'Dat doe ik niet,' ontken ik terwijl ik het branderige gevoel in mijn keel probeer weg te slikken.

Hij gebaart naar Wills shirt. 'Wat heb je daar?'

Ik klem mijn handen om de gekreukelde stof. 'Niks. Gewoon een shirt.'

'Van Will? Wat moet jij daarmee?' Hij knijpt zijn donkere ogen tot spleetjes. 'En probeer me maar niet wijs te maken dat je zo'n meisje bent dat een lok haar van haar vriendje mee naar bed neemt. Zo'n zielig geval ben jij volgens mij niet.'

We kijken elkaar aan. Ik blijf onbeweeglijk staan, als een rotsblok. Hij steekt zijn hand uit naar het shirt en ik doe een stap naar achteren. Ik weet dat ik overdreven reageer – vooral omdat ik beweerde dat het niks was – maar ik kan er niets aan doen. Geen schijn van kans dat ik dat shirt aan hém ga overhandigen.

Hij komt weer naar me toe en zet me klem. 'Wat wil je nou eigenlijk? Waarom ben je hier nu echt?'

Ik wijk verder naar achteren. 'Voor Will. Ik vind hem leuk, dat is alles. Waarom zou ik hier anders zijn?' Als hij te dichtbij komt, geef ik een harde duw met mijn hand tegen zijn borst; mijn woede is sterker dan mijn angst, waardoor ik zelfs bereid ben hem aan te raken. 'Ga weg!'

Hij trekt zich er niets van aan en blijft dichterbij komen. 'Volgens mij vindt hij jou ook wel leuk. En dat is voor het eerst.' Zijn blik glijdt onbeschaamd over me heen, niets ontgaat hem. 'Maar waarom jij nou zo bijzonder bent?'

Ik bots tegen het bureau aan. Onwillekeurig steek ik mijn hand uit om de rand vast te pakken. Ik hap naar adem als ik die aanraak, omdat ik weet waar hij van gemaakt is. Geschokt trek ik mijn hand terug en stap weg van het bureau, dat is overtrokken met onyxhuid.

Met een duistere grijns zegt hij: 'Prachtig, hè?' Mijn reactie is hem niet ontgaan. Zijn arm strijkt langs de mijne als hij hem uitstrekt om het bureaublad aan te raken.

Mijn maag keert zich heftig om. Straks moet ik nog overgeven. Ik duik langs hem heen voordat ik iets verschrikkelijks doe of zeg, iets wat ik nooit meer ongedaan kan maken.

Hij pakt me beet als ik langs hem heen loop en dwingt me om hem weer aan te kijken. Uit weerzin tegen zijn aanraking flitst mijn huid heel even roodgoud op. 'Ik kan me niet herinneren wanneer Will voor het laatst op een meisje viel. Dat staat hij zichzelf niet toe. Niet sinds hij ziek is geweest… En daardoor heb ik het idee dat jij niet zomaar een meisje bent. Ik moet bekennen dat ik nieuwsgierig ben.'

Ziek? Wanneer is Will ziek geweest? Ik wil het vragen, maar durf niet langer in deze vreselijke kamer te blijven, met Wills shirt in mijn hand, en Xander die mij aanraakt en wil weten waarom ik zo anders ben.

Ik wring mijn arm los en loop zo snel langs hem heen dat ik de lucht als wind in mijn gezicht voel.

Ik kom niet ver, want weer draait hij me om. Op dat moment begin ik te vrezen dat ik deze kamer nooit meer zal verlaten. Zijn gezicht is nu zo dichtbij dat ik mezelf bijna weerspiegeld zie in zijn donkere ogen. 'Ik moet weten wat je hier kwam doen.'

Mijn borst gaat snel op en neer, de hitte breidt zich uit en stookt het vuur in mijn binnenste op.

'Laat haar los.'

De stem rolt over me heen als een koele golf van opluchting. Will staat in de deuropening, zijn handen langs zijn zij tot vuisten gebald.

Toch blijft Xander me vasthouden. 'Ik heb haar betrapt terwijl ze hier rondsnuffelde.'

Will komt dichterbij, zijn gezicht zo hard en kil als marmer. 'Laat haar los.'

Xander trekt zich iets terug, maar hij blijft mijn arm vasthouden, zodat ik naast hem moet blijven staan. 'Gebruik je verstand. Ik heb haar híér betrapt.'

'Je blaast het op. Er is niks aan de hand.' Will stapt naar voren en trekt me los. Ik struikel en Xander grist het shirt uit mijn handen.

'Blijf af,' hijg ik en ik neem een duik om het terug te pakken.

Te laat. Xander stapt buiten mijn bereik, gooit het shirt omhoog en bekijkt het daarna met geveinsde onverschilligheid. 'En wat is hier nou zo bijzonder aan?'

Hij geeft geen steek om het shirt. Het gaat erom dat ik het zo graag wil hebben… en dat ik van streek raak als hij het afpakt.

Mijn ogen richten zich op de paarse bloedvlekken, omdat alleen die er nu nog toe doen. Mijn adem gloeit in mijn longen en verhit mijn borst.

Ik weet precies op welk moment Xander begrijpt waar hij naar kijkt; ik hou hem nauwlettend in de gaten als het ongeloof zich over zijn gezicht verspreidt, alsof de bliksem inslaat.

Will herkent het ook en even blijven we daar met z'n drieën roerloos staan, als een stilstaand filmbeeld, tot er iemand zal bewegen, iets zal zeggen.

Will is de eerste. Hij grijpt het shirt uit de handen van zijn neef.

Xander laat het zonder problemen los. Ik kan me nog steeds niet bewegen, ik weet niet wat ik moet zeggen of doen. De verschillende scenario's die ik in mijn hoofd heb afgespeeld, eindigden nooit op deze manier.

'Is dat jouw…' zegt Xander tegen Will. Ik denk dat hij 'bloed' wil zeggen. Dat hoor ik in de pauze die valt. Dan verplaatst Xander zijn blik naar mij. Zijn donkere ogen flitsen.

Ik sta te trillen en ben in de war; ik begrijp niet wat er in zijn hoofd omgaat.

Dan wendt hij zich weer tot Will. 'Wat weten we eigenlijk van dat vriendinnetje van jou? Heb je voor je beurt gepraat? Familiegeheimen verteld? Wat weet jij eigenlijk van haar?'

'Doe niet zo stom. Bemoei je er niet mee,' sist Will, terwijl hij zijn hand over mijn arm naar beneden laat glijden om mijn hand te pakken. Om me te steunen? Of om me in bedwang te houden? 'Je hebt het mis... en jij bent hier degene die niet nadenkt voor hij iets zegt, dus hou je kop!'

Wat heeft hij mis? Wat voor verdenking koestert Xander? Ik kijk ongerust heen en weer tussen de twee neven. Ik snap er niks meer van. Waarom reageert Xander niet op het draki-bloed op Wills shirt? Waarom eist hij geen verklaring?

Will kijkt naar beneden. Zijn ogen worden glazig als hij naar het shirt in zijn hand kijkt... mijn bloed ziet. Zijn duim strijkt over een uitgesmeerde paarse vlek met een haast plechtig gebaar.

'Ga jij tegenwoordig alleen op pad? Is dat het?' vraagt Xander. En dan begrijp ik het. Xander beschuldigt Will ervan dat hij in zijn eentje op draki's jaagt. 'Weet die ouwe van je wat voor risico's je neemt? Verdomme Will, jij denkt dat je zo geweldig bent...'

De rest van zijn zin gaat verloren.

Will grijpt Xander bij de voorkant van zijn shirt. 'Hou je bek!'

Xander kijkt over Wills schouder naar mij, met een duistere, schattende blik. Zo te zien maakt hij zich geen zorgen dat hij te veel heeft onthuld. En waarom zou hij ook? Voor zover hij weet, ken ik de waarheid al, of kan ik die met geen mogelijkheid achterhalen omdat die veel te onwaarschijnlijk is.

Will duwt Xander opzij, alsof hij het niet langer kan verdragen om hem aan te raken. 'Als je klaar bent met dit idiote neurotische gedoe, wil ik graag naar beneden. Je moeder heeft brownies gemaakt. En jij, Jacinda? Ook zin in brownies?' De vraag is zo normaal dat het absurd is en Will stelt hem alsof ik geen enkele keus heb. Hij maakt een eind aan de ondervraging.

Ik knik zwijgend. Het enige wat ik kan denken, is dat dit nog lang niet voorbij is. Xander heeft het bloed gezien. Míjn bloed. Ook al weet hij dat laatste niet. En Will heeft het ook gezien. Er loopt een rilling over mijn rug omdat híj het nu moet begrijpen.

Xander mompelt iets en wil vertrekken, maar hij bedenkt zich. Onheilspellend staart hij me aan. Ik kan mezelf er maar net van weerhouden weg te rennen, te vluchten en mijn draki-instinct het te laten overnemen.

Will komt dichter naast me staan. Zijn nabijheid geeft me de moed en de rust die ik zo hard nodig heb op dit moment. 'Ga maar, Xander. Wij komen ook zo.'

Met grote, boze stappen verlaat Xander de kamer.

Will kijkt me aan en komt meteen ter zake. 'Wie ben je?'

Ik moet denken aan die keer in de bergen, de tedere uitdrukking op zijn gezicht toen hij naar mij als draki keek. De waarheid ligt op het puntje van mijn tong, maar ik slik de woorden in. Zo stom ben ik niet. Het is niet aan mij om dit te vertellen. En dit is al helemaal niet de juiste plaats voor een dergelijke openbaring. Ik moet rekening houden met meer dan alleen mezelf.

'Wat bedoel je?'

Hij blijft me nog even aanstaren voordat hij wegkijkt en zijn blik vol afkeer door de kamer laat dwalen. Zijn ogen worden donkerder, als de kleur van een schaduwrijk bos, en ik weet dat hij ziet wat dit in werkelijkheid is. Zoals ik het zie. Dode draki's overal om ons heen.

Dan valt zijn blik weer op het shirt in zijn hand. 'Dit is het shirt dat ik aanhad toen je je hand bezeerde. Dit is jóúw bloed.' Hij houdt het shirt in de lucht, tussen ons in. Bewijsmateriaal waar ik niet omheen kan.

Ik zeg niets… Hoe kan ik mezelf verdedigen?

'Er is maar één manier waarop een mens deze kleur bloed kan hebben,' gaat hij verder.

Ik probeer mijn schok te verbergen. *Kan een mens draki-bloed hebben?* Hoe is dat mogelijk?

'Ben jij een enkro?' vraagt hij. 'Hoe kun je anders…' Zijn gezicht is bleek en hij schudt moeizaam zijn hoofd. Hij ziet eruit alsof hij zich beroerd voelt.

Ik lik over mijn lippen. 'Een enkro? Wat is dat?' Ligt het nou aan mij of schoot mijn stem echt omhoog bij die vraag, waarop ik het antwoord allang weet?

Afwachtend staart hij me aan. Alsof ik nu een bekentenis ga doen. Zijn doordringende blik maakt wel duidelijk dat hij er niet intrapt. Hij weet dat ik iets verberg. Tenslotte heeft hij het shirt als bewijs. Hij staat vlak bij me, onverbiddelijk, vastbesloten om antwoorden te krijgen. 'Toe nou, Jacinda. Je kunt niet zulk bloed hebben en niet weten waar het vandaan komt.' Zijn pupillen worden nog donkerder, zo stil en zwart als dood water in de nacht. 'Vertel het. Wat bén je?'

Ik probeer om hem heen te lopen. 'We moeten naar beneden…'

Op scherpe toon herhaalt hij mijn naam en hij verspert me de weg. Ik kan op geen enkele manier langs hem om onder dit gesprek uit te komen. Ik voel me als een opgejaagd konijn dat in een hoek gedreven is. Mijn hart bonkt zo hard in mijn keel dat het lijkt of het door de gloeiende huid heen wil barsten.

Hier kan ik me niet uit praten. Hij weet te veel, begrijpt te veel… Ik kan echt niets zinnigs meer bedenken in antwoord op zijn vragen. En dus doe ik het enige wat ik kan doen om zijn vragen te stoppen.

Ik pak zijn gezicht met beide handen beet en trek zijn hoofd omlaag, naar mij toe. Heel even blijft hij roerloos staan als mijn lippen de zijne raken. Zijn huid voelt als hete, zonverwarmde steen onder mijn handpalmen. Dan kust hij me terug.

Met een beverige zucht trekt hij me dicht tegen zich aan. Zijn handen liggen plat op mijn rug. Mijn lichaam past precies in het zijne, mijn zachte vormen tegen zijn harde hoeken en lijnen. Alsof we twee stukjes van een puzzel zijn die in elkaar vallen.

Ik vecht tegen de oplopende hitte, tegen de opzwellende vibraties diep in mijn binnenste. Dan hoor ik het spinnende geluid achter in mijn keel, het typische draki-geluid. Absoluut niet menselijk.

Ik riskeer nog een paar momenten met hem en vergeet waarom ik met deze kus ben begonnen. Ik vergeet alles, behalve het gevoel van zijn mond op de mijne, zijn smaak op mijn lippen, als een vochtige nevel. De stevige greep van zijn handen op mijn rug, die me tegen hem aan drukken alsof hij ons voorgoed wil laten samensmelten.

Ik kan het niet langer laten doorgaan. Niet als ik me zo voel, met longen vol stoom, de huid van mijn gezicht die trekt en tintelt, ook al sta ik hier in een kamer vol doden.

Hijgend ruk ik me los.

Hij staat ook te trillen. Zijn handen tasten in de lucht, op zoek naar mij. Hij kijkt verbijsterd en zijn bruine ogen zijn zo donker dat ik de groene spikkeltjes haast niet meer kan zien. Ik hou mijn adem in omdat ik denk dat hij me weer naar zich toe zal trekken. Daar hoop ik op. Ik hoop dat hij de keus voor mij zal maken. Dan laat hij zijn handen langs zijn zij vallen. Hij kijkt me grimmig aan, alsof ik iets ben dat hij is kwijtgeraakt, dat van hem is gestolen.

'Tijd voor het toetje,' zeg ik ademloos, met tintelende lippen. Mijn hele lichaam voelt verhit aan, levend, net zoals toen ik vannacht in zijn auto zat, net zoals wanneer ik door de lucht en de nevels duik en de wind op mijn gezicht voel.

Ik maak dat ik wegkom uit de kamer, voordat ik toegeef aan mijn neiging om hem weer te zoenen... of voordat hij verdergaat met zijn ondervraging. Hij heeft nog steeds het shirt in zijn hand, maar dat maakt nu niet zo veel meer uit. Het onheil is al geschied.

Terwijl we de trap af lopen, blijven zijn woorden door mijn hoofd spoken: *Er is maar één manier waarop een mens deze kleur bloed kan hebben.*

Hoe dan? Kan draki-bloed door een mensenlichaam stromen? Daar heb ik nog nooit van gehoord. Heeft het iets te maken met de enkro's en hun vreselijke praktijken? Dat lijkt me de enige mogelijkheid, maar ik weet het gewoon niet.

Ik besef dat Will nog heel veel niet weet over mijn soortgenoten, maar dat ik misschien nog wel minder weet over zíjn wereld... En dat wil ik veranderen. Ik wil zo veel mogelijk te weten komen. Alles. Die kennis is van levensbelang.

16

Op maandag loop ik door de verlaten gangen met een pasje voor de wc in mijn hand, dankbaar dat ik even kan ontsnappen aan de lawaaiige meute. Aan de muren hangen posters te wapperen, als motten waarvan de vleugels zijn vastgeprikt zodat ze niet kunnen ontsnappen. De airconditioning pruttelt als een slapend beest in de buik van de school. Gedempte geluiden klinken uit de lokalen terwijl mijn voetstappen echoën op de afgesleten tegels.

Het is prettig om even pauze te hebben. Ken-met-de-wezeloogjes zat bij Engels de hele tijd tegen me te praten, ondanks de waarschuwingen van Mrs. Schulz dat hij voor de klas moest komen. Ze doet het toch nooit en iedereen weet dat. Het is een beestenbende bij haar in de klas.

Thuis haalden we het niet in ons hoofd om de leraren te negeren. Zoiets doe je niet als je natuurkundeleraar een van de oudste onyx-draki's is. Of je muzieklerares een canta-draki die met haar stem glas kan laten breken.

Ik stop bij een fonteintje en drink met grote slokken; ik geniet van de koelte die over mijn lippen en tong naar mijn keel stroomt. Aan het eind van de gang slaat een kluisdeurtje dicht en ik schiet overeind. Ik veeg het water dat over mijn kin loopt weg met de rug van mijn hand en zie een meisje bij haar kluisje vandaan komen met een schoolboek in haar hand.

Beverig slaak ik een zucht. Ik ben de hele dag al schrikachtig, of eigenlijk het hele weekend – sinds ik bij Will thuis ben geweest. Haast alsof ik verwacht dat een groep jagers ieder moment boven op me kan duiken.

Het is een natuurlijke reactie, denk ik. Ik ben betrapt in die ene kamer... met dat ene shirt... en ben er op wonderbaarlijke wijze in geslaagd om niets te verraden tegenover Xander en Will.

Xander vertrouwt me niet, maar hij heeft geen flauw vermoeden van de waarheid. Tenminste, dat heb ik mezelf wijsgemaakt. Als hij dacht dat ik een draki was – of zou kunnen zijn – was ik nooit levend uit dat huis gekomen.

Will is een heel ander verhaal. Hij kan de vlekken op het shirt direct aan mij koppelen. Als hij ooit op het idee komt dat draki's kunnen transformeren, dan zal hij de waarheid begrijpen.

Ik wacht even bij de deur van de meisjes-wc's. Erachter klinken zachte, gehaaste stemmen en onderdrukt gelach. Er komt een meisje naar buiten struikelen, met een kleur op haar gezicht en schitterende ogen, dat probeert om haar verwarde haar glad te strijken.

'Oeps,' piept ze als ze me ziet. Ze veegt langs haar mond alsof ze bang is dat haar lippenstift is uitgesmeerd. Alleen heeft ze geen lippenstift op. Niet meer tenminste.

Een stap achter haar verschijnt een paar bekende donkere ogen, die me aankijken. Dan dringt het tot me door.

Vlug stap ik opzij om ze erlangs te laten.

Het meisje klampt zich aan Xanders hand vast en trekt hem mee, alsof het niks voorstelt dat ze met een jongen in de meisjes-wc's was. 'Kom op, Xander,' giechelt ze. 'We moeten terug naar de les.'

'Hé, Jacinda.' Langzaam loopt hij langs me heen en hij botst tegen me aan. De lucht sist tussen mijn tanden.

Mijn keel wordt dichtgeknepen en ik moet weer denken aan het shirt met mijn bloed in Xanders handen. Hij hield het bewijs van wat ik ben in zijn handen, maar hij heeft geen idee.

Met veel moeite geef ik een knikje bij wijze van begroeting. Angst en paniek strijden om voorrang. Ik weet de angst te onderdrukken, maar mijn handen ballen zich tot vuisten, klaar om me te verdedigen. De rook komt omhoog in mijn longen, bijt in mijn keel en maakt mijn luchtpijp wijder.

'Kom je nou, Xander?' Het meisje trekt hard aan zijn hand en werpt een boze blik op mij, duidelijk geïrriteerd dat ze zijn aandacht kwijt is.

'Ik zie je in het studielokaal, Jacinda.' Hij spreekt mijn naam uit alsof hij hem op zijn tong proeft. 'Kom je vandaag bij ons zitten?'

Ik schud mijn hoofd. 'Ik heb al met Catherine afgesproken.'

Hij lacht. 'Ben je te bang om bij ons te zitten?'

Het meisje lacht ook, maar ze is duidelijk in de war en voelt zich buitengesloten.

'Ik ben nergens bang voor,' snauw ik, hoewel dat maar zeer gedeeltelijk waar is.

'O nee?' Hij leunt naar me toe. Ik geef niet toe aan de neiging om achteruit te stappen, geef niet toe aan het brandende gevoel in mijn keel, aan de drang om te manifesteren. Dat zou nog eens een toestand geven. 'Misschien zou jij wel bang moeten zijn.'

Hij slaat zijn arm om de schouders van het meisje, draait zich om en laat me achter bij de deur van de wc's.

Een kille angst kolkt door me heen als ik hem zelfverzekerd door de gang zie wegslenteren. De herinnering aan mijn wanhopige vlucht door de besneeuwde bergtoppen flitst door mijn hoofd. Mijn spieren branden bij de gedachte aan de wilde, hopeloze poging om te ontsnappen in het bos – de paniek die ik voelde.

Even ben ik weer daar, met de jagers op mijn hielen. Het koude water omarmt mijn lichaam. De pijn snijdt door mijn vleugel en trekt het vlies kapot. Het heeft dagen geduurd voor dat genezen was en de pijn wegtrok. Ik hou de herinnering bij me, vastbesloten het nooit te vergeten. Xander maakt deel uit van die herinnering. Maar Will ook.

Ik heb mezelf toegestaan om dat te vergeten. Dat had ik niet moeten doen. Het kan niet. Zelfs met zijn smaak nog op mijn lippen, beloof ik mezelf om het nooit meer te vergeten.

Tijdens het zevende uur zit ik met mijn armen om me heen geslagen op mijn kruk te wachten tot ze binnenkomen. Catherine zit naast me te praten over een band die hier volgend weekend optreedt, waar Brendan en zij naartoe gaan en of ik met hen mee wil. Ik denk aan de mensenmassa, de overweldigende geuren en geluiden, en mompel een excuus. En dan zeg ik niets meer, want ik voel dat Will eraan komt.

Hij loopt het lokaal binnen en ziet me meteen. Mijn hart klopt verraderlijk als hij recht op mijn tafel afkomt.

Met een blik op Catherine vraagt hij vriendelijk: 'Vind je het goed als ik bij Jacinda ga zitten?'

'Nee, dat vindt ze niet goed,' merk ik op voor Catherine toestemming kan geven. 'We moeten studeren.'

Ik kan niets opmaken uit zijn ogen. De donkere pupillen zijn vlak en emotieloos zwart terwijl hij me aankijkt. Dan klinkt zijn stem, allesbehalve emotieloos. Mijn huid trekt zich samen bij de ruwe klank ervan. 'Ik spreek je later,' zegt hij. Belooft hij. Dreigt hij.

Ik glimlach onschuldig en hou mijn adem in tot hij wegloopt, dankbaar dat het me is gelukt om hem en zijn onmogelijke vragen af te schudden. Voor zolang het duurt.

'Wat moest dat voorstellen?' Catherine leunt naar me toe tot haar schouder de mijne raakt. Haar lijzige stem werkt geruststellend.

Ik sla een boek open. 'Niks.'

Ik laat mijn blik zakken en doe alsof ik lees. Alsof het me niets interesseert dat hij met me wil praten, dat we vrijdagnacht samen in zijn auto hebben gezeten en zo intens hebben gezoend dat ik begon te manifesteren. Dat hij mijn been heeft aangeraakt en mijn wond heeft verzorgd. Dat hij me heeft beschermd tegen zijn neef in die nachtmerrieachtige kamer, waar ik hem opnieuw heb gezoend.

Ik kán hem vergeten. Mijn gevoel compleet uitschakelen. Dat kan ik. En dat zal ik doen ook. Het is veel te gevaarlijk voor me om in zijn buurt te zijn. Ik kan het. Voor mam en Tamra kan ik het.

Na het avondeten zie ik mam op haar knieën naast haar bed zitten met een stalen kistje voor zich. Op de tv in de woonkamer klinkt een luide achtervolgingsscène.

Vanuit de deuropening zie ik hoe ze de sleutel ronddraait en het kistje opendoet. Zelfs vanaf de plaats waar ik sta, vóél ik het. Voel ik zé. De energie uit het kistje spoelt over me heen. Een nieuwe golf leven stroomt door mijn bloed. De lucht in de kamer wordt anders. Het is een subtiele verandering. Een haast onhoorbaar gefluister. In mijn oren klinkt het alsof talloze kleine stemmetjes mijn naam steeds weer herhalen. *Jacinda, Jacinda, Jacinda.*

Ik kan mezelf niet tegenhouden en kom dichterbij, leun naar voren, aangetrokken door de verleidelijke stemmetjes, de zachte melodie van mijn naam.

Voor mensen zijn edelstenen koud en levenloos. En geluidloos. Alleen draki's kunnen hun stemmen horen en hun energie voelen. Voor ons zijn ze brandstof. Levenskracht.

Al sinds we hier wonen heb ik mams kamer regelmatig doorzocht naar de edelstenen, maar zonder succes. Ik was op zoek naar een andere manier dan Will om mijn draki in leven te houden.

Blijkbaar heeft ze het kistje goed verborgen. Mam tilt een steen op. Een stuk amber dat nauwelijks in de palm van haar hand past. Ze strijkt er met haar vingers overheen. Het gebaar is haast liefdevol, wat ik vreemd vind. Het klopt niet, omdat zij het niet meer kan voelen.

Vanuit het kistje straalt een gloed. De lucht kleurt rood, goud en groen. De stenen roepen mijn draki. Ze zijn met mij verbonden, met mijn bloed, het bloed van mijn draki-familie, dat teruggaat tot mijn drakenvoorvaderen.

Ik slaak een beverige zucht. Mam hoort me en kijkt over haar schouder; tegelijkertijd slaat ze het deksel dicht.

Goed, ik hoef me dus niet meer te verbergen. Ik stap verder de kamer in en vraag: 'Wat ben je aan het doen?'

Met een gespannen uitdrukking op haar gezicht sluit ze het kistje af. Ze steekt de sleutel in haar zak. Ik kijk toe als ze opstaat en de deur van haar kast openschuift. Mijn hart bonst verlangend. Ik staar hunkerend naar het kistje terwijl ze die op de bovenste plank van haar kast zet; intussen kijkt ze berekenend over haar schouder. Ik weet genoeg. Daar zal hij niet meer staan als ik er later naar op zoek ga.

'Niets,' antwoordt ze. Ze haalt haar werkkleren uit de kast. 'Ik ben me aan het omkleden.'

Ze gaat een steen verkopen.

Mijn keel wordt pijnlijk dichtgeknepen bij die wetenschap. Ook al heb ik laatst zelf nog voorgesteld om een steen te verkopen – in de hoop dat de kolonie ons dan zou weten op te sporen – ik kan de gedachte nu niet verdragen.

'Dat kun je niet doen,' zeg ik, als ze haar shirt uittrekt en het halter-topje met de lovertjes van een hangertje haalt.

Ze probeert het niet eens te ontkennen. 'We hebben het geld nodig, Jacinda.'

'Die edelstenen zijn een deel van ons.'

Ze knijpt haar lippen op elkaar terwijl ze zich aankleedt. 'Niet meer.'

Ik probeer een andere benadering, die wel effect op haar zal hebben. 'Dan zal de kolonie ons vinden. Ons opsporen. Zodra...'

'Ik ga ze niet hier verkopen.'

'Waar dan wel?'

Ze gaat voor haar spiegel staan en doet lippenstift op, die er rauw en bloederig uitziet in haar bleke gezicht. 'Ik ga een paar dagen vrij vragen en dan verkoop ik ze een heel eind hiervandaan. Op die manier blijven we veilig.'

Mam heeft altijd overal een antwoord op, maar nooit het antwoord dat ik wil horen.

Ik knijp mijn handen in elkaar om het trillen tegen te gaan. 'Dat. Kun. Je. Niet. Doen.'

Dan kijkt ze me aan. In haar ogen staat teleurstelling te lezen. 'Begrijp je het echt niet, Jacinda? Dit is het juiste om te doen.'

Haar kalmte is onuitstaanbaar... Die zorgt dat ik me nog eenzamer voel. Verdrietig. Schuldig. Alsof ik een betere dochter zou moeten zijn. Eentje die begrijpt dat ze me alleen maar probeert te helpen.

Maar dat doe ik niet. Het lukt niet. Ik kan nooit die dochter zijn, hoe hard ik het ook probeer. Niet zolang zij probeert om een deel van mijn ziel uit te roeien.

17

De volgende avond begint mam niet meer over het verkopen van een edelsteen, en ik ook niet. Het is misschien dom, maar ik hoop dat ze het vergeet als ik niets zeg.

Terwijl Tamra en mam bij Chubby's, de beste pizzeria in Chaparral, staan te wachten op onze pizza's, ga ik een stukje verderop in de straat een film uitzoeken voor vanavond. Liefst een komedie. Alles is goed, als het maar afleiding brengt.

Op de weg terug gebeurt het.

Met de film in mijn hand loop ik langs de ingang van een steegje vlak naast Chubby's. Opeens word ik van mijn voeten getrokken en meegesleurd naar de smalle ruimte tussen twee betonnen muren, waar de stank van een vuilcontainer overheerst. Ik worstel, het vuur laait op in mijn luchtpijp en ik blaas en spuw stoom. Ik probeer mijn hoofd te draaien om mijn aanvaller aan te kunnen kijken en in een hoopje as met botten te veranderen.

'Hou op!'

Ik herken de diepe stem meteen en ben niet eens echt verbaasd.

Ergens wist ik wel dat, als de kolonie mij ooit zou opsporen en vinden... dat hij dan voorop zou lopen.

Hij schudt me even door elkaar. 'Ben je klaar? Ik draai je pas om als je belooft dat je me niet in de fik zet.'

Ik lach vermoeid. 'Ik weet niet zeker of ik dat kan beloven.'

Na een paar tellen ontspannen de grote handen op mijn schouders zich. Ik ruk me los en draai me om.

'Ha, Jacinda,' zegt hij, alsof onze ontmoeting hier doodnormaal is.

Mijn ogen hebben nog moeite om te accepteren wat ik al weet. Ik kijk naar hem op. Hij is zo immens groot, als een muur die voor me oprijst. Bijna twee meter lang. Ik was vergeten hoe groot hij is. En hoe aanwezig. Op de een of andere manier was hij in mijn gedachten gekrompen. Nu begrijp ik weer waarom hij de belangrijkste onyx van de kolonie is. Alleen zijn vader komt nog boven hem.

'Hoe heb je ons gevonden, Cassian?'

Hij houdt zijn hoofd een beetje scheef. Paarsachtig zwarte lokken strijken over zijn schouders. 'Had je iets anders verwacht dan?' vraagt hij.

'Waarom ben je op zoek gegaan?'

'Weet je dat niet?'

'Je kon toch gewoon vergeten...'

'Dat kan ik niet.'

'Omdat het moest van je pappie.' Ik snauw bij de gedachte aan zijn vader.

Cassians olijfkleurige huid flitst koolzwart op, zijn draki-huid staat op het punt om door te breken. 'Ik ben hier niet voor mijn vader. Of voor de kolonie.'

Zijn paarszwarte ogen boren zich in de mijne en ik voel wat hij eigenlijk wil zeggen. De waarheid. Hij is hier voor zichzelf.

Ik kijk hem aan, mijn hoofd schuin. 'Ik heb nieuws voor je, Cassian. Ik wil niet naar huis.' Dat wil zeggen, niet zo. Niet als ik door hem meegesleept word.

Hij reageert op die typische mannendraki-manier. Zijn gezicht verstrakt, zijn neus wordt breder en er komen een paar richels omhoog, en zijn huid flitst heen en weer: het ene moment zwarte draki-huid, het andere weer menselijke huid.

Ik sla mijn armen om me heen en krom mijn tenen in mijn schoenen. Er komen stoomwolkjes uit mijn neus, als warme adem op een winterdag. 'Ik ben echt niet onder de indruk van dat machogedoe.' Wat gelogen is. 'Als het nodig is, zal ik me verdedigen,' waarschuw ik.

Hij is sterker dan ik, maar ik heb een wapen. En dat weet hij natuurlijk. Daarom is hij hier. Mijn gave is uiteindelijk de reden dat hij me wil.

Nadenkend kijkt hij me aan.

'Ben je bereid om het daarop aan te laten komen?' vraag ik uitdagend.

'Jij?' kaatst hij terug.

Of ik bereid ben hem met één enkele ademstoot te cremeren? Ondanks die dreigende blikken van hem is hij een deel van mijn verleden. Hij is een soortgenoot en hij hoort bij de erfenis die mam zo zou inpakken en wegdoen, als oude babykleertjes.

Een moment later antwoordt hij: 'Je kunt niet met de hele kolonie gaan vechten.'

Ik trek quasivriendelijk een wenkbrauw op. 'O, dus nu haal je wel de hele kolonie erbij? Ik dacht dat je hier voor jezelf was.'

'Dat is ook zo, maar ze wilden iemand achter je aan sturen. Ik heb me opgeworpen als vrijwilliger, maar als ik met lege handen terugkom, sturen ze gewoon iemand anders. Corbin waarschijnlijk.'

Ik probeer niet te huiveren. Corbin. De zoon van Jabel en de neef van Cassian. Ze kunnen elkaar niet uitstaan, dat is altijd al zo geweest.

'Kom met me mee naar huis, Jacinda. Het is onvermijdelijk.'

Ik bal mijn handen tot vuisten, mijn nagels snijden in mijn handpalmen. 'Wil je dat echt? Dat ik met je meega en de rest van mijn leven een hekel aan je heb omdat je me geen keus hebt gelaten?'

'Je komt er wel overheen.'

'Nee, dat kom ik niet.'

Even kijkt hij verbaasd en dan een beetje droevig. Hij knijpt zijn ogen samen alsof hij me voor het eerst ziet. Of een nieuwe kant van me ontdekt.

'Ga jij maar terug,' zeg ik omdat ik voel dat ik zijn aandacht heb. 'Zet ze op een dwaalspoor. Zeg dat je me niet gevonden hebt…'

'Dat kan ik niet doen.'

'Geloof jij dat ik op een dag wakker word en denk: goh, ik heb wel zin om weer eigendom van de kolonie te worden, om me te laten gebruiken als fokmerrie?' Ik sla mijn armen over elkaar. 'Ik ga niet terug.'

Hij blijft me een tijdlang aanstaren. Er trekt een siddering door mijn buik onder die blik en even voel ik de uitwerking die hij op zoveel meisjes heeft. Op mijn zus en op alle andere meisjes in de kolonie. 'Oké dan. Je kunt het hier niet prettig vinden. Ik geloof nooit dat je hier wilt blijven. Je bent niet gemaakt voor deze ellende. Het maakt niet uit wat je nu zegt, of wat je nu denkt, uiteindelijk krijg je genoeg van de mensenwereld. De hitte hier moet een kwelling zijn voor je draki. Die verschroeit hier. Ik wacht wel. Ik kom weer kijken over ongeveer…' Hij kantelt zijn hoofd naar achteren alsof hij uitrekent hoe lang ik het hier kan volhouden. '…vijf weken,' kondigt hij aan.

Vijf weken, tjonge. Ik ben verbaasd dat hij me zo veel tijd gunt.

'Mijn moeder zal het geweldig vinden als je even langskomt. Ze zal vast wat lekkers voor je koken.'

'Ze hoeft niet te weten dat ik je heb gevonden... of dat ik terugkom.' Hij krult zijn lippen. 'Het is niet de bedoeling dat ze je weer meeneemt en op de vlucht slaat.' En dat zou ze doen, daar heeft hij gelijk in.

Zijn ogen boren zich in de mijne en ik voel weer die bekende irritatie opkomen. Maar ook iets anders. Iets wat ik nooit eerder voor Cassian heb gevoeld. Een vreemd verlangen. Ik probeer mezelf wijs te maken dat ik alleen maar naar de kolonie verlang, naar mijn eigen wereld. Dat klinkt logisch. Het gaat niet om hem, maar om waar hij voor staat. Wat hij vertegenwoordigt. Ik kan de geuren van de bergen en de nevels die van hem afrollen haast ruiken. Het kost me al mijn zelfbeheersing om niet naar hem toe te stappen en diep in te ademen, met mijn neus tegen zijn warme, geurige huid.

'Ik kan heel geduldig zijn,' zegt hij.

Ik geef geen antwoord. Ik beantwoord alleen zijn blik en voel me een beetje duizelig terwijl ik in die paarszwarte poelen kijk en weiger naar hem toe te komen.

Tot nu toe zou ik hem nooit hebben beschreven als geduldig. Hij was altijd meer zo'n jongen die nam wat hij wilde omdat het zijn geboorterecht was. De geweldige draki-prins. Net als de andere draki-meisjes word ik geacht me voor zijn voeten te werpen in gelukzalige onderwerping. Waardoor is hij opeens veranderd?

Ik zet mijn handen in mijn zij. 'Geduldig? Jij? Echt?'

Hij zucht en doet een stap naar me toe.

Ik wijk naar achteren tot ik niet verder kan; ik voel de harde zijmuur van de steeg in mijn rug.

'Ik zal niet ontkennen dat ik hoop dat er iets tussen ons zal groeien,

Jacinda. Iets wat echt en blijvend is.' Blijkbaar ziet hij iets op mijn gezicht, want hij benadrukt snel: 'Dat hoop ik. Ik zal je nooit dwingen.'

'En als ik het niet wil? Nooit?'

Hij perst zijn lippen op elkaar tot een harde lijn, alsof hij probeert na te gaan hoe dat voelt. En niet blij is met de uitkomst.

'Dan zou ik je wensen respecteren.' Hij spuwt de woorden uit, alsof het zeer doet om ze binnen te houden. De afkeer op zijn gezicht is haast grappig. Het idee dat ik nooit met hem verbonden zal zijn, nooit met hem zal paren en geen sliert kleine vuurspuwertjes zal produceren, zit hem niet lekker. Ik weet niet of hij zich daar zelf van bewust is, maar hij bekijkt de dingen al als een alfa. De koning van de kolonie, die moet zorgen voor de toekomst van onze soort. Ten koste van wie dan ook. Hij beweert dat hij hier voor zichzelf is, maar hij realiseert zich niet dat de kolonie een deel van hem is. Hij kan de behoeften van de kolonie niet scheiden van zijn eigen behoeften. Daar ligt het gevaar.

'Geef me je woord. Beloof me dat je je nergens mee bemoeit zolang ik hier ben en dat je me niet zult dwingen terug te gaan.' Als hij dat doet, zal ik hem geloven. Je kunt een hoop van hem zeggen, maar hij heeft nog nooit tegen me gelogen.

Hij houdt mijn blik vast. 'Ik beloof het.'

'Oké.' Ik loop langs hem heen. 'Ik vertrouw je.' Ik zie in zijn ogen dat hij oprecht is. En trouwens, ik heb weinig keus.

'Dat moet je altijd doen,' mompelt hij. 'Je kunt me altijd vertrouwen.'

Als ik de steeg uit loop, zie ik mam en Tamra, die net Chubby's verlaten. Een snelle blik over mijn schouder leert me dat Cassian is verdwenen. Door een plotselinge windvlaag kijk ik omhoog, naar de donkere schaduw in de lucht, die opstijgt en zo snel als oplossende nevels in de zwarte nacht verdwijnt. Alleen zijn stem blijft hangen, fluistert in mijn hoofd. 'Je kunt me altijd vertrouwen.'

Ik hoop dat hij gelijk heeft.

Ik schrik op als de bel onverwacht gaat, kort na het begin van het vijfde uur. Verbaasd zie ik hoe de hele klas opspringt en vertrekt zonder hun spullen mee te nemen.

'Wat is er aan de hand?' vraag ik aan het meisje naast me.

Ze rolt met haar ogen. 'Waar heb jij gezeten? Heb je de aankondigingen niet gehoord? Vandaag? En de rest van de week?'

Ik schud mijn hoofd. De stem van de directeur klinkt iedere morgen over de intercom met schoolnieuws, maar ook al zit ik hier nu een maand, ik besteed er nog steeds niet veel aandacht aan.

Ik zit hier een maand. Alsof ik een gevangene ben, die bijhoudt hoeveel dagen er zijn verstreken.

Weer moet ik aan Cassian denken. Ik heb nauwelijks geslapen door dat beeld van hem in die steeg. Het is verleidelijk om te denken dat hij in de buurt is, klaar om me mee naar huis te nemen als het me allemaal te veel wordt. Meer dan ik kan verdragen. Het voelt goed om een ontsnappingsplan achter de hand te hebben.

'We hebben een pep rally,' legt het meisje uit.

'Ah.' Ik kijk naar mijn tafel en vraag me af of ik hier mag blijven. Bij een pep rally is het de bedoeling dat je met de hele school een sportteam aanmoedigt om de saamhorigheid te vergroten, en dat is wel het laatste waar ik zin in heb.

'Aanwezigheid verplicht,' zegt ze bits.

'Ah,' herhaal ik.

Ze kijkt me minachtend aan. 'Het kan echt geen kwaad om mee te doen. Ons baseballteam heeft de playoffs gehaald.'

Ik knik, alsof ik dat al wist. En alsof het me wat kan schelen. Intussen denk ik vooruit. Probeer me te wapenen voor de pep rally. Hopelijk wordt die buiten gehouden.

Ik huiver bij het idee opgesloten te zitten in een krappe ruimte met meer dan zeshonderd leerlingen.

Dat mag niet gebeuren. Dat trek ik niet. Gym met zestig leerlingen in één gymzaal was al erg genoeg. Ik sta op en loop achter de anderen aan door de gangen.

Er gaat ook nooit iets zoals ik het wil, denk ik als de hele school afdaalt naar een sportzaal die zeventig jaar geleden is ontworpen voor een veel kleinere hoeveelheid leerlingen.

Het diepe geroffel van een drumstel vibreert door de oude houten vloer en verplaatst zich via mijn benen naar het midden van mijn borst, als een onwelkome echo van mijn hartslag.

Ik stap door de dubbele deuren en word misselijk bij het zien van de opgewonden massa leerlingen die op elkaar gepakt op de tribune zit. De band staat aan de andere kant van de sportzaal. De bandleden dragen donkerrode uniformen met stijve kragen. Ze staan te spelen en mee te swingen alsof ze het leuk vinden. Hun opgeblazen rode gezichten, die glimmen van de transpiratie, vertellen een ander verhaal.

Het zweet loopt langs mijn ruggengraat. Het is hier nog warmer dan buiten. Mijn poriën staan wijd open, hunkerend naar koelere lucht, naar nevel en vochtdruppeltjes. Maar hier is alleen de verzadigde geur van te veel mensenlichamen die op elkaar gepakt zitten. Andere leerlingen schuiven langs me heen.

'Loop eens door,' gromt een meisje als ze tegen me aan botst.

Ik word voortgestuwd door een zee van lichamen, veel verder de sportzaal in dan ik wil. Ik draai me om en kijk wanhopig om me heen, op zoek naar een deur of zoiets. Iemand in deze zweterige mensenmassa aan wie ik me vast kan klampen. Tamra. Catherine of Brendan. Zelfs Nathan zou goed zijn. Iemand die me kan afleiden en hier doorheen kan helpen.

Maar niet Will. Zo verstandig ben ik nog wel. Hij is de verkeerde soort afleiding.

Ik hef mijn gezicht op en probeer schone lucht in te ademen. Onmogelijk. Het is benauwd in de sportzaal en het stinkt naar zwetende, ongewassen lichamen. Ik adem dieper in, zuig de lucht in mijn krimpende longen. Ik ruik bloed dat in de houten vloer is getrokken en ik voel me misselijk en slap. Ik hoor Cassians stem in mijn hoofd: *Je kunt het hier niet prettig vinden. Ik geloof nooit dat je hier wilt blijven. Je bent niet gemaakt voor deze ellende.*

Als verdoofd beweeg ik mijn benen. Ik zeg tegen mezelf dat pep rally's vast niet lang duren en zoek een zitplaats. Ik prop mezelf in het eerste plekje dat ik zie, zo laag mogelijk op de tribune.

Cheerleaders houden het publiek bezig. Ze zwaaien met hun pompons en gooien hun lichamen in de lucht. Brooklyn is er ook bij. Haar overdreven glanzende lippen gaan wijd open als ze naar het publiek schreeuwt. En vooraan, precies in het midden, zo dicht mogelijk bij de plek waar alles gebeurt, zit Tamra geboeid te kijken.

'Hé.' Een meisje met een beugel – met groene elastiekjes als slierten slijm tussen het metaal – geeft me een duw. 'Ben jij een junior?'

Ik staar naar het dreigende klappen van haar tanden als ze de woorden uitspuwt. Woorden die ik niet lijk te kunnen begrijpen.

Er zijn gewoon te veel indrukken. Ik kan het niet verwerken. De dreunende drums van de band bonken als vuisten in mijn hoofd, alsof mijn schedel van binnenuit opengespleten moet worden.

171

Ik zit te trillen en spring geschrokken overeind als iedereen begint te gillen en te schreeuwen, boven de rampzalige band uit.

Verward kijk ik om me heen. Door een paar dubbele deuren komen twaalf jongens in rode baseballshirts het veld op rennen. Het publiek is door het dolle heen en golft omhoog als een stormachtige zee.

De stem van de directeur klinkt boven al het rumoer uit – een vreemde, lichaamloze stem door de microfoon. Alsof God tegen de massa spreekt.

Er trekt iemand hard aan mijn mouw en ik kijk opzij. Weer dat meisje, Slijmbeugel. 'Hé, dit is het juniorgedeelte.'

Ik hoor de woorden, maar ze dringen niet tot me door. Ik begrijp ze gewoon niet.

'Wat ben je, een *freshman*?'

O, bedoelt ze dat. '*Sophomore*,' antwoord ik.

Ze leunt naar me toe, met haar gezicht haast tegen het mijne aan, en zegt luid en langzaam, alsof ik niet goed bij mijn hoofd ben: 'Jij. Moet. Daar. Zitten.' Ze prikt met haar vinger in de lucht en wijst over mijn schouder.

Twee meisjes naast haar moeten lachen en wisselen goedkeurende blikken uit. Nu ze wordt aangemoedigd, begint het meisje tegen mijn schouder te duwen. 'Schiet op. Wegwezen hier.'

Diep ongelukkig zet ik me in beweging. Niet zozeer vanwege Slijmbeugel, maar meer om de hele situatie. Omdat ik hier ben. Omdat ik alles kwijt ben. De lucht, mijn kolonie… mijn leven. Omdat het mam niets kan schelen wat ze me aandoet. Omdat Tamra hier zo gelukkig is. Omdat ik niet in de buurt kan zijn van Will, terwijl hij de enige is die zorgt dat ik mezelf ben en die de knagende pijn kan wegnemen.

Ik sta op. Een paar rijen boven de vloer van de sportzaal begint mijn wereld te draaien. De droge hitte, de vreselijke geuren, de bonkende herrie, de mensen die aan alle kanten tegen me aan duwen…

Het is te veel. Te. Veel. Ik zit in de problemen.

Iemand roept tegen me dat ik moet gaan zitten. Anderen nemen het over. Ik krimp in elkaar. Tril. Voel hoe het bloed uit mijn gezicht wegtrekt, als water door een zeef.

Tussen al het geschreeuw door hoor ik Slijmbeugels stem: 'Moet ze nou kotsen? Getver!'

Kotsen? Was ik maar gewoon misselijk. En niet aan het sterven. Niet dood. Een geest.

De randen van mijn blikveld worden grijs. Ik zie niets meer. Ik kan mezelf nog maar nauwelijks overeind houden. Ik til mijn voet op en probeer naar beneden te lopen. Ik zie het aankomen. Ik sta op het punt om onderuit te gaan. Ik ga op de tribune terechtkomen, of op een lichaam. Ik weet het. Voel hoe ik val en wegglijd in het grijs. Ik voel de wind op mijn gezicht.

Dan is er niets meer. Alles staat stil.

Een hand pakt mijn arm beet. Trekt me overeind en houdt me vast. Het grijs trekt zich terug. Ik zie weer licht en ook een gezicht.

Will.

Hij buigt zich over me heen, zijn gezicht geconcentreerd en verblindend mooi. Zijn bruine ogen schitteren stormachtig door een emotie die ik niet kan thuisbrengen. Hij mompelt iets onverstaanbaars, klemt dan zijn kaken op elkaar en zegt niets meer.

Zijn hand glijdt over mijn arm en pakt mijn hand. Zijn vingers vlechten zich door de mijne, onze handpalmen kussen elkaar. Ik kan voelen hoe snel zijn hart slaat. En dat, die regelmatige hartslag in de kom van zijn hand, brengt me tot leven.

Dit doet zijn aanwezigheid altijd met mij. Hij blaast me leven in. Hij verjaagt de spookachtige waas. Mijn huid trekt strak en is opeens klaarwakker. Mijn borst begint te vibreren. Zwelt op van opluchting, dankbaarheid en nog iets anders.

Zijn blik houdt de mijne vast. Op dat moment is alles om me heen stil. Alles vervaagt tot een ver gezoem. We zijn alleen.

18

'Oké, weg hier.' Het geluid van zijn stem doorbreekt de betovering. Het lawaai spoelt weer over me heen. De wanklanken van de band. Honderden schreeuwende leerlingen. De weerzinwekkende geuren. De duizeligheid komt terug. Ik kijk naar de gezichten die wild om me heen tollen. Slijmbeugel staart me met wijd open ogen aan. Haar vriendinnen kijken al net zo geschrokken.

Ik knik. Opeens lijkt het niet meer zo belangrijk dat ik uit zijn buurt moet blijven. Het enige wat ertoe doet, is dat ik weg moet uit deze sportzaal.

Hij neemt me bij de hand en leidt me de tribune af. Zijn warme vingers verstrengelen zich met de mijne. Het is een prettig gevoel, alsof ik weer veilig ben. Hij beweegt zich vol zelfvertrouwen en stapt van de tribune af. Manoeuvreert om wat laatkomers heen. We passeren Catherine. Ze grijpt mijn pols.

'Waar ga je…' Haar stem sterft weg als ze Will ziet. Ze mimet woorden die ik niet kan verstaan.

Ik ga verder, word voortgetrokken.

'Hé, Will!'

Vanaf de bovenkant van de tribune gebaart Angus dat Will bij hem moet komen zitten. Xander zie ik niet. Waarschijnlijk is die ergens in de wc's met weer een ander meisje.

Will schudt zijn hoofd naar Angus en klemt zijn hand steviger om de mijne.

We komen langs het midden van de sportzaal, waar Tamra zit. Ik zie hoe ze overeind komt, met een boze frons op haar gezicht. Haar amberkleurige ogen staan bezorgd en ik begrijp niet waarom.

Dan verplaatst ze haar blik naar de dansende cheerleaders. Het kwartje valt. Ik snap waarom ze op dit moment naar hen kijkt. Ik zou niet die kant op moeten kijken, maar ik doe het toch. Mijn blik ontmoet die van Brooklyn. Haar gezicht is rood aangelopen en ik weet dat dat niets te maken heeft met de oefeningen die ze doet.

En dan verdwijnt ze uit beeld. Will werkt ons door de dubbele deuren. Het geluidsniveau daalt tot een gedempt gebrul zodra we in de gang staan. Ik voel nog steeds het gedreun van de band door mijn lichaam bonzen.

'Waar gaan we heen?' vraag ik.

Will blijft met grote passen doorlopen en trekt mij met zich mee tot we buiten zijn. We haasten ons naar het overdekte looppad. De schaduw biedt enige bescherming tegen de brandende, droge hitte.

'Maakt dat jou wat uit?' vraagt hij. Hij kijkt me over zijn schouder aan, met een warme, intense blik. Mijn maag begint te fladderen.

En ik denk: nee, het maakt me helemaal niks uit. Waar hij me ook naartoe brengt. Alles is beter dan de plaats waar we vandaan komen. Als ik maar bij hem ben.

We lopen naar de andere kant van het hoofdgebouw en Will neemt me mee naar een trappenhuis aan de zuidkant, ver van de pep rally. Het geluid van de deur die dichtslaat blijft lang weergalmen in de holle ruimte van het trappenhuis en sluit ons in. Het voelt alsof we in een kleine capsule zitten, binnen in de aarde. Weg van alles en iedereen. De laatste twee mensen op de wereld.

Will laat mijn hand los en gaat op een traptree zitten. Ik volg zijn voorbeeld en neem een tree lager, te verlegen om direct naast hem te gaan zitten. Het beton onder me is koud en hard. De stalen rand waar ik tegenaan zit, boort zich in mijn ruggengraat.

Meestal mijd ik de krappe, benauwde trappenhuizen en neem ik liever de open trap midden in de school, die de begane grond met de eerste verdieping verbindt. Ook al is het een omweg.

Maar nu, met Will, vind ik het niet vervelend. Nu kan ik dat ingesloten gevoel wel aan.

'Bedankt dat je me daar hebt weggehaald,' mompel ik, terwijl ik mijn handen om mijn knieën vouw en naar hem opkijk.

'Geen probleem. Je zag een beetje groen.'

'Ik kan niet zo goed tegen mensenmassa's. Dat heb ik altijd al gehad.'

'Zo raak je nog eens in de problemen,' waarschuwt hij. Hij kijkt me zo vreemd hongerig aan dat ik licht in mijn hoofd word. Hij strijkt met een vinger over zijn onderlip. Een fractie van een seconde veranderen zijn ogen. Ze krijgen gloeiende irissen en smalle, donkere pupillen. Haast als een draki. Ik knipper om het beter te zien, maar zijn ogen zijn alweer normaal. Waarschijnlijk was het gewoon mijn verbeelding die overuren maakte. Ik projecteer alles wat ik mis van thuis en van Az op hem. 'Pep rally's zijn verplicht,' gaat hij verder. 'Een heleboel mensen zagen je weggaan, ook leraren.'

'Ze zagen jou ook vertrekken.'

Hij leunt opzij en zet een elleboog op de tree achter hem. 'O, daar maak ik me niet druk om. Ik heb al vaker problemen gehad.' Hij grijnst met een scheef lachje en kruist zijn vingers. 'De directeur en ik zijn zo met elkaar. Die man is gek op me, echt waar.'

Ik schiet in de lach; het klinkt krakerig en hees.

Door die grijns van hem voel ik me goed. Vrij. Alsof ik niet overal voor op de vlucht ben. Alsof ik zou kunnen blijven, in deze wereld, zolang ik hem maar heb.

Die gedachte zet me weer met beide benen op de grond. Want ik kan hem niet hebben. Niet echt. Een tijdelijke verslaving, meer kan hij niet zijn.

'En je bent bezorgd dat ik in de problemen kom?' Ik probeer hem niet te laten merken hoe leuk ik dat vind. Al dagenlang ben ik erin geslaagd om hem uit de weg te gaan en nu zit ik hier. Zijn aandacht op te zuigen als een verwaarloosde puppy. Mijn stem begint nerveus te klinken. 'Wat kan het je schelen? Ik ontloop je nu al dagen.'

Zijn grijns verdwijnt. Hij kijkt serieus en een beetje spottend. 'Ja. Daar moet je eens mee ophouden.'

Ik onderdruk een lach. 'Dat kan ik niet.'

'Waarom niet?' Nu is er geen humor meer in zijn ogen te lezen, en geen spot. 'Je vindt me leuk. Je wilt bij me zijn.'

'Ik heb nooit beweerd dat...'

'Dat was niet nodig.'

Ik adem scherp in. 'Niet doen.'

Hij kijkt me fel aan. Nu is hij boos. 'Ik heb geen vrienden. Zie je me wel eens rondhangen met iemand anders dan die eikelige neven van me? Daar heb ik een goede reden voor. Ik blijf expres altijd op een afstand,' gromt hij. 'Maar toen kwam jij...'

Ik frons en schud mijn hoofd.

Dan wordt zijn uitdrukking zachter en indringender. Zijn blik glijdt over mijn gezicht en verwarmt mijn binnenste. 'Wie je ook bent, Jacinda, ik moet je wel toelaten.'

Een poosje zegt hij niets, maar blijft hij me op die intense manier aankijken. Zijn neusvleugels staan wijduit, en weer is het alsof hij mijn geur indrinkt of zo. Hij gaat verder: 'Op de een of andere manier heb ik het gevoel dat ik je ken. Dat voelde ik al vanaf het eerste moment dat ik je zag.'

De woorden herinneren me aan toen hij me liet ontsnappen in de bergen. Hij is goed. Beschermend. Ik heb niets van hem te vrezen, maar alles van zijn familie.

Ik leun naar hem toe; de aantrekkingskracht is te groot. Mijn verhitte binnenste, de vibraties in mijn borst – het voelt zo natuurlijk en zo makkelijk als ik bij hem ben. Ik weet dat ik voorzichtig moet zijn, dat ik mezelf moet beheersen, maar het voelt zo goed.

Ik zie een adertje in zijn nek kloppen. 'Jacinda.'

Zijn hese gefluister doet mijn huid samentrekken. Ik kijk afwachtend naar hem op. Hij glijdt een tree naar beneden en komt naast me terecht. Hij brengt zijn gezicht naar me toe, houdt zijn hoofd schuin. Zijn adem gaat snel en vult de ruimte die ons nog scheidt.

Ik raak zijn wang aan, zie hoe mijn hand trilt en trek die vlug weer terug. Hij pakt mijn pols en legt mijn handpalm weer tegen zijn wang. Hij sluit zijn ogen alsof het zeer doet. Of juist heerlijk is. Of allebei tegelijk. Alsof hij nooit eerder is aangeraakt. Mijn hart knijpt zich samen. Alsof ík nooit iemand heb aangeraakt.

'Probeer me niet meer te ontlopen.'

Ik kan nog net voorkomen dat ik hem beloof dat ik dat niet meer zal doen. Dat kan ik niet beloven. Ik kan niet tegen hem liegen.

Hij doet zijn ogen open en kijkt me somber aan. 'Ik heb je nodig.'

Hij zegt het alsof hij het zelf niet begrijpt. Alsof het het allerergste is dat hem kan overkomen. Een kwelling die hij moet ondergaan. Ik glimlach begrijpend. Voor mij is het precies zo. 'Ik weet het.'

Dan zoent hij me. Ik ben te zwak om hem te weerstaan.

Zijn lippen voelen koel en droog aan op de mijne. Ze trillen – of ben ik dat?

Eerst kus ik hem aarzelend, want deze keer wil ik alles onder controle houden... maar toch wil ik dit. Ik geniet van het gevoel van zijn lippen op de mijne en geniet ervan dat ik nu eindelijk even niet zo eenzaam ben. Hij zoent me nog dieper en ik reageer; mijn gedachten verdwijnen als kiezelstenen die een voor een in het water plonzen en wegzinken naar de donkere vergetelheid.

Het enige wat ik nog ervaar is deze sensatie, zijn smaak, de geur van zijn schone huid, de mint van zijn tandpasta. En mijzelf. De opzwellende vibraties in mijn borst. De levenskracht in mijn botten. Het getintel op mijn rug.

O God, niet weer.

Ik trek me terug, ruk me van hem los met een gekwelde zucht en druk mezelf tegen de koude, harde rand. Ik duw zo hard dat het metaal mijn rug kneust, als straf voor de vleugels die de euvele moed hebben om daar tevoorschijn te komen. Ze laten zich wegdrukken, voor zolang het duurt.

Hij begraaft zijn gezicht in mijn nek en houdt me stevig vast. Hij fluistert mijn naam.

Mijn gezicht rimpelt en rekt zich uit. De brug van mijn neus drukt omhoog en de richels worstelen zich naar boven. Ik kijk naar mijn armen. Mijn huid flitst heen en weer en glinstert alsof er goudstof over is uitgestrooid.

Met een zachte kreet draai ik me om en druk mijn gezicht tegen de koude rand. Ik proef de paniek in mijn mond. Ik voel de angst opkomen. Het gaat net zoals die nacht in zijn auto. Niet te geloven dat ik het wéér laat gebeuren. Hoe kan ik zo weinig zelfbeheersing hebben? En zo dom zijn? Heb ik dan helemaal niets geleerd van die eerste keer?

Ik adem gestaag door mijn neus, vastbesloten om mijn draki te onderdrukken en mezelf onder controle te krijgen. Ik wil echt niet degene zijn die het grootste, best bewaarde geheim van de draki's onthult.

Op mijn armen zie ik nu alleen een heel flauwe gouden gloed. Ik knijp in mijn wangen en voel weer de soepele, normale huid. Menselijke huid.

Wills hand sluit zich zacht om mijn schouder en hij knijpt aarzelend. 'Jacinda...'

Even later, als ik zeker weet dat het veilig is, draai ik me weer om. Ik adem behoedzaam, langzaam, rustig...

Hij kijkt me ongelukkig aan met zijn veranderlijke ogen. Mijn keel doet zeer. Hij is het enige lichtpuntje dat ik hier heb gevonden. Het is niet eerlijk. Mijn draki werkt zichzelf tegen. Ik raak mijn lippen aan. Ze branden nog steeds, smaken nog steeds naar hem.

Zijn stem klinkt diep en zacht, net als die dag in de bergen, toen de emoties als een dichte mist om ons heen hingen. 'Sorry. Ik liet me even meeslepen, geloof ik. Ik dacht...' Hij schudt zijn hoofd en haalt beide handen door zijn haar. Hij begrijpt het verkeerd en denkt dat er iets anders aan de hand is. 'Bij jou ga ik... Jacinda, ik wilde je niet...'

'Hou op,' zeg ik.

Ik vind het vreselijk als hij zich verontschuldigt omdat hij mij heeft gezoend. Ik wílde zelf ook dat hij dat deed. Ik wil dat hij het opnieuw doet. Ik adem diep in, blij dat ik mezelf weer onder controle heb en de manifestatie heb gestopt.

Dit is goed, zeg ik tegen mezelf. Mijn draki reageert op hem. Mijn draki lééft. Alleen een beetje te enthousiast. Ik leer heus nog wel om het beter te beheersen, maak ik mezelf wijs. Want ik heb hem zo nodig. Hij is alles wat ik heb. Niet Cassian. Ik heb Cassian niet nodig, die hoeft me niet te komen redden.

Ik heb Will. Dankzij hem zal ik blijven vliegen.

Will blijft doorpraten, alsof hij niet kan stoppen. 'Ik kan me voorstellen dat je denkt dat ik een player ben. Ik begin hier op de trap met je te zoenen als een of andere...'

Ik leg hem het zwijgen op met een nieuwe zoen. Niet voorzichtig of geraffineerd. Ik trek gewoon zijn gezicht naar me toe en druk mijn lippen op de zijne. Omdat ik het wil. Of omdat ik niet kan ophouden. Omdat ik er niet aan wil denken dat ik eigenlijk uit zijn buurt zou moeten blijven. En omdat ik mezelf onder controle heb en wil proberen of het nu goed gaat.

Mijn longen zijn afgekoeld en mijn huid is ontspannen en zacht. Hij lijkt zich niets aan te trekken van mijn onhandige gedrag. Even blijft hij roerloos zitten en de schrik slaat me om het hart. Dan glijden zijn handen naar mijn rug. Meteen begint de huid daar weer te tintelen en spannen mijn spieren zich afwachtend aan.

Waarmee maar weer bewezen is dat ik er faliekant naast zat. Ik kán mezelf niet beheersen. Ik kan mijn draki er niet van weerhouden naar buiten te komen als ik bij hem ben. Stom, stom, stom.

Zijn kus is verpletterend, verslindend. Hij is de controle ook kwijt.

Voor ik mezelf los kan rukken, zwaait de deur boven ons open en knalt tegen de betonnen muur. We schrikken allebei op van het harde geluid. Piepende schoenen en stemmen komen dichterbij.

Will deinst achteruit, weg van mij.

Ik duw mijn rug zo ver mogelijk naar achteren tegen de stalen rand en klem mijn vingers om de afgebladderde leuning.

Twee jongens en een meisje komen de trap af lopen. Ze kijken naar ons terwijl ze ons passeren.

'Hé, Rutledge,' zegt een van de jongens met een zelfvoldane, veelbetekenende grijns op zijn gezicht.

Will knikt met een grimmig gezicht.

We blijven onbeweeglijk een stukje bij elkaar vandaan zitten terwijl ze naar beneden lopen; hun voetstappen galmen door het trappenhuis. De deur beneden gaat open en knalt dicht; we worden weer ingesloten.

'We kunnen beter gaan.' Will komt overeind.

Ik trek mezelf omhoog aan de leuning. Mijn benen voelen wiebelig aan.

'Ben je weer helemaal oké?'

'Ja hoor.' Ik probeer luchtig en zelfverzekerd te klinken. 'Het was gewoon een zoen, verder niets, toch?'

Zijn gezicht verraadt niets. 'Ik bedoel de pep rally. Ben je niet meer misselijk?'

'O,' zeg ik. 'Nee hoor. Ik voel me prima. Bedankt.'

Hij kijkt van me weg en begint naar beneden te lopen. Ik volg met tegenzin, en vraag me af wat er nu met ons gaat gebeuren. De bel rinkelt als we het trappenhuis uit komen.

'De pep rally is voorbij,' merkt hij onnodig op. De gang is nog leeg, maar dat zal niet lang meer duren. 'Ik moet naar Engels,' voegt hij eraan toe.

Ik sla mijn armen om mezelf heen, alsof ik het koud heb. Ondanks de hitte huiver ik.

Mijn draki vindt hem te leuk. Die blijft niet verborgen als we samen zijn. Hoe hard ik het ook probeer, ik kan mezelf niet beheersen als ik bij hem in de buurt ben. Ik hoef mezelf echt niets meer wijs te maken; ik kan niet het risico nemen dat ik de kolonie verraad, zelfs niet om mijn draki levend te houden. Ik wil de minachting in zijn ogen niet zien als hij ontdekt wat ik ben. Om nog maar te zwijgen over wat zijn familie zal doen als ze erachter komen. En dan is Cassian er ook nog… ergens in de buurt. Die op me wacht. Me in de gaten houdt. Hij kan ieder moment komen opdagen en hij mag Will nooit ontmoeten.

Ik knik. Mijn borst is samengeknepen en doet zeer. 'Ik heb Spaans.' Aan de andere kant van het gebouw. 'Ik zie je wel weer.'

Een loze belofte.

De gangen komen tot leven. Ze worden gevuld met leerlingen en het geluid van dichtslaande kluisdeurtjes. De stemmen lijken luider, de lichamen bewegen sneller, de geuren zijn sterker.

Will staat voor me en kijkt me aan alsof hij iets wil zeggen. Mijn ogen vertellen hem dat hij beter zijn mond kan houden. Het heeft toch geen zin.

Ik moet voorgoed een eind maken aan wat er tussen ons is… ook al betekent het dat ik de stad moet verlaten zonder mam en Tamra. Dit kan ik niet volhouden en ik kan ook niet aan mam vertellen dat ik iets heb met de vijand. Met beide vijanden eigenlijk. Will en Cassian.

Ik heb mijn besluit genomen. Als Cassian terugkomt, ga ik met hem mee.

Will schudt zijn hoofd en fronst naar me. 'Je kunt niet van me blijven wegrennen. Ik zie je straks.' Het klinkt vastberaden.

Ik glimlach verdrietig. Want ik kan wel degelijk blijven wegrennen als het moet. Ik kan wegvluchten naar een plaats waar hij me nooit kan vinden. De leerlingen golven langs ons heen, als vissen in een rivier. Ik draai me om en verdwijn in de stroom.

'W at,' wil Catherine weten terwijl ze naast me komt zitten in het studielokaal, 'was er in hemelsnaam allemaal aan de hand?'

Ik probeer onschuldig en neutraal te kijken, maar ze gooit met een klap haar collegeblok en het boek *To Kill a Mockingbird* op de tafel en maakt zich breed. 'Vertel nou maar. Ik dacht dat je over hem heen was.'

'Waar heb je het over?' Ik probeer tijd te rekken om te bedenken hoe ik het haar zal uitleggen. Dat heeft ze wel verdiend. Zo veel vrienden heb ik hier niet, alleen Catherine en Brendan. Met een steek van pijn besef ik dat ik hen zal missen als ik weg ben.

'Wat denk je zelf... de pep rally?' Ze knikt en haar warrige pony wappert mee. 'Jij. Will. De hele school die toekeek. Weet je het weer?'

'O.' Ik werp een blik op de deur en hoop dat hij niet net binnenkomt op het moment dat we over hem praten. 'Dat was niets. Hij zag dat ik me beroerd voelde en schoot te hulp...' Mijn stem sterft weg. Ik haal mijn schouder op met een zielig gebaar.

'Ah.' Ze knikt quasiserieus. 'Tuurlijk. Ik begrijp het. En dat jullie toen

186

met z'n tweeën op de trap gingen zitten zoenen was gewoon zijn manier om ervoor te zorgen dat jij je beter voelde.'

Ik sluit langzaam mijn ogen. Echt geweldig. Nu begrijp ik waarom iedereen me zo zat aan te staren.

'Het nieuwtje gaat snel rond,' mompel ik.

'Ja duh, zulke nieuwtjes wel.'

'Het was maar een kus.'

'Hm-mm. Nou, dat is in elk geval meer dan al die andere meisjes van hem gedaan hebben gekregen.'

Het is niet verstandig, maar mijn hart springt op als ik dat hoor. Ik buig mijn hoofd om mijn grijns te verbergen. Catherine geeft me een speelse por met haar elleboog. 'Ha, je vindt hem leuk! Ik wíst het. Al vanaf de eerste dag, hè? Nou, zo slecht kan hij niet zijn als hij jou leuk vindt. In elk geval heeft-ie smaak. En Brooklyn zoekt het maar lekker uit...'

'Ssst.' Ik kijk gespannen op omdat ik voel dat hij eraan komt en ik wacht tot hij naar binnen stapt.

Hij verschijnt in de deuropening.

Maar hij is niet alleen. Zijn neven zijn bij hem, zijn eeuwige schaduwen. Mijn hart zinkt in mijn schoenen.

Het is Will niet. Niet echt. Niet de Will die met mij praatte in het trappenhuis. Die me met zo veel wanhoop kuste, alsof ik de zuurstof voor zijn longen ben. Met zijn neven in de buurt is hij niet zo. Dan is hij niet de Will die mijn draki bevrijdt. En dat is maar goed ook, want ik wíl ook niet dat hij onweerstaanbaar is. Wat heb ik daaraan als ik mezelf niet voldoende onder controle kan houden?

Het is beter zo. Het is goed dat ik hem samen met hen zie, want dan weet ik weer dat hij de vijand is. Dan kan ik een muur optrekken tussen ons tot Cassian me komt ophalen en ik weg kan uit Chaparral.

Ik tuur naar mijn handen zodat ik hen niet hoef te zien als ze langs mijn tafel lopen. Maar ik zie Xanders schoenen bij mijn tafel stoppen. Een pauze. 'Ha, Jacinda.'

Een onheilspellende rilling loopt over mijn rug. Ik sla mijn armen over elkaar en kijk op. Misschien is mijn blik niet zo vriendelijk, maar dat kan me niet schelen.

Xander krult zijn lippen en kijkt naar Will. 'Moet je niet even hallo zeggen, Will?'

Angus bekijkt me alsof ik opeens zijn aandacht waard ben. Alsof ik een stuk vlees ben, dat geïnspecteerd en gewogen moet worden.

'We hebben al gedag gezegd,' merkt Will stijfjes op.

'Ja.' Angus lacht. 'Daar heb ik over gehoord. Ik wist niet dat ze zo leuk was. Als ik had geweten hoeveel lol je met haar kunt hebben, dan had ik het zelf wel geprobeerd.'

Catherine begint kwaad te sissen. Ze duikt naar voren, maar ik grijp haar arm om haar tegen te houden.

'Hou je kop,' gromt Will.

Ik weet nog wat Will die nacht in de auto zei over zijn familie. 'Vergif' noemde hij hen. Ik herinner me die kamer en de kleine rode en zwarte vlaggetjes verspreid over het Noord-Amerikaanse continent – en Xanders gezicht toen hij me daar betrapte.

Angus lacht weer, zijn mond wijd open in zijn wrede gezicht.

'Ach,' zeg ik en ik herken nauwelijks mijn eigen stem, die zo dik is als stroop in mijn mond. 'Zo bijzonder was het niet.' Het doet zeer om te liegen, om zoiets gemeens en onwaars te zeggen, maar ik moet wel.

Xander is niet overtuigd; hij kijkt verward heen en weer tussen Will en mij.

Wills vragende blik boort zich in me. Even denk ik een flits van pijn in zijn ogen te zien, maar dan is het verdwenen.

'Misschien moet je eens een andere Rutledge proberen.' Angus wiebelt met zijn dikke rode wenkbrauwen.

'Zijn jullie niet allemaal identiek?' vraag ik. 'Als je er eentje probeert, ken je ze allemaal.'

Hij fronst zijn voorhoofd. Het woord 'identiek' gaat boven zijn pet.

'Smeerlap,' mompelt Catherine.

Ik geef een waarschuwend kneepje in haar pols.

'Niemand heeft jou wat gevraagd, freak,' kaatst Angus terug.

Nu word ik kwaad. Ik kan de gekwetste blik die over haar gezicht glijdt voordat ze weer onaangedaan en stoer kijkt, niet verdragen. De bekende hitte bouwt zich op in mijn binnenste.

'Au.' Ze kijkt me verbijsterd aan en probeert haar arm terug te trekken. Ik was vergeten dat ik haar aanraakte. Vlug laat ik haar los. Ze wrijft over haar pols en ik weet dat ze mijn smeulende hitte heeft gevoeld.

Echt geweldig. Eerst manifesteer ik bijna voor Wills neus als hij me zoent en nu dit.

Misschien moet ik vanavond de golfbaan maar weer eens proberen.

'Iedereen gaan zitten,' roept Mr. Henke vanaf zijn plek voor in het lokaal.

Angus loopt naar achteren. Xander kijkt me nog even onderzoekend aan met die duivelse zwarte ogen, voor hij achter zijn broer aan loopt.

Will blijft treuzelen en kijkt alsof hij verwacht dat ik iets zal doen. Of zeggen. 'Ik neem aan dat je niet wilt dat ik bij je kom zitten?'

Ik wend mijn blik af. Ik krijg geen woord meer over mijn lippen, want ik kan niet nog zo'n leugen uitspreken. Ik hoor dat hij wegloopt, voel dat zijn aanwezigheid zich verwijdert.

'Wauw,' mompelt Catherine vol ontzag. 'Je hebt net Will Rutledge afgewezen.'

Ik haal mijn schouders op en vecht tegen de brok in mijn keel, door de verstikkende woorden.

'Gaat het?' vraagt ze.

'Ja, waarom niet? Hij is toch niet echt mijn type.'

Ik kijk achter me en zie hem tussen zijn neven ingeklemd zitten. Zij zitten te praten, maar Will niet. Hij staart uit het raam, met zijn blik op iets daar buiten. De uitdrukking op zijn gezicht doet me denken aan mam. Of aan Tamra. Aan hoe ze keken toen we nog in de kolonie woonden. Alsof ze opgesloten waren, en op zoek naar een uitweg.

Mijn borst knijpt zich samen en daar middenin voel ik een zware, ronddraaiende massa. Hij verdient beter.

'Waar was jij mee bezig?' snauwt Tamra zodra ik bij haar op de stoeprand kom staan. Mam staat een stukje verderop in de file te wachten tot ze bij ons is.

'Dat snap je toch wel? Die sportzaal, met al die mensen…' Ik huiver en knijp mijn ogen dicht tegen de woestijnzon. Een droge, hete windvlaag tilt even mijn haren van mijn schouders. De wilde massa kraakt, zo uitgedroogd is het.

Haar ogen vonken en ik weet dat ze al sinds de pep rally heeft gewacht op het moment dat ze tegen me kan losbarsten.

Ik voel woede opkomen. Want juist zij zou moeten weten wat voor effect het op me heeft als ik zo'n pep rally moet uitzitten. Ze is zelf geen echte draki, maar ze weet wat het inhoudt. We zijn samen opgegroeid. We stammen allebei van draken af. Draken die eeuwen geleden heersten over de wereld en de lucht. Dan weet ze toch dat ik er niet tegen kan om opgesloten te worden? In een sportzaal vol harde geluiden en mensen?

'Het enige wat ik weet is dat je losgeslagen bent. Vooral bij Will Rutledge in de buurt. Ik dacht dat je bij hem weg zou blijven?'

Dat probeer ik ook. Ook al wordt het mijn dood, ik probeer het echt. Maar dat zeg ik niet.

In plaats daarvan denk ik aan alle tijd die ik met hem heb doorgebracht waar zij niets van weet en ik voel een grimmige voldoening. 'Als je zo bezorgd bent, moet je maar aan mam vertellen wat er is gebeurd,' daag ik haar uit. Ik weet dat ze dat toch niet zal doen.

'Zodat we ergens anders naartoe verhuizen?'

En dat is het laatste wat Tamra wil. Ik haal mijn schouders op bij wijze van antwoord.

Ze klemt haar lippen op elkaar tot een harde lijn en schudt haar perfecte hoofd met haar. 'Ik dacht het niet.'

Ik kijk weer naar de rij auto's. Mams hatchback komt dichterbij. De zon brandt op mijn hoofd en verschroeit mijn huid. Ongeduldig wip ik op en neer op de ballen van mijn voeten.

Mijn vingers klemmen zich om de band van mijn rugzak en voor ik er iets aan kan doen, vraag ik: 'Kan het je ook maar iets schelen wat het voor mij betekent om hier te zijn?'

Ze draait haar hoofd met een ruk naar me toe en kijkt me aan. 'Alsof het jou wat kon schelen hoe het voor mij was, al die jaren in de kolonie.'

Natuurlijk kon het me wat schelen. Ik zou Cassian nooit zo hardnekkig hebben afgewezen als dat niet zo was. Cassian was een vriend van me. Meer nog van Tamra, maar hij was er altijd geweest. Net zo onwankelbaar en permanent als de bergen om me heen. Ik had hem echt wel leuk kunnen vinden, maar dat deed ik niet. Dat wilde ik Tamra niet aandoen.

'Wat had je dan verwacht dat ik zou doen? De kolonie was ons thuis,' werp ik tegen.

Haar neusvleugels trillen en de pijn brandt in haar ogen. 'Jóúw thuis. Nooit dat van mij. Ik voelde me altijd een indringer die mocht toekijken hoe Cassian om je heen hing. Iedereen vond jou geweldig, wilde je vriendin zijn of je vriend, wat dan ook...'

'Daar heb ik nooit om gevraagd. Ik heb Cassian niet aangemoedigd...'

'Nee, maar toch kreeg je het. Je kreeg hém. En niet vanwege jezelf. Hij was niet verliefd op je of zo.' Ze schudt haar hoofd. 'Weet je, misschien had ik het nog wel kunnen verdragen dat jullie tweeën bij elkaar hoorden als hij écht van je had gehouden.'

Ze zegt het alsof het totaal onmogelijk is. Een lachertje. Ik hef mijn gezicht op in de hoop op een briesje dat me nog wat afkoeling kan bezorgen in deze tergende hitte.

Geen afkoeling. Ze gaat verder. 'Maar ze werden niet aangetrokken door wie je bent. Het ging om wát je bent. De oudste krijgt de hele erfenis. Alles. Iedereen. Zelfs pap. Jullie hadden een besloten clubje, alleen voor jullie tweeën.' Ze ademt diep in door haar neus.

'Probeer je me nou expres een rotgevoel te geven?' snauw ik. 'Ik kan daar allemaal niks aan doen. Toen niet en nu ook niet.'

Een poosje zegt ze niets. En als ze uiteindelijk spreekt, klinkt haar stem zachter. 'Kun je niet gewoon proberen om het hier ook maar een klein beetje leuk te vinden, Jacinda?' De vonken in haar amberkleurige ogen doven uit. Ze vindt me irritant, dat is wel duidelijk. Maar ze heeft geen hekel aan me. Tenminste, ze wíl geen hekel aan me hebben.

Ik schud mijn hoofd, niet om ontkennend te antwoorden op haar vraag, maar omdat ik niet weet wat ik moet zeggen. De waarheid wil ze niet horen, die zal haar niet aanstaan. En ze wil ook niet horen dat ik het echt heb geprobeerd. Het is voor mij geen kwestie van kiezen of ik het hier leuk vind of niet. Ik heb er geen invloed op. En trouwens, wat maakt het ook uit. Ik zal hier niet lang meer zijn. Maar dat kan ik al helemaal niet tegen haar zeggen.

We gaan in de auto zitten, Tamra voorin en ik op de achterbank.

'Hoi! Hoe was het op school?' vraagt mam.

Tamra geeft geen antwoord en ik ook niet. De sfeer voelt zwaar en gespannen aan. Mam kijkt van Tamra naar mij terwijl ze zich door de drukte op het parkeerterrein heen worstelt. 'Was het zo erg?'

Tamra gromt wat.

Met ingehouden adem wacht ik af of ze iets over de pep rally zal zeggen. Over Will en mij. De seconden kruipen voorbij, maar er komt niets. Zacht laat ik mijn adem ontsnappen, opgelucht. Zo graag wil ze dus hier blijven. Of misschien heeft ze spijt van haar uitbarsting. Ze is een ster in het opkroppen van haar emoties. Waarschijnlijk heeft ze al spijt dat ze zich zo heeft laten gaan.

Ik vraag me af of ze het aan mam zou vertellen als ze de waarheid wist. Als ze wist wie Will in werkelijkheid is. Zou het haar dan iets kunnen schelen? Waarschijnlijk niet. Ze is nu zo gefocust op zichzelf en op wat zíj wil. En dat kan ik haar ook niet kwalijk nemen. Ze heeft gelijk. Het heeft nog nooit eerder om Tamra gedraaid en daar heb ik me altijd rot over gevoeld. Toen al en nu nog.

Maar niet zo rot dat ik mezelf volledig zal wegcijferen. Niet zo rot dat ik zal accepteren dat mijn draki sterft als ik hier blijf en er niets tegen doe.

Het is het beste voor iedereen als ik wegga. Mijn vertrek zal betekenen dat Tamra eindelijk vrij is, en mam ook. Het is treurig, maar waar. Degenen van wie ik hou, zijn beter af zonder mij.

'Jacinda?' spoort mam mij aan.

'Het was geweldig,' lieg ik. 'Ik had een geweldige dag.'

Want dat is wat ze allebei willen horen.

20

We zijn bijna thuis als mam de belangrijke mededeling doet.

'Morgen ga ik weg.'

Even ben ik compleet overdonderd en denk ik dat ze bedoelt dat we morgen allemaal weggaan. Dan weet ik het weer: ze gaat een edelsteen verkopen. De stralende amber. Bevroren vuur.

Ik leun naar voren om haar aan te kijken, omdat ik wil zien of ze het echt meent.

Hoe kan ze dit doen? Ze weet toch dat ze een deel van mij wegneemt, dat ze een stuk uit mijn hart scheurt en dat aan iemand verkoopt die denkt dat het gewoon een stuk steen is? Waardevol maar levenloos. Dood.

'Ik ga morgenochtend vroeg weg. Jullie moeten maar de bus naar school nemen. Ik wil vrijdag op tijd terug zijn om jullie op te halen. Ik heb het al aan Mrs. Hennessey verteld en zij zal een oogje in het zeil houden.'

Ik voel iets omhoogkomen in mijn buik, een draaiend gevoel dat er iets vreselijks gaat gebeuren... net als toen Severin jaren geleden aan de deur kwam om te vertellen dat pap vermist werd.

'Mrs. Hennessey?' Tamra trekt haar neus op. Ze vraagt niet waaróm mam weggaat en dat betekent dat ze het al weet. En dat het haar niets kan schelen. Alleen ik vind het erg. Alleen ik word misselijk bij de gedachte...

'Waar ga je naartoe?' vraag ik. Ik moet het weten, alsof dat er op de een of andere manier toe doet. Alsof ik de steen misschien ooit kan terugvinden en redden voor hij voorgoed verloren gaat.

Mam blijft stil.

'Waar ga je hem verkopen?' dring ik aan.

'Dit is echt geweldig,' zegt Tamra terwijl ze iets opvist uit haar rugzak. Dan vraagt ze zo luchtig dat ik er een vieze smaak van in mijn mond krijg: 'Kunnen we dan verhuizen? Ik wil natuurlijk wel op dezelfde school blijven. En krijgen we een mobieltje? Volgens mij zijn wij de enigen op de hele school die geen...'

'Rustig aan, Tam. Nu draaf je door.' Mam geeft haar een klopje op haar knie. 'Dit is alleen bedoeld om de druk een beetje van de ketel te nemen. We gaan nog niet verhuizen. Maar we kunnen wel wat nieuwe kleren voor jullie kopen... en spullen voor de cheerleaders als je wordt geselecteerd. En misschien kan ik wat gunstigere diensten gaan draaien zodat ik af en toe een paar nachten thuis kan blijven, want ik mis mijn meiden wel. En heel misschien,' ze werpt ons allebei een warme blik toe, en haar ogen schitteren vrolijk bij het idee, 'heel misschien kan ik zelfs een auto voor jullie tweeën regelen.'

Tam begint te gillen en werpt zich op mam om haar een knuffel te geven terwijl ze rijdt.

Een auto? Een familiesteen in ruil voor een auto? Een stuk blik dat misschien tien jaar blijft rijden? Dat is toch geen goede ruil? Ik staar

196

razend van woede uit het raam. De hete emotie blijft in mijn keel steken; ik ben zo geschokt dat ik geen woord meer kan uitbrengen.

Die auto is uiteraard voor Tamra. Wat ze eerder zei over mijn rijkunsten, was geen grapje. Ik kan het niet. Het is nog veiliger om een kleuter achter het stuur te zetten.

Knipperend met mijn brandende ogen zie ik de tuinen voorbijschieten. Overal stenen en strategisch neergelegde rotsblokken, cactussen, bougainville zonder bloemen en woestijnsalie. Golvende hitte danst boven het zongebleekte asfalt.

'Ik wil dat jullie me beloven dat jullie je goed gedragen, en je af en toe melden bij Mrs. Hennessey. Als je iets nodig hebt, kun je het aan haar vragen. En ik zal elke dag bellen.'

'Oké! Natuurlijk!' De vering in de stoel protesteert, zo erg zit mijn zus te stuiteren.

'En jij, Jacinda?' vraagt mam vanaf de voorstoel. Alsof ze iets van me verwacht.

Het heeft geen zin om met haar in discussie te gaan. Ze is vastbesloten. Maar dat ben ik ook. Er moet iets veranderen. En dat ben ik.

Zij zijn zo gelukkig hier, ze voelen zich op hun plaats en zijn bezig het leven op te bouwen dat ze altijd gewenst hebben. Zij willen hier niet weg. En ik kan niet blijven.

'Wat jij wilt,' zeg ik verstikt – het is vaag genoeg om haar tevreden te stellen, hoop ik. Even ben ik buiten adem, alsof ik een harde klap tegen mijn borst heb gehad.

Pap heeft ons een keer meegenomen naar een pretpark in Oregon. Het was zo'n korte vakantie om even weg te zijn van de kolonie, wat mam altijd heel belangrijk vond. Tamra en ik waren toen gewoon twee zussen en het enige waar we wel eens ruzie over hadden was het speelgoed dat we moesten delen. Het was voordat ik manifesteerde. Ik ging in een attractie waar ik van huizenhoog naar beneden viel in een vrije val; hulpeloos overgeleverd aan de zwaartekracht, en zonder dat ik kon vliegen om mezelf in veiligheid te brengen.

Dezelfde hulpeloze angst voel ik nu. Want wat ik ook zeg, niets zal mam afbrengen van haar huidige koers. Ik kan haar op geen enkele manier uitleggen wat ze me aandoet.

Ik val en ik val.

En deze keer is er niets wat me zal redden. Geen vernuftige mechanische constructie die me op het allerlaatste moment weer omhoog zal trekken.

Maar ze weet precies wat ze doet, klinkt een klein stemmetje in mijn hoofd. Daarom doet ze het juist. Daarom heeft ze me hierheen gebracht. Ze wíl dat ik de grond raak.

Later die avond is mam haar spullen aan het inpakken in haar kamer. Ze is gekleed om naar haar werk te gaan en wil meteen als haar dienst erop zit vertrekken. Het stalen kistje staat op haar bed naast haar half ingepakte weekendtas. 'Je gaat ze toch niet allemaal verkopen?' vraag ik gealarmeerd.

Ze vouwt een shirt op en kijkt me even aan. 'Nee.' Dan gaat ze weer verder met inpakken, met trage, afgemeten bewegingen.

Ik knik opgelucht en schuif naar het kistje toe. Mijn handen tintelen en jeuken om het open te maken. 'Mag ik hem zien?'

Ze zucht. 'Waarom doe je jezelf dat aan, Jacinda? Vergeet hem gewoon.'

'Dat kan ik niet.' Ik raak het deksel aan en streel erover. Mijn keel doet zeer. 'Laat hem alsjeblieft zien. Voor de laatste keer.'

Ze schudt haar hoofd. 'Je wilt het jezelf echt zo moeilijk mogelijk maken, hè?'

'Laat hem zien.'

Met geïrriteerde bewegingen zoekt ze in haar broekzak. Mopperend haalt ze de sleutel tevoorschijn. Ze draait het kistje van het slot en slaat het deksel open.

Ik hap naar adem als ik opeens de kleurige stralen zie.

Ik hoor zingende stemmen om me heen. Fluisterzacht omarmen ze me en ze herinneren me aan mijn ware natuur, die langzaam wegsterft. Maar niet zo snel als mam denkt. Niet zolang Will in de buurt is. Waarschijnlijk is het alleen aan hem te danken dat mijn draki nog steeds leeft. Als ik in deze woestijn blijf, zonder edelstenen, zonder hem, ben ik gedoemd. Ik voel hoe de stenen mijn binnenste laten ontwaken, net als wanneer Will me kust. Ze brengen me weer tot leven. Mijn huid staat strak en beeft.

Eén steen roept me sterker dan de andere. Ik sluit mijn ogen en absorbeer de energie.

'Welke?' fluister ik, terwijl ik mijn ogen weer open. Ik heb al zo'n vermoeden.

Ze tilt de amber tussen de andere stenen vandaan.

Natuurlijk. Ik klem mijn kaken op elkaar. Ik wist het wel. Op de een of andere manier wist ik dat deze bij me weg zou gaan.

Ik buig me ernaartoe en bestudeer hem, onthou ieder detail en zweer dat ik hem terug zal vinden. Zwijgend breng ik die boodschap over en ik zie het licht van de amber pulseren. Hij knippert en schittert alsof hij me heeft gehoord en begrijpt.

Eens zal ik je terugkrijgen. Als ik niet langer afhankelijk ben van de grillen van mijn moeder. Als ik tegen die tijd nog niet volkomen uitgedoofd ben, verwelkt en veranderd in een geest, zoals zij wil. Ik steek mijn hand uit en streel het oppervlak. Hij voelt warm aan, pulserend. Ik voel het leven in me vloeien.

Alsof ze weet dat hij me voedt, trekt mam haar hand terug en houdt de edelsteen buiten mijn bereik.

Mijn huid huilt en trekt samen. Ik duik naar voren om hem weer te voelen.

'Je moet hiermee ophouden. Laat je oude leven los.' Mam kijkt me met felle ogen aan en even ziet ze er weer net zo uit als vroeger. Levendig, alert. Misschien zingen de stenen ook nog wel voor een deel van haar. 'Je kunt het hier zo goed hebben, als je jezelf er maar voor openstelt.'

'Ja,' grom ik. 'Misschien kan ik zelfs wel cheerleader worden.'

Ze houdt haar hoofd scheef en kijkt me scherp aan. 'Daar is niets mis mee.'

Ja, dat zou ze wel leuk vinden. En ik zou willen dat ik het kon. Het zou alles makkelijker maken als ik gewoon de knop kon omzetten. Als ik net zo was als Tamra.

'Mam, ik ben Tamra niet! Ik ben een draki...'

'Nee, jij bent...'

'Dat ben ik wél! Als je dat deel van mij wilt laten sterven, dan laat je eigenlijk míj sterven.' Ik adem diep in. 'Pap begreep dat.'

'En hij is er niet meer. Het is zijn dood geworden.'

Ik knipper. Wát?'

Ze wendt zich af en legt de amber met een klap terug in het kistje. Ik denk al dat ze het er verder niet meer over wil hebben, maar dan kijkt ze me weer aan met een gezicht dat niet meer op het hare lijkt. Het is alsof een vreemde me aankijkt met heldere ogen, die wild heen en weer schieten, als bij een dier dat tevoorschijn komt uit het bos. 'Hij dacht dat hij een andere kolonie kon vinden die ons zou willen opnemen. Een kolonie die niet van ons zou verwachten dat we onze dochter opofferden.'

'Een rivaliserende kolonie?' vraag ik en de ontkenning golft heet door me heen. Het is verboden om met andere kolonies om te gaan, al sinds de tijd van de Grote Oorlog, toen we elkaar zowat hebben uitgeroeid. 'Dat zou pap nooit doen!' Dacht hij echt dat hij zomaar een kolonie kon vinden die hem niet meteen zou vermoorden?

'Voor jou? Voor ons?' Haar lach klinkt gebroken. 'O ja, dat deed hij wel. Je vader zou alles geven om jou te beschermen, Jacinda.' Haar ogen worden somber. 'Hij hééft alles gegeven.'

Ik schud mijn hoofd, omdat ik het niet kan geloven. Pap is niet voor mij gestorven. Dat kan niet waar zijn.

'Het is echt zo,' zegt ze alsof ze mijn gedachten kan lezen, en ik weet dat het de waarheid is. De afgrijselijke, misselijkmakende waarheid. Ik sta te trillen en het doet zo veel pijn dat ik nauwelijks kan ademen. Pap is vanwege mij gestorven.

Ik adem diep in. 'En nu geef je mij de schuld. Waarom geef je dat niet gewoon toe?'

Haar ogen flitsen, dan knijpt ze ze dicht. 'Nooit. De schuld ligt bij de kolonie.'

Ik beweeg mijn hoofd langzaam heen en weer, alsof ik me onder water bevind. 'Ik wil terug.' Eigenlijk weet ik niet zeker of dat nog steeds zo is, maar ik wil weg van haar, van de dingen die ze me vertelt. Het is te veel. Bijna vertel ik haar over Cassian, maar iets houdt me tegen en zorgt dat ik de woorden binnenhou. 'Tamra en jij kunnen gewoon hier blijven. Misschien kan ik af en toe op bezoek...'

Ze schudt vastbesloten haar hoofd. 'Dat gaat niet gebeuren. Je bent mijn dochter. Je hoort bij mij.'

'Ik hoor bij de kolonie. Bij de bergen en de lucht.'

'Ik sta niet toe dat je verbonden wordt op je zestiende!'

Ziet ze het dan niet? Als ik de kolonie verlaat, wacht er alleen maar ellende, pijn en dood. 'Dat doen ze heus niet.' Cassian heeft laatst nog beloofd dat hij me nooit zou dwingen.

Dan lacht ze. Het schrille geluid klinkt angstaanjagend. 'O, Jacinda. Wanneer zul je het nu eindelijk begrijpen? Moet ik het voor je spellen?'

Ik schud verward mijn hoofd en vraag me af of ik Cassian misschien niet zo snel had moeten geloven. Die avond in de steeg naast Chubby's lijkt ineens een hele tijd geleden. Waarom geloofde ik hem toen? 'Ik weet toch allang dat ze willen dat ik aan Cassian verbonden word, nog voor...'

'Je weet nog niet de helft.' Ze stapt naar voren en grijpt mijn arm. 'Weet je wat de kolonie met jou van plan was?'

Een kille angst golft door me heen, diep en akelig, maar ik knik.

'Als wij daar niet waren vertrokken, hadden ze je vleugels afgeknipt.'

Ik trek mijn arm los en struikel naar achteren, ik schud mijn hoofd... ik blijf maar schudden. Nee, nee, nee. Die barbaarse praktijk is al generaties lang niet meer toegepast. De vleugels afknippen is een verouderde straf voor draki's. Een draki zijn vermogen om te vliegen afnemen is de meest extreme straf... en heel pijnlijk.

'Dat zouden ze niet doen,' weet ik uit te brengen.

'Ze zien je als hun bezit, als een voorwerp. Een kostbaar artikel dat ze nodig hebben om hun toekomst veilig te stellen. Ze zouden alles doen om je vast te houden.'

Ik zie Cassians gezicht weer voor me, hoe ernstig hij keek toen hij beloofde dat ik hem kan vertrouwen. Hij kan toch niet gelogen hebben? Hij wist toch niet wat ze met me van plan waren? Het kan nooit zijn bedoeling zijn geweest dat ik met hem meeging om dat te ondergaan. Dat bestaat niet. Dat weiger ik te geloven. 'Dat is niet waar! Dan zou je het al veel eerder verteld hebben.'

'Ik vertel het je nu. Ze hadden uitgewerkte plannen voor je, Jacinda. En ze waren echt niet van plan om risico's te nemen met jou. Niet na die laatste stunt die je hebt uitgehaald.'

De tranen rollen over mijn gezicht, ze sissen op mijn stomende wangen. 'Dat zeg je alleen maar omdat je niet wilt dat ik terugga.' Mijn stem klinkt alsof hij niet van mij is. De hete emotie knijpt mijn keel zo hard dicht dat ik nauwelijks meer kan ademhalen.

'Word maar eens volwassen, Jacinda. Je bent geen klein meisje meer. Het is de waarheid. En diep in jezelf weet je dat. Wil je daar echt naar terug?'

'Mam,' zegt Tamra vanuit de deuropening. Ze kijkt bezorgd naar me. Haar fraaie wenkbrauwen opgetrokken, zoals ze dat deed toen we nog klein en allebei heel beschermend voor elkaar waren. We kropen 's nachts altijd bij elkaar in bed… want dan wisten we zeker dat de ander in orde was.

Als ik daaraan denk, voel ik me niet meer zo vreselijk alleen. Wel beschaamd. Ik veeg met mijn hand over mijn natte wangen. Van tranen ga ik me altijd weerloos en klein voelen. Twee dingen die een draki niet hoort te zijn.

Misschien ben ik toch menselijker dan ik dacht.

Mams stem wordt zachter en ik schrik als ze mijn schouder aanraakt. 'Je kunt niet terug, Jacinda. Nooit. Begrijp je dat nu?'

Ik knik en laat mijn hoofd zakken. Mijn haar valt over mijn ogen, zodat ze de tranen niet meer kan zien. Zodat ze niet kan zien hoe verslagen ik me voel. Ik weet dat ze niet heeft gelogen. Ieder woord was waar.

Ik kan niet teruggaan naar de kolonie.

Ik zit in de val als ik hier blijf. Ik loop in de val als ik naar hen terugga. Wat ik ook doe, het maakt niets uit. Ik zal nooit meer vrij zijn.

Die waarheid drukt zwaar op me. Een wrede, snijdende pijn die in mijn schouderbladen hakt.

Ik duik langs Tamra, die nog steeds in de deuropening staat, en struikel bijna in mijn haast om weg te komen. Ik hoor haar fluisteren met mam. Even vraag ik me af of zij ook wist dat ze mijn vleugels wilden afknippen. Of ze dat de hele tijd al wist. Cassian wist wat zijn vader en de ouderlingen van plan waren, dat moet wel. Hoe kon hij me recht aankijken en tegen me liegen? Zeggen dat ik hem kon vertrouwen? Geeft hij dan toch niets om me? Om onze oude vriendschap?

Ik voel me dom en in de war... ongelooflijk stom. Ik was er zo zeker van dat ze me nooit zouden dwingen om al jong verbonden te worden, maar dat is belachelijk nu ik weet dat ze ook bereid waren om me op een verschrikkelijke manier te verminken. Ze zijn tot alles in staat.

Ik buig me voorover, sla mijn armen om mijn middenrif en haast me de badkamer in. Ik ben net op tijd bij de wc om mijn maag te legen. Tussen de pijnlijke krampen door hap ik naar adem en ik blijf maar kokhalzen.

Bevend en uitgeput stop ik uiteindelijk. Ik laat me op de vloer zakken. Slap. Lusteloos. Met mijn rug tegen de koele wand laat ik mijn gezicht in mijn handen zakken. Ik moet accepteren dat alles wat ik voor de waarheid hield, alles waar ik in geloofde, niet bestaat.

Ik kan nooit meer terug naar huis. Ik heb geen thuis.

Ik weet niet hoe lang ik al op de grond zit als er iemand op de deur klopt. Afgaande op de pijnlijke steken in mijn gevoelloze rug en billen, zal het wel al een tijdje zijn.

'Ga weg!' roep ik.

Doodmoe van het huilen luister ik een poosje naar het geluid van mijn adem, die rasperig over mijn lippen komt.

Tamra's stem komt door de deur, zo zacht en laag dat het even duurt voor ik begrijp wat ze zegt.

'Jij kunt er niks aan doen, Jacinda. Geef jezelf niet de schuld. Natuurlijk vertrouwde je hen.'

Mijn hoofd schiet omhoog en ik staar naar de deur.

Weet ze het? Kan het haar iets schelen?

Eigenlijk zou ik daar niet zo verbaasd over moeten zijn. Ze is tenslotte mijn zus. Hoe verschillend we ook zijn, ik heb nog nooit gemerkt dat ze een hekel aan me had of dat ze het me kwalijk nam dat ik wel thuishoorde in de kolonie, terwijl zij dat niet deed. Ze heeft me zelfs nooit de schuld gegeven van Cassian. Dat hij van mij was, zonder dat ik er iets voor hoefde te doen. Maar als ik hier in Chaparral de boel voor haar verpest, dan zal ze me dat wel kwalijk nemen.

Alsof ze mijn gedachten kan lezen, gaat ze verder: 'De manier waarop ze jou hebben behandeld, als een soort monument, niet als een echt persoon om wie je kunt geven, dat was verkeerd. Cassian zat ook verkeerd.' Ze zucht en ik vraag me af hoe ze kan weten wat ik op dit moment wil horen. 'Dat wilde ik even zeggen.' Pauze. 'Ik hou van je, Jacinda.'

Dat weet ik, wil ik haast antwoorden.

De schaduwen van haar voeten achter de deur verdwijnen. Ik bijt op mijn lip tot ik de koperachtige smaak van mijn bloed proef. Langzaam sta ik op en verlaat de badkamer.

21

Die nacht regent het voor het eerst sinds ik hier ben. Ik begon al te denken dat ik nooit meer regen op mijn huid zou voelen. Dat ik verhuisd was naar een uithoek van de wereld zonder regen en zonder weelderig groen. Waar de aarde geen lied fluistert.

Maar vanavond breekt de hemel open en huilt dikke tranen. Op de dag dat mam mij eindelijk de vreselijke waarheid heeft verteld die ze tot nu toe verborgen had gehouden. Eigenlijk wel toepasselijk dat die regen juist nu valt.

Terwijl de druppels langs de ramen stromen, denk ik aan Will, die opgescheept zit met zijn vreselijke familie. Hij is een gevangene, net als ik. Ik strijk langs mijn gebarsten lippen en voel hem in de aanraking van mijn droge vingertoppen.

Ik vraag me af hoe het had gevoeld als Cassian me had gekust. Een andere draki. Zou mijn draki op hem gereageerd hebben? Zou die kus net zo magisch zijn geweest? Zou hij me kunnen kussen en dan toch nog recht in mijn gezicht tegen me liegen? Zou hij hebben toegekeken als ze mijn vleugels afknipten?

Ik rol me op mijn zij en luister ingespannen. Ik luister alsof ik nog nooit regen heb gehoord. Mijn huid verwelkomt het roffelende geluid. Het zachte ruisen op de kiezelstenen buiten. Het geratel op het metalen dak van het tuinhuisje.

Ik lach een beetje. Door het zachte, gestage getik in de stilte van de nacht krijg ik weer hoop. Ik word er blij van, alsof er iets goeds gaat gebeuren. Zo voelde ik me ook toen Wills lippen de mijne raakten.

Pap zou nooit gewild hebben dat ik mezelf de schuld gaf van zijn dood, en hij zou het ook nooit goed hebben gevonden dat ik opgaf. Ik hou van mijn moeder, maar ze heeft het mis. Mijn draki is een te belangrijk deel van wie ik ben. Ik kan niet terug naar de kolonie. En ik kan ook niet hier blijven, Will telkens ontlopen en wachten tot Cassian weer verschijnt.

Er moet een andere weg zijn.

Pap zou gewild hebben dat ik voor mezelf vocht, dat ik mijn draki op de een of andere manier in leven hield. Hij wilde een andere uitweg voor ons vinden, en dat heeft hem zijn leven gekost. Hij heeft een keuze gemaakt, en die was niet om ons levend te begraven in de mensenwereld. Het is hem niet gelukt, maar hij geloofde wel dat het mogelijk was.

Zijn stem klinkt in mijn hoofd, haast alsof hij naast me zit: *Zorg dat je een nieuwe kolonie vindt, Jacinda.*

Mijn handen knijpen zich samen, ontspannen weer en klemmen zich dan om het randje van mijn sprei. Dat is het… het antwoord dat ik nodig heb. Dat is wat ik moet doen.

Ik weet niet precies waar de andere kolonies zijn, maar ik ken iemand die dat wel weet. Ik kan Will uithoren. En ik heb die kaart zelf gezien. Als ik de kans krijg om hem nog wat uitgebreider te bestuderen, kan ik de locaties in mijn geheugen prenten.

Dat is in elk geval iets. Een begin.

Of het me zal lukken om die informatie uit Will los te peuteren en of ik weer in die kamer kan komen zonder dat hij argwaan krijgt, is natuurlijk een heel ander verhaal. Ik zal in ieder geval meer tijd met hem moeten doorbrengen...

Er loopt een koude rilling langs mijn nek als ik me afvraag hoe ik het moet aanpakken, zonder dat hij het vreemd vindt dat ik opeens van gedachten ben veranderd.

Buiten roept een vogel. Het klinkt ontsteld, wanhopig. Een kefferig ka-kaa-ka-kaa. En ik vraag me af wat voor stom beest dat is. Ik stel me voor hoe het buiten op een tak zit, terwijl de regen op zijn kleine lijfje neerbeukt. Waarom zoekt het geen schuilplaats? Zoek een afdakje, verberg je. Waarom weet zo'n beest niet beter? Misschien is hij wel verdwaald, net als ik, en hoort hij hier niet thuis. Misschien kan hij niet naar huis. Misschien hééft hij geen thuis.

Mijn tevreden glimlach ebt weg. Ik huiver omdat het opeens koud is in de slaapkamer. Ik trek het dekbed op tot aan mijn kin om het wat warmer te krijgen. Ik rol me zo klein mogelijk op, knijp mijn ogen dicht en probeer het geluid buiten te sluiten.

Mam geeft me een zoen op mijn wang en strijkt het haar weg van mijn voorhoofd, zoals ze deed toen ik nog klein was. Het is donker in de kamer, de morgen is nog niet aangebroken. Er komt een klein beetje licht uit de keuken.

Ze is waarschijnlijk na haar werk naar huis gekomen om haar spullen op te pikken. En de amber. Ik voel een steek in mijn hart.

Als ik inadem, ruik ik de nootachtige geur van koffie. Die heeft ze natuurlijk nodig om onderweg wakker te blijven. Ik weet niet waar ze heen gaat, maar het zal een lange rit zijn en ze is al de hele nacht in touw.

'Gedraag je,' fluistert ze, alsof ik weer zes ben. Dat zei ze iedere dag als Tamra en ik de deur uit stapten om naar school te gaan. 'Ik hou van je.' Ja, dat zei ze dan ook.

Door de spleetjes van mijn ogen kijk ik hoe haar schaduw zich verplaatst naar Tamra, die in haar bed ligt te slapen. Ik hoor hoe ze haar een zoen geeft. En weer een gemompeld afscheid.

Dan is ze weg. Vertrokken om de erfenis van onze familie te verkopen. Een deel van mijn ziel, dat ik misschien nooit meer terugkrijg.

Het licht in de keuken gaat uit, als een afgebrande lucifer. De voordeur sluit met een klik achter haar. Ik weersta de neiging om uit mijn bed te springen, naar de deur te rennen, haar vast te grijpen en tegen te houden. Ik wil mezelf voor haar op de grond werpen en haar smeken om te zien wie ik ben, om van me te houden, ook van het deel van mij dat ze in zichzelf nooit heeft liefgehad.

Tamra draait zich om in het andere bed en zakt weer weg in de slaap en de vredige vergetelheid.

Dan is alles stil. De rust van een begrafenis. Alleen ik ben wakker. Ik voel alles.

Mijn hart bloedt.

We haasten ons de deur uit en rennen over het grindpad langs het zwembad. Nu mam er niet is om ons op te jagen, zijn we laat. Alweer.

Gisteravond aan de telefoon heeft ze ons beloofd dat ze op tijd thuis zou zijn om ons vandaag uit school te halen. Ik ben allang blij dat we dan de bus niet hoeven te nemen. Ik haat de stank in de bus, de uitlaatgassen die op de een of andere manier binnenkomen.

De tv van Mrs. Hennessey staat te schetteren en ik zie de jaloezieën achter haar raam van elkaar gaan. Een afgebladderde rode vingernagel duwt een van de latten naar beneden. Haar gewoonte om ons te bespieden is niet veranderd nu ze ons in de gaten moet houden omdat mam weg is. Ze heeft nu alleen een excuus.

Tamra wandelt snel voor me uit. Ze wil altijd al graag naar school, maar vandaag helemaal. Vandaag is de selectie voor de cheerleaders.

Ik ga er ook naartoe na schooltijd, om te kijken en te applaudisseren. Om haar te steunen. Ook al ben ik van plan om alles hier achter te laten. Ik voel een nare brok in mijn keel. Misschien ook háár achter te laten.

Als het eenmaal zover is, hoop ik dat mam en zij met me in de nieuwe kolonie willen komen wonen, maar ik weet dat het waarschijnlijker is dat ik op mezelf aangewezen zal zijn. Hoe het ook uitpakt, ik moet het proberen. Ik weet dat het een risico is om weg te gaan... een kolonie te zoeken die me wil opnemen en me niet afmaakt voor ik tijd heb om uit te leggen wat ik wil.

Ik stap door de poort en neem een slok uit een reisbeker. Normaal gesproken mogen we geen koffie drinken van mam, maar ja, ze is er niet.

Voor me blijft Tamra opeens stilstaan. Haar cracker valt op de grond; ze heeft er pas één hapje van genomen. Ik bots tegen haar aan en protesteer verontwaardigd als de koffie over mijn vingers gutst.

'Wat doe...'

'Jacinda.' Ze snauwt mijn naam op de toon die ze gebruikt als ik iets heel irritants doe. Zoals een broodje dat ze net heeft gesmeerd van haar bord pikken. Of een beker leegdrinken die ze net voor zichzelf heeft volgeschonken. Een keurig bij elkaar passend paar sokken van haar omwisselen voor twee verschillende van mezelf.

De haartjes in mijn nek komen overeind. Ik volg haar blik de straat in. Er staat een zwarte Land Rover langs de stoep, met draaiende motor. Het portier wordt opengegooid en de bestuurder stapt uit. Will. Langzaam loopt hij naar ons toe, met zijn handen diep in zijn zakken.

Ik verstijf. De laatste paar dagen was hij weg – weer op jacht ongetwijfeld – waardoor ik mijn plannen om hem uit te horen moest uitstellen. Op de stoep blijft hij staan en hij rolt heen en weer op de ballen van zijn voeten. Hij is prachtig zoals hij daar staat, en ik voel een vertrouwde pijn in mijn borst. Ik vraag me af hoe het mogelijk is dat ik tegelijk zo gek op iemand kan zijn en zo bang voor hem.

Ik kan me niet bewegen. Mijn borst begint nu echt zeer te doen.

'Ademhalen,' raadt Tamra me rustig aan.

Okééé. Ik adem in door mijn neus. Dat verlicht de pijn een beetje. Maar ik voel nog steeds die hete gloed in mijn binnenste en de aandrang om te spinnen.

'Wat doe je...' Het zielige gefluister van mijn stem sterft weg.

Tamra komt naast me staan. Onze schouders raken elkaar en ik werp haar een blik toe. Ze kijkt me aan alsof het mijn schuld is dat Will daar op onze stoep staat.

In de verte komt de bus aanrijden. Het gegrom van de motor klinkt steeds luider. Hij kan nu ieder moment de hoek van onze straat om komen.

Ik schud mijn hoofd naar haar. Ze herhaalt mijn naam langzaam en nadrukkelijk. 'Jacínda.'

'Ik heb niks gedaan,' ontken ik.

Uiteindelijk begint Will te praten. 'Ik dacht dat ik jullie misschien een lift naar school kon geven.'

We gapen hem aan.

'Jullie allebei,' voegt hij er snel aan toe en hij haalt een hand uit zijn broekzak om naar ons beiden te gebaren. Tamra en ik wisselen een blik.

De bus komt de bocht om.

'Heb je wel vaker succes met deze strategie?' Ik probeer een verveeld toontje aan te slaan, maar mijn stem wil niet meewerken. Die klinkt meer alsof ik boos ben.

Hij kijkt me verward aan. 'Wat?'

'Nou, onuitgenodigd bij een meisje voor de deur verschijnen, lief lachen en dan verwachten dat ze bij je in de auto zal springen?'

'Rustig aan,' fluistert Tamra en ik vraag me af of ze bang is dat ik mijn geduld zal verliezen en voor zijn neus zal manifesteren, of dat ze wil dat ik aardig doe tegen de jongen die ik van haar juist uit de weg moet gaan. Maar waarom zou ze dat willen? Hoopt ze dat ik me hier dan thuis ga voelen en ook wil blijven?

Hij knikt en buigt zijn hoofd. Hij ziet er vertederend uit als hij zich zo nederig gedraagt. Alsof hij mijn gedachten kan lezen, zegt hij: 'Pas één keer eerder.' Hij grijnst samenzweerderig. Ik kan er niets aan doen. Ik bloos als een gek en mijn gezicht begint alweer te trekken, net als die nacht dat ik voor het eerst bij hem in de auto zat.

'Hoi,' zegt Will tegen Tamra, alsof hij zich nu pas herinnert dat hij zich nooit aan haar heeft voorgesteld. Tenminste, niet officieel. Hij steekt heel volwassen zijn hand uit. 'Ik ben Will…'

'Weet ik.' Tamra neemt zijn hand niet aan. Ze werpt een blik op mij en zegt dan met een zucht: 'Kom op, stap in.' Ze loopt voor me uit.

Will houdt het portier voor haar open. Ze gaat achterin zitten terwijl de bus langs ons heen rijdt.

Met een scheve grijns kijkt Will me aan. 'Je hebt je bus gemist.'

'Tja.' We blijven elkaar even aanstaren en dan vraag ik eindelijk: 'Waarom ben je hier?'

Hij ademt zo diep in dat zijn borst omhoogkomt. 'Ik heb er genoeg van.'

'Waarvan?'

'Dat je me steeds ontloopt.'

Ik hou mijn hoofd schuin. Dus ik heb hem nog niet afgeschud? Is het echt zo eenvoudig? Poef! Daar is hij weer, of ik het nu wil of niet. Ik hoef hem er blijkbaar niet eens van te overtuigen dat ik van gedachten ben veranderd. 'Weet je zeker dat dat een goed idee is?'

Want ik weet het nog zo net niet. Nu ik het doel dat ik mezelf heb gesteld bijna in mijn schoot geworpen krijg, begin ik toch weer te twijfelen. Lafaard die ik ben. Ik weet niet of ik het wel aankan. Zelfs als hij me de informatie kan geven die ik nodig heb, over de kolonies, dan zit ik nog met het probleem dat ik manifesteer als ik te dicht bij hem ben. En ik wil zo graag dicht bij hem zijn. Kan ik dat zonder dat ik mezelf ben? In mijn ware gedaante?

Kan ik mezelf zo goed beheersen?

'Dat weet ik zeker, ja,' antwoordt hij vastbesloten. 'Ik wil bij je zijn.'

'Kijk maar uit, straks krijg je je zin,' zeg ik. 'En ik hoop dat je er dan geen spijt van zult hebben.' Duidelijker kan ik hem niet waarschuwen.

Tamra roept vanuit de auto: 'Zullen we maar eens gaan?'

Wills grijns verschijnt weer en verwarmt mijn toch al oververhitte huid. 'Wil je nou een lift?' vraagt hij.

Alsof ik nog een keus heb. 'Tja, ik heb de bus gemist,' antwoord ik als ik langs hem heen stap en voor in de auto ga zitten voordat hij de kans krijgt om de deur open te houden.

Even later rijdt hij de weg op. Opeens realiseer ik me dat dit ritje, met mijn zus achter in de auto, nog wel eens pijnlijk kan worden. En inderdaad. Tamra vraagt: 'Wat is er nou precies aan de hand tussen jou en mijn zus?'

Hij lacht even en wrijft over de achterkant van zijn nek, alsof er daar iets kriebelt.

'Tamra!' Ik grijp het dashboard, draai me om en kijk haar aan. 'Er is niks 'aan de hand'.'

Ze snuift. 'Nou, als dat waar was, zouden we hier niet zitten, of wel soms?'

Ik doe mijn mond al open om te eisen dat ze de ondervraging beëindigt, als Wills stem me tegenhoudt.

'Ik vind je zus leuk. Heel erg leuk.'

Ik kijk hem stomverbaasd aan.

Hij kijkt terug, laat zijn stem zakken en zegt: 'Ik vind je leuk.'

Dat wist ik eigenlijk al, maar toch kruipt de hitte over mijn gezicht. Ik ga recht op mijn stoel zitten, sla mijn armen over elkaar en staar voor me uit. Ik kan niet stoppen met trillen. En ik kan geen woord uitbrengen, want mijn keel doet te zeer.

'Jacinda,' zegt hij.

'Ik denk dat je haar hebt laten schrikken,' suggereert Tamra en dan zucht ze. 'Weet je, als je haar leuk vindt, moet je het officieel maken. Ik wil niet dat iedereen op school over haar zit te fluisteren alsof ze een speeltje is waar je lol mee kunt hebben in het trappenhuis.'

Nu krijg ik echt geen woord meer over mijn lippen. Mijn bloed staat in brand. Ik heb al een moeder die haar best doet om mijn leven voor me te regelen. Ik zit er echt niet op te wachten dat mijn zus zich gaat gedragen als moeder nummer twee.

'Je hebt gelijk,' zegt hij. 'En dat is wat ik nou juist probeer te doen – als ze het toelaat.'

Ik voel zijn blik op de zijkant van mijn gezicht. Ongerust. Afwachtend. Ik kijk hem aan. De blik in zijn ogen is zo intens dat ik huiver.

Hij meent het serieus. Dat mag natuurlijk ook wel als hij van plan is om zijn zelfgekozen isolement voor mij op te heffen, vooral omdat hij het idee heeft dat ik nog wat voor hem verborgen hou… ja, hij meent ieder woord dat hij zegt.

Met zijn duimen trommelt hij in een staccatoritme op het stuur. 'Ik wil bij je horen, Jacinda.' Hij schudt zijn hoofd. 'Ik heb geen zin om er nog langer tegen te vechten.'

'Sjezus,' mompelt Tamra.

En ik begrijp wat ze bedoelt. Het lijkt een beetje te veel van het goede, zo'n uitgesproken liefdesverklaring. En zo snel al. Tenslotte zijn we nog maar zestien...

Ik schrik op bij die gedachte.

Volgens mij is hij zestien, maar ik weet het niet eens zeker. Eigenlijk weet ik bijna niets van hem. Ik ken alleen zijn geheim en dat overschaduwt al het andere. Maar hij is natuurlijk veel meer. Meer dan dat geheim. Meer dan een jager. Meer dan een jongen die geen vernietigende kracht wil zijn. Meer dan de jongen die mijn leven redde. De jongen om wie ik een fantasie heen heb gebouwd. Ik ken zijn ware ik niet. Xander zei iets over dat Will ziek is geweest, en ik weet niet eens wat er toen aan de hand was.

Daar voel ik me rot over, maar dat duurt maar heel even. Per slot van rekening kent hij mijn ware aard ook niet. En toch wil hij graag iets met me beginnen. Wat perfect is, want dat is precies wat ik ook wil. En niet alleen omdat ik hem nodig heb om aan informatie te komen, hoewel dat ook zo is. Ik zou dat graag willen vergeten, maar dat kan ik mezelf niet toestaan. Als ik dat vergeet, berust ik in een leven hier. Voorgoed. Als een geest. Een klein stemmetje in mijn hoofd fluistert: *Maar niet als je Will hebt...*

23

Zodra Will de auto heeft geparkeerd, laat Tamra ons samen achter. Ik kijk haar na terwijl ze snel over het parkeerterrein loopt. Ze zwaait naar een paar mensen en gaat naast een meisje lopen van wie ik de naam niet ken. Ze beginnen te kletsen alsof ze elkaar hun hele leven al kennen.

Will en ik blijven zwijgend zitten. Vanaf onze plaats aan de achterkant van het parkeerterrein zien we andere auto's voorbijrijden, op zoek naar betere plekjes vlak bij de ingang.

Ik kan maar één reden bedenken waarom hij de auto helemaal achteraan heeft neergezet: zo kan niemand ons zien.

Een bitter lachje komt omhoog in mijn keel, maar ik slik het weg. Waarschijnlijk is hij er toch nog niet helemaal klaar voor om samen met mij gezien te worden. Ik klem mijn boeken tegen mijn borst en tik zachtjes met mijn voeten op de vloer.

'Zullen we maar naar binnen gaan?' zegt hij.

Ik knik. Will zet de motor af. 'Wat heb je het eerste uur?'

'Hoezo?'

Hij werpt me een blik toe. 'Jacinda.' Hij lacht bijna terwijl hij dat zegt. 'Heb je eigenlijk wel een woord meegekregen van wat ik zei? Dacht je dat ik een grapje maakte?'

Misschien wel. Grappig wat onzekerheid met je doet: je ziet niet eens meer wat zich overduidelijk recht voor je neus bevindt.

'Ik loop met je mee naar je lokaal,' deelt hij mee, alsof dat de hele tijd al volkomen duidelijk was.

Ik wil dit, help ik mezelf herinneren. Ik wil bij hem zijn en kijken wat er gebeurt… wat dat nu eigenlijk is, die band die we voelen. Ik wil dat hij me alles vertelt, zodat ik zo veel mogelijk te weten kom over de andere kolonies. Met een paar voorzichtige vragen zal dat wel lukken. En dan, als ik genoeg weet, kan ik in actie komen. Ontsnappen en wegvluchten.

Van binnen sterf ik een beetje bij de gedachte dat ik hem voorgoed moet achterlaten. Ik kijk omlaag en bewonder Wills handen aan het stuur. Zou het mogelijk zijn om verliefd te worden op iemands handen? Om zo'n diep verlangen te voelen, alleen maar door naar zijn handen te kijken? Ze zijn sterk en gebruind, met duidelijk zichtbare aderen.

'Wil je dat?'

Ik richt mijn blik weer op zijn gezicht. Heel even denk ik dat hij het over mijn ontsnappingsplannen heeft en ik vraag me af of ik hem wel wil gebruiken. Ik krijg een vieze smaak in mijn mond. Dan schud ik mijn hoofd, knipper en probeer na te denken over zijn vraag. Wil ik wat met hem? Als het erom gaat wat hij met me doet als we bij elkaar zijn, zit het volgens mij wel goed. Maar dat is niet het enige. Het is niet alleen dat hij mijn diepste wezen levend houdt, ook al is dat heel belangrijk. Toch voel ik me vooral tot hem aangetrokken door iets anders: hij heeft één blik op mij geworpen in mijn draki-gedaante en toen vond hij me mooi. Hij wilde mijn leven redden. Die gebeurtenis is voorgoed in mijn ziel verankerd. Daardoor zal ik altijd gek op hem zijn.

Het leer van zijn stoel kraakt als hij gaat verzitten. 'Wat ik voor jou voel, Jacinda... Ik weet dat jij dat ook voelt.'

Hij kijkt me zo intens en verlangend aan dat ik alleen maar kan knikken. Hij heeft gelijk. Ik voel het ook. 'Dat is zo,' geef ik toe.

Toch begrijp ik het niet. Waarom heeft hij datzelfde gevoel voor mij? Waarom zou hij net zo sterk naar mij verlangen? Wat heb ik hem te bieden? Waarom heeft hij me gered, die dag in de bergen? En waarom blijft hij nu maar achter me aan lopen? Terwijl geen enkel ander meisje hem ooit geïnteresseerd heeft?

'Dat is mooi,' zegt hij. 'Wat dacht je van een date?'

'Een date?' herhaal ik, alsof ik dat woord nog nooit gehoord heb.

'Ja, een echte date. Je weet wel, heel officieel. Jij. Ik. Vanavond. Het wordt wel eens tijd.' Hij lacht breder, zodat de plooien in zijn wangen zichtbaar worden. 'Etentje. Film. Popcorn.'

'Oké.' Het ontsnapt me.

En even vergeet ik het. Vergeet ik dat ik geen gewoon meisje ben, en dat hij geen gewone jongen is.

Voor het eerst begrijp ik Tamra en de aantrekkingskracht van normaal zijn.

'Oké.' Het voelt goed om dat te zeggen. Om net te doen alsof. Om van hem te genieten en te vergeten dat ik bijbedoelingen heb, waardoor we voorgoed van elkaar gescheiden zullen worden.

Wat ben ik ook stom. Dacht ik nou echt dat ik een toekomst met hem kon hebben? Mam heeft gelijk, het is hoog tijd dat ik volwassen word.

Hij lacht naar me. Dan is hij verdwenen. Uitgestapt. Even snap ik er niets meer van. Dan staat hij bij mijn portier, doet het open en helpt me uitstappen.

Samen lopen we over het parkeerterrein. Naast elkaar. Na een paar meter neemt hij mijn hand in de zijne. Als we de ingang van de school naderen, zie ik wat leerlingen rondhangen bij de vlaggenmast. Tamra en haar vrienden, met Brooklyn in het middelpunt.

Ik probeer mijn hand los te trekken, maar hij klemt zijn vingers strakker om de mijne.

Zijn blik is vastberaden en zijn bruine ogen glanzen helder. 'Watje.'

'Oh!' roep ik verontwaardigd.

Meteen stop ik en kijk hem aan. Binnenin me voel ik hoe er iets loslaat en wegglijdt. Het geeft me kracht, een gevoel van vrijheid.

Ik ga op mijn tenen staan, sla mijn handen om zijn nek en trek zijn gezicht naar me toe. Ik zoen hem. Daar, midden voor de school. Het is overmoedig en waarschijnlijk ook stom. Ik leg een claim op hem alsof ik iets te bewijzen heb. Als een draki in een verbindingsceremonie, voor het oog van de hele kolonie.

Maar dan vergeet ik ons publiek. Ik vergeet alles, behalve de droge hitte van onze lippen. Mijn longen trekken zich samen en ik voel dat mijn huid begint te glinsteren. Een vurige hitte komt omhoog in mijn borst.

Oké, misschien is dit niet het allerslimste wat ik ooit gedaan heb.

Ik ruk me los voor het te laat is. Mijn adem begint te stomen door de hitte, daarom druk ik mijn lippen op elkaar. Mijn neusvleugels staan wijduit en laten de hete damp ontsnappen. Ik veeg even met mijn vingertoppen over mijn gezicht om mijn huid te voelen.

'Hé, Will. Jacinda.' Het is Xander die langsloopt. De uitdrukking op zijn smalle gezicht is milder dan anders, maar zijn donkere ogen zijn samengeknepen, leeg en zielloos.

Will verstrakt. Ik zie dat spiertje weer bewegen op zijn kaak.

Angus is wat minder subtiel. Als een enorme, lompe aap loopt hij met zijn broer mee en staart ons met open mond aan.

Will kijkt hen met een harde uitdrukking op zijn gezicht na. De eerste bel gaat.

'Straks komen we te laat.' Ik kijk naar de ingang. Iedereen gaat naar binnen, lichamen stromen door de dubbele deuren. Tamra knikt even naar me voordat ze zich bij de menigte aansluit.

Iedereen op één na. Brooklyn staat er nog, met haar glanzende lippen samengeknepen en haar blik strak op mij gericht. Ik kijk van haar weg, terug naar Will. Hij ziet haar niet. Hij kijkt naar mij. Mijn hart trekt zich samen. Dan knikt hij, alsof hij een vraag beantwoordt die hij zichzelf gesteld heeft, en pakt mijn hand weer.

En ik ben Brooklyn vergeten.

Voor het zevende uur haalt Catherine me in op de gang.

'Waar is je vriendje?' vraagt ze plagerig, voor de zoveelste keer.

Ze loopt me de hele dag al te pesten, vanaf het moment dat Will met me meeliep naar de kantine tijdens mijn lunchpauze, terwijl hij zelf nog een les had.

'Geen idee.'

Ik kijk om me heen in de volle gang. Tot nu stond hij steeds op me te wachten bij mijn lokaal als de bel ging. Ik snap nog niet helemaal hoe hij daar elke keer zo snel kan zijn, maar je hoort mij niet klagen. Het is heel wat makkelijker om me door de drukke gangen heen te worstelen als hij naast me loopt. Het zal wel te maken hebben met het effect dat hij op mijn draki heeft. Daardoor voel ik me sterk en voelt het alsof al het andere verdwijnt... zelfs mijn mensenhuid, als ik niet oppas.

'Kom je, dan gaan we nog snel even naar de wc voor de bel gaat.' Ik loop achter Catherine aan en we duiken de meisjes-wc's in die vlak bij het studielokaal liggen.

Terwijl ik sta te wachten, zit zij vanuit het wc-hokje te kletsen. 'Ik ga vanavond met Brendan naar een concert. Heb je zin om ook mee te...'

'Ik heb al een andere afspraak.'

'Laat me raden. Will.'

Een ander meisje loopt de wc's uit en nu zijn we nog maar met z'n tweeën. De eerste bel gaat. Zo te horen is het niet meer zo druk op de gang. Catherine komt tevoorschijn en loopt naar een wastafel.

'We moeten opschieten,' zeg ik.

Dan zwaait de deur van de wc's open en zijn we niet langer alleen.

Brooklyn komt binnen met vier andere meisjes. Haar vaste groepje. Geen van hen lacht. Ze hebben allemaal dezelfde uitdrukking op hun gezichten, die trouwens ook allemaal op elkaar lijken. Glanzende lippen. Smoky eyes. Perfect glad haar.

Catherine zet de kraan uit en schudt het water van haar handen. Ze draait zich om en ziet de groep meisjes die de deuropening verspert.

Ik zucht. Merkwaardig genoeg kan ik me er niet erg druk om maken. Ik weet waarom ze hier zijn... Vroeg of laat moest het toch een keer gebeuren. Ik vind het alleen vervelend dat Catherine er nu ook bij betrokken is.

De tweede bel gaat.

Op de gang is het nu rustig en er daalt een plotselinge, doodse stilte neer. Daar sta ik dan, tegenover een groep meisjes die vastbesloten zijn om mij op mijn plaats te zetten.

24

Er gaan seconden voorbij. Ik weet niet hoe lang het duurt voordat er iemand beweegt of spreekt. Ik vraag me af of Brooklyn zelf wel weet wat ze gaat doen of zeggen.

Uiteindelijk neem ik het woord, in de hoop dat ik zo gebruik kan maken van haar besluiteloosheid. 'Dat was de bel. We moeten naar de klas, anders komen we op de absentielijst.' Ik werp een blik op Catherine en gebaar haar dat ze me moet volgen, door de muur van meisjes heen.

'Ach.' Brooklyn houdt haar hoofd schuin en haar stem klinkt bijtend. 'Dat vind ik op dit moment niet zo'n punt.'

Ik stop vlak voor haar. Haar meelopers en zij blijven roerloos staan. Alleen met een bulldozer kan ik ze van hun plek krijgen.

Ze gaat verder: 'Maar weet je wat ik wel een punt vind?' Ik blijf haar strak aankijken en wacht.

'Zo'n roodharige trut als jij, die hier op school komt en doet alsof alles van haar is.'

Dan bemoeit Catherine zich ermee. 'Laat toch zitten, Brooklyn.' Haar stem klinkt alsof ze er genoeg van heeft.

Een van Brooklyns vriendinnen stapt naar Catherine toe. 'Wie had jou wat gevraagd, loser!'

Brooklyn komt ook naar voren. We staan haast neus tegen neus.

Ik haal mijn schouders op. Het voelt alsof ik ben terechtgekomen in een B-film over cheerleaders die ruziemaken over een kampioenschap of zo. 'Wat wil je dat ik doe?'

Ze wordt nog bozer nu ik zo rustig blijf. 'Ga terug naar dat rattenhol waar je uit bent gekropen.'

'Het was niet echt mijn idee om hiernaartoe te komen. Misschien kun jij mijn moeder overhalen… Mij is het nog niet gelukt.'

Ze houdt haar hoofd nog wat schuiner, alsof ze dat serieus overweegt. 'Weet je wat? Ik geef je de keus. Jij zorgt dat je verdwijnt, of anders moet je zus ervoor boeten.'

Ik adem diep in en kijk naar de vijf meisjes. Zouden ze dat serieus menen?

'Ja. Of wil je het voor jullie allebei verpesten?' vraagt een blondje met vlechten – volgens mij stond ze boven op de piramide met de pep rally.

'Ik dacht dat jullie Tamra aardig vonden,' zeg ik.

Brooklyn haalt haar schouders op en slaat haar armen over elkaar. 'Ze is wel oké. Ze snapt in elk geval hoe de dingen hier geregeld zijn. Zij zit ons niet in de weg.' Haar blik glijdt over me heen. 'Maar jij wel.'

'Tamra heeft hier niets mee te maken.' Ik bal mijn handen tot vuisten en mijn nagels dringen zich in mijn handpalmen. Ik verwelkom de pijn. Die voedt mijn woede. Mijn longen trekken, branden. Smeulen diep van binnen. 'Dit is iets tussen ons.'

'Ach,' zegt Brooklyn spottend met een zeurstemmetje. 'Wat lief! Jij bent vast een goeie zus, hè? Als jij je nou gewoon niet meer voor Wills voeten werpt, zal ik eens kijken of we Tamra kunnen toelaten tot de cheerleaders.'

De andere meisjes knikken en grinniken zelfvoldaan.

Ik kan de spanning proeven, als branderige rook in de lucht.

'Wat een onzin allemaal. Kom mee, Jacinda.' Catherine probeert langs ze heen te komen en gebruikt haar lichaam en armen om een opening te forceren. Verkeerde tactiek. Door haar actie komt de stijgende spanning tot uitbarsting.

In een waas zie ik hoe de meiden zich op Catherine storten. Ze schreeuwt het uit; het geluid klinkt hard en schril door de lucht, die bol staat van de spanning. Ik vang een glimp op van haar zeegroene ogen, die in paniek wijd opengesperd zijn. Dan wordt ze naar beneden getrokken en verdwijnt onder een laag lichamen.

'Catherine!' Ik duik boven op de berg. Opeens zit ik gevangen in een verwarde kluwen van lichamen.

Een elleboog stoot tussen mijn ribben en ik hap naar adem. Ik kan Catherine niet vinden. Heb geen idee welk lichaamsdeel van wie is… Pijn dreunt door mijn gezicht. Ik denk dat iemand me geraakt heeft met een vuist.

Het zoemt in mijn hoofd. Het geluid zwelt aan in mijn oren. Diepe vibraties beginnen in mijn borst. Dan is het te laat. Op de een of andere manier kom ik op de vloer terecht. Een heerlijke hitte smeult in mijn binnenste; het gloeit, explodeert, vlamt door me heen als een ziedende vuurzee. Ik word erdoor verteerd.

Mijn verhitte huid sist op de koude tegels.

Een puntige schoen schopt in mijn buik. Ik kreun en schok door de kracht. Door de pijn.

Ik probeer overeind te komen, maar word weer neergedrukt. Mijn kin smakt tegen de vloer en ik voel het bloed langs mijn tanden lopen.

De koperachtige geur vult mijn neus. Ik slik het in en hoop dat het de verschroeiende gloed binnen in mij een beetje zal afkoelen. Maar dat is niet zo. Ik blijf branden en roken. Mijn longen schuimen van de hitte. Stoom vult mijn mond en verkoolt de binnenkant van mijn neus.

Er worden scheldwoorden geroepen en allerlei adviezen over hoe ik geschopt en geslagen moet worden. Wat hun bedoelingen ook waren toen ze de wc's binnenkwamen, inmiddels zijn ze afgezakt tot het niveau van een knokploeg.

'Grijp haar!'

'Hou d'r vast!'

'Pak haar haren!'

Een hand graait in mijn haar en grijpt een pluk. Lange lokken worden afgerukt. De tranen prikken in mijn ogen. Ik probeer ze weg te knipperen.

Zonder erbij na te denken duw ik mijn gezicht in de verstikkende laag lichamen. Ik vind de arm die mij neerduwt, die me pijn doet...

Ik haal mijn lippen van elkaar, adem in, diep mijn samengetrokken longen in.

En ik blaas.

De schreeuw maakt overal een eind aan. Het is niet zo'n schreeuw als je in de film hoort. Deze blijft hangen, echoot tegen de muren en klinkt nog in mijn oren na. Alles stopt. Ook mijn hart, in de donkere, smeulende massa van mijn borst.

Iedereen kijkt verwilderd om zich heen, op zoek naar de bron van het geluid.

Alleen ik niet.

Ik kijk naar Brooklyn. Haar gezicht ziet bleek. Haar mond trilt.

Rauwe pijn vertroebelt haar ogen. Ze wiegt heen en weer op de vloer van de wc's, met haar vingers om haar arm en haar vingertoppen wit, zo hard knijpt ze. Ik ruik verschroeid vlees.

Het blondje van boven op de piramide komt naast haar zitten. 'Wat is er gebeurd?'

Brooklyn richt haar blik op mij. 'Ze heeft me verbrand!'

Ze tilt haar hand op om de brandwond te laten zien. Minstens twee-degraads. De beschadigde huid is babyroze en ziet er vettig uit, de randen van de wond zijn wit weggetrokken. Alle ogen worden op mij gericht.

Ik wil haar verbeteren, maar doe het niet. Het is meer een schroeiplek dan een brandwond. Ik heb de vlammen meteen weer ingeslikt zodra ze mijn lippen verlieten. Ze hebben nauwelijks contact gemaakt. Eerlijk gezegd had het veel erger kunnen zijn.

Catherine kijkt me aan en vraagt gehaast: 'Heb je een aansteker?'

Ik krijg niet de kans om te antwoorden.

'Grijp haar!'

En weer springen ze boven op me. Ik worstel om uit de berg lichamen te komen. Mijn huid rilt, klaar om te veranderen.

Catherine roept mijn naam terwijl Brooklyn aanwijzingen brult.

Mijn longen openen zich en vullen zich met rook. De stoom brandt in mijn keel en maakt mijn luchtpijp wijder. Ik knijp mijn lippen stijf op elkaar, vastbesloten om het vuur deze keer binnen te houden, maar ik kan de angst in mijn mond proeven. Angst voor hen. Om hen. Angst om wat mijn draki zal doen als ik hier niet snel wegkom. Angst om wat dat zal betekenen…

Al die angst bezegelt mijn lot. Ik maak geen schijn van kans tegen een eeuwenoud instinct. Mijn vleugels duwen, de vliezen willen losbreken uit mijn rug. Ik kan wel janken en blijf zo lang mogelijk doorvechten. Mijn botten strekken zich. Mijn menselijke huid wordt vager, mijn neus rekt uit, de brug wordt breder en de richels komen omhoog.

Dit is niet goed.

Ik geef me over. In elk geval gedeeltelijk. Het lukt me om te voorkomen dat ik volledig manifesteer hier op de vloer van de wc's, maar lang zal ik het niet volhouden.

Ik adem uit door mijn neus... dat is het enige wat ik kan doen. Voorzichtig draai ik mijn nek, beweeg mijn hoofd rond en blaas mijn stomende adem in hun richting.

Gillend laten ze me los en schieten weg. Ze vallen terug op de vloer.

Ik spring overeind en vang een glimp van mezelf op in de spiegel. De roodgouden schittering van mijn huid. De scherpere gelaatstrekken en de richels op mijn neus. Mijn gezicht dat af en toe opvlamt als een flakkerend vuur.

Ik hap naar adem en duik een van de wc-hokjes in, sla de deur dicht en draai die op slot. Met grote teugen adem ik in en worstel om mijn longen af te koelen.

En ik hoop dat niemand heeft gezien wat ik net in de spiegel zag.

25

Ik duw mijn handpalmen tegen de deur. Met gebogen hoofd staar ik zonder iets te zien naar de kale neuzen van mijn schoenen. Ik adem diep in, tussen mijn tanden door, mijn rug tintelt en kromt zich. Ik concentreer me en probeer de vleugels tegen te houden, die jeuken om naar buiten te komen en zich uit te vouwen, door mijn shirt heen te scheuren.

Hijgend probeer ik met elke vezel van mijn lichaam mijn instincten te onderdrukken. Mijn armen trillen en mijn spieren branden. Het is zo moeilijk als een deel van mij al naar buiten is gekomen... Dan wil de rest ook.

Voor de verandering is de situatie nu eens omgekeerd. Ik probeer uit alle macht een mens te zijn en mijn draki te onderdrukken.

Niet. Nu. Niet nu! Ik werp mijn hoofd omhoog, krijg een hap haar in mijn mond en spuug die uit.

De stemmen buiten mijn hokje klinken luid door elkaar heen, maar ik kan er niets van maken. Ik concentreer me volledig op het wegduwen van de stomende hitte.

Dan hoor ik het.

Hem.

De enige stem die zelfs nog tot me doordringt als ik dood ben. Wanneer ik lig te rotten onder de grond, kom ik nog overeind om naar hem te luisteren. Hij raakt iets in mijn binnenste en stookt het vuur op.

Mijn angst wordt nog heviger.

'Ga weg,' smeek ik. Mijn stem klinkt al dik, vervormd door de smeulende hitte. Ik concentreer me op mijn kaak en mijn keel en probeer de verandering van mijn stem terug te draaien, de verdikking van mijn stembanden.

Hij mag hier niet zijn. Hij mag me zo niet zien.

'Ben je in orde?' Will klopt op de deur. 'Hebben ze je pijn gedaan?'

'Háár pijn gedaan?' gromt Brooklyn. 'Moet je mijn arm zien! Ze heeft me in de fik gezet! Ik keek nauwelijks naar haar en toen viel ze me aan! Kom er eens uit als je durft!' Ze geeft zo'n harde trap tegen de deur dat het wc-hokje staat te schudden. De deur bonkt tegen mijn trillende handpalmen. Geschrokken deins ik achteruit.

Mijn gezicht wordt nog strakker, mijn wangen nog scherper, ze rekken uit en mijn botten vallen op hun plaats. Ik ben de strijd aan het verliezen. Ik kijk naar mijn armen en kreun als ik mijn huid zie schitteren. Het oude instinct heeft me in zijn macht. Ik heb meer tijd nodig.

Waarom is hij eigenlijk hier? En uitgerekend nu?

Mijn vleugels drukken zich naar buiten, een klein beetje, maar het is genoeg. Ik hoor mijn shirt scheuren.

Het katoenen T-shirt valt los over mijn schouders en schuift over mijn armen. Mijn vleugels ontvouwen zich, de spinragstructuur opent zich, klaar om te vliegen. Ik ben nog niet helemaal gemanifesteerd, maar mijn vleugels zijn nu sterk genoeg om me de lucht in te tillen.

De zolen van mijn voeten komen los van de tegelvloer.

Ik hou me vast aan de gladde zijwanden van het wc-hokje en vecht om de roodgouden vliezen stil te houden. De hitte slaat door me heen. Ik worstel om te demanifesteren en klem mijn tanden op elkaar om het niet uit te schreeuwen. Toch ontsnapt er een kreun aan mijn keel.

'Jacinda! Doe die deur open!'

Dan klinkt er nog een geluid. Een klap. Schoenen die piepen op de vloer. Een harde bons. Het hokje staat om me heen te schudden.

Dan klinkt het ademloos: 'Jacinda...'

Zijn stem klinkt niet meer vanachter de deur van mijn hokje. Ik ga op het geluid af. Met het hart in mijn keel kijk ik omhoog.

Will kijkt op me neer over de deur van het wc-hokje, zijn mond in een kleine O van schrik. Zijn bruine ogen zijn dof, alsof er iets in hem sterft terwijl hij naar me kijkt.

'Will,' weet ik uit te brengen in een wolk van stoom, mijn woorden nauwelijks verstaanbaar. 'Laat me...'

Ik herken zijn gezicht niet. Het is nog even mooi, maar toch ook anders. Verschrikkelijk.

Dan is hij verdwenen. Ik hoor hem met grote passen weglopen, de wc's uit vluchten. Wegvluchten van mij.

Volgens de klok op het bureau van de directeur is het zevende uur nog steeds bezig.

Dat moet een vergissing zijn. Het bestaat niet dat ik in zo'n korte tijd het geheim van mijn soort verraden heb en alles ben kwijtgeraakt, alles waar ik op hoopte en iedere kans die ik had. En Will.

De directeur legt de telefoon neer en kijkt me weer aan. Zijn ogen zijn hardblauw onder borstelige grijze wenkbrauwen. Ik ben ervan overtuigd dat hij met die blik de meeste leerlingen wel ontzag weet in te boezemen, maar op mij heeft hij weinig effect. Ik heb wel wat anders aan mijn hoofd. Zoals Will, die alle puzzelstukjes nu in elkaar aan het passen is.

Als verdoofd kijk ik uit het raam van zijn kantoor naar de roodbruine aarde rond het schoolplein, die in de hete zon zo gebarsten en rimpelig is geworden als de huid van een oude man.

Het lukte me om te demanifesteren voordat een paar medewerkers van school kwamen onderzoeken wat er aan de hand was. Catherine bezwoer hun dat wij niet begonnen waren, dat we juist werden aangevallen door Brooklyn en haar groepje, maar desondanks ben ik geschorst.

Een paar meisjes lieten hun brandwonden zien, als bewijs tegen mij. Ze konden weliswaar geen aansteker vinden in mijn zakken, maar de theorie is dat ik die door het toilet heb gespoeld.

'Je moeder is onderweg.'

Ik knik. Ze zou inderdaad zo ongeveer nu thuiskomen, want ze heeft beloofd dat ze ons zou komen oppikken.

Ik draag een rood Chaparral T-shirt dat naar de kartonnen doos ruikt waar het uit komt. Mijn gescheurde shirt ligt onder in een prullenbak. Iedereen neemt aan dat het tijdens het gevecht is gescheurd. En dat ga ik natuurlijk niet ontkennen.

'We hebben een streng zero-tolerance-beleid op deze school, Ms. Jones. Geen geweld, geen pesterijen.'

Ik knik, maar zijn woorden dringen nauwelijks tot me door. Ik moet steeds aan Wills gezicht denken. Dan hoor ik weer het geluid van zijn voetstappen terwijl hij wegvluchtte. En dan denk ik dat hij me nu wel moet haten.

Langzamerhand neemt de angst bezit van me, meer en meer naarmate de tijd verstrijkt. Want er is nog iets gebeurd. Iets wat nog erger is dan Will die me haat, hoe erg ik dat ook vind.

Ik heb het gedaan. Ik heb alle draki's verraden. Ons grootste geheim onthuld. Die ene gave die ons eeuwenlang heeft beschermd. Het geheim dat de draki-jagers en de enkro's niet kennen en nooit mogen weten.

Nu weten ze het.

Dat wil zeggen, er is er in ieder geval één die het weet. En dat is mijn schuld. Ik sluit mijn ogen. Mijn buik verkrampt. Koud verdriet overspoelt me.

De directeur heeft blijkbaar in de gaten hoe ongelukkig ik me voel en verwart het met spijt. 'Zo, ik zie dat je berouw hebt. Dat is mooi. Je bent je in ieder geval bewust van de ernst van de feiten. Ik verwacht dat je je zult gedragen als je weer naar school komt. Dit was geen goede start hier, Ms. Jones. Denk daar nog maar eens goed over na.'

Ik weet er een knikje uit te persen.

'Goed. Je kunt buiten op je moeder wachten.' Hij gebaart naar de deur. 'Ik zal haar informeren over je schorsing als ze hier is.'

Ik kom overeind en loop zijn kantoor uit. Mijn lichaam beweegt traag en moeizaam, zo vermoeid ben ik van de strijd die ik met mezelf moest leveren. Ik plof op een stoel neer en onderga de verwijtende blikken van de secretaresse. Inmiddels zal iedereen wel weten dat ik een soort pyromaan ben die het heeft voorzien op andere leerlingen. Ik sla mijn armen over elkaar, leun met mijn hoofd tegen de muur achter me en wacht op mam. En ik tob.

Ik tob over Will. Wat zal hij doen? Zal hij het aan zijn vader vertellen? Aan zijn neven? Of zal hij naar mij toe komen om een verklaring te vragen? Hoe kan ik hem er ooit van overtuigen dat hij niet heeft gezien wat hij dus duidelijk wel zag? Vooral nadat hij me heeft betrapt terwijl ik in zijn huis aan het rondsluipen was.

Eerlijk gezegd ben ik blij dat ik geschorst ben. Nu zal het wel een poosje duren voor ik hem weer zie en erachter kom wat hij zal doen. Dat wil zeggen, als hij voor die tijd niet op de stoep staat met een eskader, om mij te vernietigen.

Tegen de tijd dat mam is uitgesproken met de directeur, zijn de lessen afgelopen. Tot mijn grote opluchting zijn de gangen leeg en is het gebouw verlaten als we uit het kantoor komen.

Mam zegt geen woord terwijl we de voordeur uit gaan en naar het parkeerterrein lopen. Haar zwijgen is onheilspellend. Ik werp af en toe een blik op haar en wil vragen hoe de reis is gegaan, en waar de amber is. Zelfs na alles wat er gebeurd is, moet ik weten of dat deel van me echt verloren is gegaan.

Tamra staat bij de auto te wachten. Er zijn rode vlekken op haar egale huid verschenen en ik weet dat ze die niet heeft omdat ze in de zon moest wachten. Ze heeft gehuild. Als ik haar rode korte broek en witte T-shirt zie, begrijp ik het. De selectie voor de cheerleaders was vanmiddag. Door alle opwinding ben ik compleet vergeten dat vandaag haar grote dag was.

Ze valt met de deur in huis. 'Hoe kon je?' Haar gezicht ziet rood. 'Het deed er helemaal niet toe wat ik liet zien. Al was ik turnkampioen geweest, dan hadden ze nog niet op me gestemd. Omdat jij ze hebt aangevallen!'

De lucht komt sissend over mijn lippen als ik een getergde zucht slaak. Ze kan niet weten dat ik haar juist probeerde te verdedigen. En ze heeft geen flauw idee hoe kwaadaardig die meiden zijn. Maar ik zie met één blik op haar gezicht dat ze niet in de stemming is om naar me te luisteren. 'Het spijt me echt, Tamra, maar…'

'Het spijt je?' Ze schudt moedeloos haar hoofd. 'Het maakt niet uit waar we naartoe gaan, het is overal hetzelfde liedje.' Ze gebaart met haar armen, omdat ze de woorden niet kan vinden. 'Waarom moet het altijd weer om jóú draaien?'

Ik kijk in haar ogen, die zo op de mijne lijken, en ik wilde dat ik iets kon zeggen. Dat ik de beschuldiging kon ontkennen. Maar dat kan ik niet.

'Niet hier.' Mam jaagt ons de auto in. 'Instappen, nu.' Ze kijkt gespannen om zich heen. Er hangen nog wat leerlingen rond op het parkeerterrein en we zijn niet onopgemerkt gebleven.

Ik ga achterin zitten. Ik heb mijn riem al om als mams portier dichtslaat.

'Ik heb er echt geen behoefte aan dat jullie gaan staan ruziemaken waar iedereen het ziet.' Met de sleutels in haar hand kijkt ze over haar schouder. 'Ik heb de directeur gesproken. Nu wil ik horen wat jij te zeggen hebt over wat er is gebeurd.'

Ik bijt op mijn lip en laat die weer los terwijl ik uitadem. Er is geen goede manier om het te vertellen. 'Nou, ik werd aangevallen in de wc's.' Ik haal mijn schouders op, alsof dat elke dag gebeurt. 'En dus manifesteerde ik.'

Mijn zus kreunt.

Mam laat haar schouders hangen. Ze draait zich terug en start de auto. Er blaast warme lucht uit de ventilator. 'Hoe erg was het?'

Want in haar ogen is manifesteren altíjd erg. En deze keer was dat misschien ook wel echt zo.

'Ik heb me verborgen in een wc-hokje. Ze hebben het niet gezien, of anders wisten ze niet wat ze zagen. Maar ik heb een van hen een schroeiplek bezorgd, om los te komen.' Ik krimp in elkaar. 'Misschien meer dan een.'

Mijn zus is zo boos dat ze zit te schudden op haar stoel. 'Dit is echt geweldig.'

'Tamra,' zegt mam en ze zucht diep. Haar neusvleugels trillen. 'Dit is allemaal niet makkelijk geweest voor Jacinda. Ze heeft zich beter gehouden dan we mochten verwachten.'

Verbaasd kijk ik op en ik vraag me af of ze dat werkelijk meent. Ik had zelf niet het idee dat ik me erg goed hield. Meer dat ik maar net mijn hoofd boven water wist te houden.

Mam zet de auto in zijn versnelling en rijdt het parkeerterrein af. 'Misschien is het wel goed voor je om een weekje thuis te blijven.'

'Een week thuis?' Tamra draait zich om en kijkt me aan. 'Ben je geschorst?'

Mam gaat verder: 'Misschien heb ik je te veel onder druk gezet, Jacinda, en had ik je niet meteen naar school moeten laten gaan. Het was allemaal... nogal veel.'

'Maar ik wilde wel naar school,' klinkt Tamra's stem.

'Ik had niet moeten verwachten dat je in één keer zou veranderen. Het is nu al bijna mei. Als je het volhoudt tot de zomer, dan denk ik dat je tegen de tijd dat het nieuwe schooljaar begint...'

'Hallo! Ik besta ook nog!' roept Tamra. 'Vandaag ben ik iets misgelopen wat ik echt heel graag wilde!' Ze slaat met haar vuist op haar dij.

Mam kijkt haar geschrokken aan.

Tamra schudt vol onbegrip haar hoofd. 'Waarom draait altijd alles om Jacinda?'

Mam probeert haar te kalmeren. 'Geef het de tijd, Tamra. Over een poosje is dit allemaal achter de rug...'

'Je bedoelt dat ik dan dood ben,' onderbreek ik haar beschuldigend. 'Waarom zeg je niet gewoon wat je bedoelt? Je wilt zeggen dat mijn draki over een poosje dood is. Kun je er niet gewoon een keer over ophouden? Je doet alsof dat het enige is waarmee ik je gelukkig kan maken. Met het doden van een deel van mij. Het doden van mijzelf! Waarom kun je me niet gewoon accepteren zoals ik ben?'

Mam knijpt haar lippen op elkaar tot een dunne streep. Ze houdt haar blik strak op de weg gericht.

Vol walging laat Tamra haar hoofd tegen haar stoel aan vallen.

En dan begrijp ik dat ze dat allebei nooit zullen doen. Ze zijn mijn enige familie, maar ik voel me zo volkomen anders dan zij dat ze net zo goed vreemden hadden kunnen zijn.

Ik ben Will kwijt. Ik heb mijn draki laten zien. Ik ben vervreemd van mijn familie. Zelfs de kolonie wil me kapotmaken.

Ik kan nergens heen. Er is geen uitweg.

Maar ik kan ook niet hier blijven.

Die avond heeft Tamra een date. Uitgerekend op de avond dat ik voor het eerst officieel uit zou gaan met Will. Het is wel ironisch: etentje, film, popcorn, dat gaat zij nu allemaal meemaken en ik niet. Ik verwacht tenminste niet dat Will nog langskomt. Niet na alles wat er vandaag gebeurd is. Toch slaat mijn hart een slag over als er op de deur wordt geklopt, en de vlinders dansen hoopvol in mijn buik.

Ik herken hem van school, de jongen die nu zenuwachtig in onze kleine huiskamer staat en zijn zweterige handen aan zijn broek afveegt. Haar date. Hij heet Ben. Hij ziet er leuk uit, met vriendelijke ogen. Blond. Ietsje kleiner dan Tamra en ik.

Ik probeer niet aan Will te denken en aan wat ik moet doen nu hij het weet. Ik kan moeilijk verwachten dat hij niet heeft opgemerkt hoe ik eruitzag. Hij kan hier ieder moment komen binnenstormen met zijn familie, om me mee te nemen. Alleen door de herinnering aan onze eerste ontmoeting hou ik nog een beetje hoop. Toen heeft hij me laten ontsnappen. Nu hij me kent zoals ik echt ben, zal hij heus niet willen dat ik gewond raak en zal hij me niet uitleveren aan zijn familie. Toch? Tenslotte wil hij niets met zijn familie te maken hebben. Hij haat ze.

Ik durf er niet echt op te vertrouwen. Ik zou mam alles moeten vertellen, zodat we weg kunnen uit Chaparral, maar ik krijg de woorden niet over mijn lippen. Want door die woorden zou ik voorgoed van hem gescheiden worden. Hoewel er niets meer tussen ons is. Nu niet meer.

Ik ben stom bezig. Ik zou iets moeten doen. Mijn familie loopt gevaar en ik kan er niet op rekenen dat Will niet weer de jager wordt waarvoor hij is opgeleid. Dat hij mij niet zal overleveren aan zijn familie.

Zwijgend kijk ik Tamra en Ben na door het raam.

Ik voel me vreselijk. Niet omdat Tamra een date heeft en ik niet, maar omdat ik niet eens wist dat ze mee uit gevraagd was. Ik had geen idee dat ze iemand leuk vond. Ik kan nu niets tegen mam zeggen want dan zou ik alles voor haar verpesten. Vanavond nog niet tenminste. Misschien morgen...

Tamra heeft gelijk. Alles draait altijd om mij. En met die conclusie komt een ander besef, waardoor de tranen in mijn ogen springen.

Binnenkort zal het alleen nog maar om mij draaien.

Als ik hier vertrek, moet ik alleen gaan. Alleen zijn. Voorgoed.

26

Op maandagmorgen ben ik wakker als Tamra naar school gaat, maar ik sta niet op. Ik doe net of ik nog slaap terwijl zij zich aankleedt. Zodra mam en zij zijn vertrokken, sta ik op en bak een kaasomelet zoals pap die altijd maakte. Ik eet hem op voor de tv terwijl ik suf naar een ochtendtalkshow kijk.

's Middags ben ik de doodse stilte in huis zat. Ik heb nu wel genoeg getobd over wat Will wel of niet zal doen. Tijd voor een wandelingetje. Binnen vijf minuten loop ik al aan mijn hemdje te trekken, dat aan mijn zweterige lijf plakt. Als ik aankom bij de golfbaan stop ik even om mijn ogen de kost te geven. Het uitgestrekte groen lijkt misplaatst te midden van de droge, gebarsten aarde. Ik ga aan de rand van de green zitten en laat mijn vingers door het gras spelen, tot de zilverharige gepensioneerden met hun foute broeken me vreemde blikken beginnen toe te werpen. Ik beloof mezelf dat ik deze week weer zal proberen te vliegen en ga terug naar huis. Onderweg maak ik plannen voor mijn volgende actie: inbreken in het huis van Will om de kaart nog een keer te bekijken.

Als ik thuiskom, staat Mrs. Hennessey buiten haar plantjes water te geven. 'Dus jij was het.'

Ik stop. 'Sorry?'

'Je moeder vertelde dat een van jullie geschorst is van school.'

Geweldig. Nu blijken al haar verdenkingen dat ze haar zomerhuis heeft verhuurd aan een familie van criminelen waar te zijn.

'Ik dacht al dat jij het was,' voegt ze er met enige voldoening aan toe.

Goh leuk, denk ik en ik loop in de richting van het zomerhuis.

'Ik heb goulash gemaakt,' roept ze me achterna.

Ik blijf staan. 'Wat is dat?'

'Rundvlees met ui en paprika. En een beetje zure room bovenop.' Ze haalt haar schouders op. 'Als je trek hebt: er is genoeg. Ik heb er nooit aan kunnen wennen om alleen maar voor mezelf te koken.'

Ik kijk haar even aan, en ik stel mijn mening over haar bij. Misschien is ze vooral eenzaam en bespioneert ze ons daarom. Ze zit daar dag en nacht in haar eentje in dat stille huis. Ja, ze is vast eenzaam.

'Oké,' antwoord ik. 'Wanneer?'

'Nu is het warm.' Ze schuifelt naar binnen.

Ik aarzel heel even en loop dan achter haar aan.

De volgende dag wacht ik niet op een uitnodiging. Meteen als mam en Tamra vertrokken zijn, ga ik naar het huis van Mrs. Hennessey.

Ze zegt niet zo veel, maar ze kookt. En ze bakt. Een heleboel. Ze overdreef niet toen ze zei dat ze altijd te veel eten maakt. Ik word volgestopt alsof ik een zieke ben die wat vlees op haar ribben nodig heeft. Het is eigenlijk best prettig.

In haar gezelschap hoef ik niet steeds aan Will te denken.

Terwijl we aan een ontbijt zitten van wentelteefjes die rijkelijk besprenkeld zijn met poedersuiker en stroop, hoor ik een geluid. Geklop.

Ik leg mijn vork op mijn bord.

Mrs. Hennessey hoort het ook. 'Is dat bij jullie?'

Ik schud mijn hoofd, kom overeind en loop naar het raam van de woonkamer. 'Ik zou niet weten wie dat moest zijn,' zeg ik, terwijl ik door de jaloezieën kijk.

Het is Will. Hij staat voor de deur van het zomerhuis.

Ik verstijf en vraag me af wat ik zal doen. Kan ik me op de grond laten vallen en verstoppen, of zou hij dat merken? Ik ben hier niet op voorbereid. Op hem.

'Is dat je vriendje?'

Ik hou mijn hoofd schuin. 'Nee… of ja… nee, toch niet.'

Mrs. Hennessey lacht. Het klinkt rasperig. 'Nou, hij ziet er in elk geval goed uit. Ga je niet even naar hem toe?'

Ik werp een blik in haar richting.

'Wat? Durf je niet?' vraagt ze. 'Waar ben je bang voor?'

Ik schud mijn hoofd een beetje te heftig. 'Niks.'

Maar dat is een leugen. Ja, ik ben inderdaad bang. Bang voor wat hij zal zeggen. Bang voor de woorden die hij niet uitsprak in de meisjes-wc's, maar die wel in zijn ogen te lezen waren. Inmiddels zal hij alles wel op een rijtje gezet hebben en is hij klaar om ze naar mijn hoofd te smijten.

Ik duik naar de zijkant van het raam en gluur naar buiten. Ik zie hoe hij nog eens aanklopt.

Hij roept mijn naam door de deur. 'Jacinda?'

Mrs. Hennessey tuurt door de jaloezieën. 'Als je niet bang voor hem bent, waarom verstop je je dan? Hij mishandelt je toch niet, hè?'

'Nee, hij zou me nooit pijn doen.' Tenminste, dat geloof ik niet. Dat wilde hij de eerste keer dat we elkaar ontmoetten in elk geval niet. Maar nu... Ik snuif en begraaf mijn trillende handen in mijn shirt.

Mijn huid trekt strak. Ik kijk door de achtertuin alsof ik verwacht dat zijn neven ergens in de bosjes zitten, klaar voor de aanval. Ik kijk omhoog door de jaloezieën. Geen rondcirkelende helikopters.

Ik moet denken aan hoe hij over de deur heen naar me keek in de meisjes-wc. De uitdrukking die toen op zijn gezicht lag, blijft me achtervolgen. De afschuw. De schok toen hij naar beneden keek en mij zag – het meisje dat hij leuk vond – veranderd in het wezen waar hij van jongs af aan op heeft leren jagen. Het was zo anders dan de eerste keer dat hij me in mijn draki-gedaante zag. En daardoor zit mijn maag nu behoorlijk in de knoop.

'Nou, waar wacht je nog op?' vraagt Mrs. Hennessey.

Ik wacht tot alles makkelijker wordt. Tot mijn leven niet meer zo ingewikkeld is.

Maar aangezien dat niet gaat gebeuren, werp ik Mrs. Hennessey een beverig lachje toe en stap naar buiten.

'Hé Will,' zeg ik zacht.

Hij draait zich snel om. Hij bekijkt me alsof hij ergens naar op zoek is. Wat verwacht hij nou? Dat ik hier voor hem ga staan in mijn draki-gedaante? Met vleugels, vurige huid en al?

Zijn blik dwaalt over mijn schouder en ik begrijp dat hij Mrs. Hennessey achter het raam ziet staan.

'Kom, dan gaan we naar binnen.' Ik loop snel langs hem heen naar ons zomerhuis en stap de ijzige kou in, die weldadig aanvoelt op mijn stomende huid. Toen mam en Tamra weggingen, heb ik de thermostaat meteen lager gezet omdat ik hunkerde naar koelte. En nu hij hier is, ben ik daar extra blij om.

Ik hoor dat de deur achter me gesloten wordt. Midden in onze kleine woonkamer draai ik me om en kijk hem aan. Ik begraaf mijn handen diep in de zakken van mijn korte broek. De tailleband zakt naar beneden. 'Moet je niet naar school?'

Hij staart me aan met een intense blik. Helder. Vandaag zijn zijn ogen eerder goudkleurig dan bruin of groen, en mijn hart doet een beetje zeer als ik aan de amber moet denken die mam heeft verkocht; een deel van mijn ziel dat verloren is gegaan. Zijn ogen zijn altijd al doordringend, maar vandaag is zijn blik toch anders. Het is alsof hij me voor het eerst ziet.

Op een bepaalde manier is dat natuurlijk ook zo.

Ik zie het in zijn expressieve blik: de pijn, het verraad. Ik heb hem dat aangedaan en daar kan ik niets meer aan veranderen. Ik vind het verschrikkelijk dat ik hem heb gekwetst. Heel erg. Meer dan ik ooit had verwacht. Het is net zo pijnlijk als het verlies van pap. Als weggaan uit de kolonie en Az en Nidia achterlaten. Als het gevoel dat mijn draki als nevel tussen mijn vingers door glipt. Als het verraden van mijn soort… Ook al waren ze van plan om mijn vleugels af te knippen en mij te verraden.

'Ik heb een dagje vrij genomen,' antwoordt hij op mijn vraag.

'En je vader vindt dat…'

'Ik ga hem echt geen toestemming vragen. Voor wat dan ook. Zolang ik niet blijf zitten, vindt hij het best.' De plooien in zijn wangen worden dieper. 'Hij maakt zich druk om andere dingen.' Hij knikt langzaam naar me. Mijn maag verkrampt. 'En jij kunt vast wel raden wat die dingen zijn.'

Nu raakt mijn maag echt in de knoop. Daar gaan we dan. Ik kan het er nu allemaal wel uit gooien, want hij weet toch wel dat ik het weet.

'Het familiebedrijf,' probeer ik.

Hij perst zijn lippen op elkaar tot een grimmige lijn. 'Ja. Mijn familie houdt zich bezig met het jagen op jouw familie.'

Ik adem diep in. Het is vreselijk om het te vragen, maar ik móét het weten. 'Heb je ze verteld over...'

'Denk je nou echt dat je nog in leven zou zijn als ik dat had gedaan?' vraagt hij bijtend. Zijn boze blik haakt zich in de mijne.

Ik plof neer op de bank en trek aan de pijpen van mijn korte broek. 'Waarschijnlijk niet.'

Hij schudt zijn hoofd. 'Je hebt die kamer in mijn huis gezien...'

'Ja,' geef ik snel toe, want ik heb er weinig behoefte aan om de trofeeën van zijn familie te bespreken. De beelden achtervolgen me iedere keer dat ik mijn ogen dichtdoe. 'Ik weet waar ze toe in staat zijn.'

'En toch ben je naar mijn huis gekomen?' snauwt hij. 'Wil je dood of zo?'

'Ik had geen keus!' Ik sla mijn armen om me heen en hou mezelf stevig vast, alsof ik me zo kan afschermen van zijn woede.

Met een zucht laat hij zich naast me zakken. Dichterbij dan ik had verwacht. Dichterbij dan ik hem wil hebben. Ik kan de geur van zijn zeep ruiken. Zijn huid. Langzaam bouwt de smeulende hitte zich op in mijn borst, tot ik die in mijn mond proef. De rook in mijn neus voel.

'Dus je bent geen enkro,' zegt hij. 'Je bent een... draak.'

Het kost hem duidelijk moeite om dat te zeggen. Ik moet er haast om lachen. 'Nee, ik ben geen enkro. Maar we zijn ook geen draken. Dat zijn we al heel lang niet meer. We stammen alleen van hen af. We noemen onszelf draki.'

'Draki.' Hij knikt langzaam en leunt dan naar me toe met een boze blik in zijn ogen. 'Je vond het zeker allemaal wel grappig, hè?' Zijn stem is zo zacht als een veertje dat over mijn huid strijkt.

'Nee.' Ik zit te trillen. Van angst of van opwinding, dat weet ik niet. Misschien allebei tegelijk. Ik wilde dat hij niet zo dicht bij me zat. 'Eerlijk gezegd vond ik het allesbehalve leuk.'

'Dat zal ook wel. Weet je, je had me in elk geval wel kunnen vertellen...'

'O ja?' Ik wrijf met mijn hand over mijn voorhoofd op de plek waar het begint te kloppen. 'Wil je zeggen dat jij mij alles vertelde?' Ook al ben ik van binnen aan het rillen, mijn stem klinkt nog steeds vast.

Zijn uitdrukking is zo hard als steen. 'Wat had je dan verwacht? Moet ik het meisje dat ik maar niet uit mijn hoofd kan krijgen, vertellen dat mijn familie op mythische wezens jaagt? Dat het een obsessie voor hen is? Om ze te achtervolgen, te doden en te slachten voor geld...'

'Stop!' Ik steek mijn hand op en probeer intussen de vieze smaak uit mijn mond te krijgen en mijn maag tot bedaren te brengen. Ik kan niet verdragen dat hij vertelt wat zijn familie met de mijne doet. Wat hij heeft gezien... waaraan hij misschien zelfs heeft meegedaan. Ik moet de beelden van die afschuwelijke kamer in zijn huis nog steeds uit mijn hoofd zien te krijgen.

'Maar jij wist wie ik was,' gaat hij verder, 'want jij hebt me eerder gezien.' Zijn ogen staan fel en zijn woorden hakken op me in, als scherpe messen. 'Jij kende me van die grot in de bergen. Meteen die eerste dag in de hal herkende je me al.' Zijn ogen dwalen over mijn gezicht, mijn nek, over mijn hele lichaam. Alsof hij me weer ziet zoals toen in die grot. En in de meisjes-wc's. Alsof hij door mijn mensenhuid heen kan kijken en de draki eronder kan zien. 'Dan wist je toch dat ik je nooit pijn zou kunnen doen? Dat deed ik toen ook niet. Hoe zou ik dat dan nu wel kunnen?'

Ik sta op en ga naar de keuken om een beetje afstand tussen ons te scheppen. Maar dat staat hij niet toe.

Hij loopt vlak achter me aan en zegt: 'Ik wist de hele tijd al dat jij het was. Maak jezelf maar niks wijs.' Zijn blik is koortsachtig helder. Hij pakt mijn gezicht met beide handen beet, alsof hij me naar zich toe wil trekken voor een kus.

'Hoe bedoel je?' Ik ruk me los en loop om het kleine kookeiland heen. Het is prettig om iets tussen ons in te hebben.

Hij kijkt me fronsend aan en gaat verder: 'Voor ik begreep wie je was... herkende ik je. Voelde ik je.'

Op de een of andere manier verbaast dat me niet. Toen ik daar met Tamra bij mijn kluisje stond, zag ik iets in zijn gezicht, in zijn ogen.

Hij tilt weer een hand op en deze keer vind ik het goed dat hij mijn gezicht aanraakt. Mijn huid vlijt zich tegen zijn handpalm aan. Ik beweeg mijn mond en proef de zoute, muskusachtige smaak van zijn huid.

Zijn stem stookt het vuur in mij nog verder op.

'Ik weet nog precies hoe het was. Je was als brandend vuur in die grot, met allemaal glinsterende, dansende kleuren.' Ik leun verder over het kookeiland heen, betoverd door zijn woorden en de hand op mijn gezicht. Als hij zo blijft doorpraten, zal hij me dadelijk weer zo zien. 'Zeg dat je ook aan mij hebt gedacht. Dat je nog steeds aan me denkt.'

Mijn lippen bewegen, maar ik kan geen woord uitbrengen.

Hij laat zijn hand vallen en opeens voel ik me koud en eenzaam. Zoals ik me al zo lang voel. Al voordat ik in Chaparral kwam. Eigenlijk al vanaf mijn elfde, toen ik manifesteerde en mezelf kwijtraakte. Toen ik voor iedereen die ik kende 'de vuurspuwer' werd. Voor mijn ouders. Voor mijn zus. Voor Cassian. Dat was hoe ze mij vooral zagen. En daar deed ik zelf waarschijnlijk net zo hard aan mee. Ik zag mezelf ook alleen maar als de laatste vuurspuwer.

Maar nu, hier met Will, weet ik dat ik meer ben dan dat. Wie ik ben, wordt niet alleen bepaald door de regels van de kolonie, van mijn soort en mijn familie. Ik ben iemand die kan worden bemind om wie ze is, of dat nu een draki is of niet.

'Ik heb aan je gedacht,' fluister ik. Mijn stem klinkt vreemd. Het is de stem van iemand anders. Iemand die dapper is en op het punt staat om alles op het spel te zetten en haar hart te volgen. 'Ik kon niet ophouden met aan je te denken.' En ik vraag me af of ik dat ooit zal kunnen. Ik kom achter het kookeiland vandaan.

Dan legt hij zijn handen weer om mijn gezicht. Ik voel zijn lippen op mijn mond. Heel zacht strijkt hij ermee langs mijn lippen, heel teder, maar vol verlangen. Het voelt als een onweersbui die zich opbouwt in de lucht. Mijn adem komt beverig naar buiten en hij kust me dieper, houdt mijn gezicht steviger vast. Even durf ik de aanwakkerende storm te vergeten. Als hij met zijn handen mijn hoofd scheef houdt, grijp ik de ronding van zijn biceps en geniet van de druk van zijn lichaam tegen het mijne.

Zijn lippen beginnen koud aan te voelen, als ijs en ik besef opeens dat dat niet aan hem ligt. Ik ben het zelf, ik word steeds heter. Te heet. Ik ruk me los en hap naar adem. Ik ga weer achter het kookeiland staan en pak de harde rand van het aanrecht met beide handen beet. De storm komt tot bedaren. Hij weet nog steeds niet wat mijn speciale talent is en het lijkt me beter dat hij daar niet op deze manier achter komt.

Zijn borst gaat op en neer van zijn moeizame ademhaling. Hij spreekt mijn naam met zo veel verlangen uit dat ik mijn ogen sluit. Als ik ze opendoe, ziet hij er weer wat rustiger uit, beheerster. Hij steekt zijn hand naar me uit, en ik heb niet meer de neiging om ervandoor te gaan.

Zijn ogen beloven dat ik veilig ben. Ik leg mijn hand in de zijne en hij neemt me mee terug naar de woonkamer.

'Begin maar te vertellen,' spoort hij me aan. Zijn ogen fonkelen belangstellend. 'Ik wil alles over je weten.'

Hij weet het al, het grootste geheim wel tenminste. En ik weet wel dat ik eigenlijk zo veel mogelijk voor mezelf zou moeten houden – vanwege mijn kolonie en mijn soort – maar ik kan het niet. Nu niet meer.

Niet als het om hem gaat. Niet met deze jongen, die me al zo vaak heeft beschermd. In de bergen. In zijn huis. Iedere dag op school. Als hij van plan was om me kwaad te doen, dan had hij dat allang gedaan. Als hij me pijn wilde doen, dan zou hij niet zo naar me kijken als hij nu doet. Dit is echt. Nu wil ik dat er niets meer tussen ons kan komen. Het is tijd voor de waarheid.

'Mijn moeder en Tamra… die zijn anders dan ik. Geen… draki's.'

Hij kijkt me vragend aan en pakt mijn andere hand. Dan vertel ik hem alles, over de kolonie, hoe we leven, manifesteren en demanifesteren. Hoe onze evolutie ons een geweldige bescherming heeft verschaft – de mogelijkheid om een menselijke gedaante aan te nemen. 'Maar weet je, het is onmogelijk om in je mensengedaante te blijven als je bang bent, of bedreigd wordt. Ons verdedigingsmechanisme zorgt ervoor dat we dan terugkeren naar onze ware vorm, waarin we sterker zijn en onze talenten kunnen gebruiken. Daarom begon ik te manifesteren in de meisjes-wc's toen Brooklyn en haar groepje me aanvielen.'

We zijn even stil. Dan vraagt Will: 'Je had het over talenten. Wat is jouw talent?'

Ik kijk van hem weg. 'Ik denk dat je dat al wel hebt gemerkt.'

Dit gedeelte vind ik moeilijk. Natuurlijk, hij weet al dat ik een draki ben, maar dit is nog iets heel anders. Ik ben niet zomaar een draki. Ik ben een soort freak onder de draki's.

Ik haal diep adem en kijk hem aan. 'Ik ben een vuurspuwer.'

Hij ziet er verward uit en ik zou de rimpel uit zijn voorhoofd willen wegstrijken.

'Dat bestaat niet. Niet meer,' zegt hij. 'Er zijn geen meldingen van vuurspuwende...'

'Tja, ik heb geloof ik toevallig een paar recessieve eigenschappen getroffen die in mijn genen samenkwamen.'

Hij kan er niet om lachen. Zijn hand strijkt heel licht over mijn gezicht, raakt me nauwelijks. Langzaam zie ik dat het hem begint te dagen. 'In het trappenhuis... je huid voelde zo heet aan. En je lippen... nu ook...'

Mijn gezicht brandt, ook al vullen zijn woorden me met een bittere kou. Ik knik. 'Yep. Ik eh... word nogal heet als je me zoent.'

'Maar... wat betekent dat? Dat ik vlam kan vatten als we zoenen of zoiets?' Hij spert zijn ogen verder open. 'Daarom verdween je steeds. Daarom rende je weg toen we die nacht zoenden.'

Ik vertel hem maar niet dat ik daarom élke keer maakte dat ik wegkwam, niet alleen die nacht.

Hij raakt mijn lippen voorzichtig aan, alsof hij zich herinnert hoe heet mijn lippen net nog waren. Ik lach. Het klinkt ongelukkig. Ik schaam me dood.

'Ik kan mensen alleen maar echt verwonden als ik vuur spuw of stoom laat ontsnappen,' leg ik uit. Tenminste, dat denk ik.

Terwijl ik praat, laat hij zijn vingers over mijn arm glijden en ik voel me enorm opgelucht dat hij me nog durft aan te raken nu ik hem heb verteld wat ik ben. Hij draait mijn hand om en volgt de lijnen in mijn handpalm. 'En?' Hij kijkt me aan door zijn oogharen. 'Wat moet ik nog meer over je weten?'

'Mijn huid…' Ik stop om te slikken.

Hij buigt zich voorover en drukt zijn lippen op mijn pols in een vederlichte zoen. 'Wat is er met je huid?'

'Je weet wel. Je hebt het gezien,' zeg ik hees. 'Hij verandert. De kleur wordt…'

'Vuur.' Zijn blik glijdt omhoog vanaf mijn pols en hij zegt het woord dat hij lang geleden ook zei, in de koude mist, in elkaar gedoken op een richel boven een fluisterend meer: 'Schitterend.'

'Dat zei je toen ook, in de bergen.'

'Ik meende het. Nog steeds trouwens.'

Ik lach onzeker. 'Betekent dat dat je niet meer boos op me bent?'

'Ik zou heel boos zijn als ik kon.' Hij fronst zijn voorhoofd. 'Dat zou ik moeten zijn.' Hij schuift naar me toe op de bank. We zakken dieper weg in de slappe kussens. 'Dit is onmogelijk.'

'Wat?' Ik pak de kraag van zijn shirt in mijn hand. Zijn gezicht is zo dichtbij dat ik de veranderende kleuren in zijn ogen kan zien.

Een hele tijd zegt hij niets. Hij kijkt me alleen aan met die blik waardoor ik me heel klein voel. Heel even lijkt het of zijn irissen opgloeien en de pupillen samentrekken tot spleetjes. Dan mompelt hij: 'Een jager die verliefd wordt op zijn prooi.'

Mijn borst knijpt zich samen. Ik hap naar adem. Dat is best geweldig, wil ik zeggen, maar ik durf het niet. Ondanks zijn bekentenis.

Is hij verliefd op me?

Ik bekijk hem en vraag me af of hij het echt meent. Maar waarom zou hij het anders zeggen? Waarom zou hij hier anders bij mij zitten en zich afkeren van zijn familietraditie?

Hij kijkt me aan met die wanhopig hunkerende blik, waardoor ik moet denken aan die momenten in zijn auto, toen hij de snee in mijn handpalm verzorgde en met zijn hand over mijn dij wreef. Ik voel een knoop in mijn maag.

Ik kijk om me heen en het valt me op hoe alleen we hier zijn. Meer dan toen in dat trappenhuis. Zelfs nog meer dan de eerste keer in die grot. Ik lik over mijn lippen. We zijn helemaal alleen, zonder schoolbel die ons kan storen. En zonder geheimen die tussen ons in staan. Er zijn geen barrières meer. Helemaal niets dat ons kan laten stoppen.

Ik houd mijn adem in tot ik zijn lippen op de mijne voel. Nog nooit heb ik me zo kwetsbaar gevoeld en zo dicht bij een andere ziel. We zoenen tot we allebei buiten adem en verhit zijn, en we liggen tegen elkaar aan te kronkelen op de bank. Hij strijkt met zijn handen over mijn blote rug, onder mijn shirt, en volgt de bobbeltjes van mijn ruggengraat. Mijn rug tintelt en mijn vleugels trillen net onder de oppervlakte. Ik adem de koele lucht van zijn lippen en haal die diep in mijn vurige longen.

Ik vind het niet eens erg als hij stopt en naar mijn huid kijkt, die van kleur verandert, of als hij mijn gezicht, dat heen en weer flitst, aanraakt. Hij zoent me terwijl mijn gezicht verandert – mijn wangen, mijn neus, mijn ooghoeken. Hij fluistert mijn naam als een mantra na iedere liefkozing. Zijn lippen glijden over mijn nek en ik kreun, ik buig me naar hem toe, voel niets anders meer dan hem. Nu met hem… ben ik dichter bij de hemel dan ik ooit geweest ben.

We maken tosti's voor de lunch, een voor mij en twee voor Will. We hebben geen ketchup, maar ik vind nog een pot augurken in de voorraadkast.

'Zoiets lekkers heb ik nog nooit gegeten.' Hij stopt even om wat te drinken en kijkt me aan over de rand van zijn glas met sap.

'Dat komt door de kaas.'

'Dat komt door de kok.'

Ik moet lachen en kijk van hem weg.

We luisteren naar muziek. Praten. Zoenen tot mijn huid een rood-gouden glans heeft en heet aanvoelt door het vuur in mijn binnenste. Hij stopt om naar me te kijken. Buigt zijn gezicht naar mijn hals om mijn huid te ruiken. Alsof hij zo een hapje uit me wil nemen. Hij wrijft met zijn handen over mijn armen... en dat stookt mijn vuur nog verder op.

'Gaat het ook zo bij andere vuurspuwers?' vraagt hij met een knipoog, terwijl hij mijn hand in zijn brede handpalm houdt. 'Of is het helemaal te danken aan mij en mijn magische krachten?'

Ik schud mijn hoofd. 'Ik zou het niet weten. Ik ben de enige in mijn kolonie.'

Zijn blik schiet naar mijn gezicht, serieus nu. 'Echt waar?'

Ik knik. 'Daarom zijn we weggegaan uit de kolonie. Volgens mam is het daar niet meer veilig voor mij.'

Zijn hand klemt zich vaster om de mijne. 'Wilden ze je pijn doen?'

Ik huiver als ik denk aan de plannen die ze hadden om mijn vleugels af te knippen. Ik leg mijn andere hand over de zijne en maak zijn vingers los. 'Nee. Niet zoals jij denkt. Ze wilden alleen mijn hele leven voor me uitstippelen.' Ik denk aan Cassian en huiver weer. 'Ze zagen mij als hun bezit.'

Hij fronst. 'Hoe bedoel je?'

'Nou, je informatie klopt eigenlijk wel. Iedereen dacht dat de vuur-spuwers waren uitgestorven, verdwenen. En toen kwam ik. Ik ben de eerste vuurspuwer in mijn kolonie sinds generaties.' Ik haal mijn schou-ders op om mijn woorden wat lichter te maken. 'En nu willen ze er meer. Meer zoals ik. Je snapt het wel.'

Ik vertel opzettelijk niets over het vleugelknippen. Misschien omdat ik niet wil dat hij ons ziet als barbaarse schepsels. Gezien zijn familie zou ik me daar niet echt zorgen over moeten maken, maar dat doe ik toch. Ik schaam me ervoor dat mijn broeders me zo wreed wilden behandelen.

Hij staart me een tijdlang aan, met een harde, doordringende blik, en denkt na. Dan snapt hij het. Hij begrijpt hoe mijn kolonie van plan was meer vuurspuwers zoals ik te krijgen. Zijn bruine ogen veranderen naar diepgroen. Hij vloekt. 'Dus jouw kolonie verwacht dat je...'

'Nou, niet de hele kolonie,' zeg ik snel. Ik kan me niet voorstellen dat Nidia er ook zo over denkt. Waarschijnlijk is dat de reden dat ze ons liet ontsnappen die nacht. Az en mijn andere vrienden zouden er ook niet achter staan als ik op die manier gebruikt werd. 'Onze alfa heeft zijn zoon, Cassian, voor mij bestemd...' Ik krimp in elkaar als ik zijn uitdrukking zie. Zacht laat ik mijn vingers over zijn hand glijden. 'Het geeft niet.' Ik leun naar hem toe en kus de zijkant van zijn mond. 'Nu ben ik hier. Bij jou. Ze zullen me hier niet vinden.' Nou ja, behalve Cassian dan. Hij heeft me al gevonden. Maar dat regel ik later wel. Ik heb nog een paar weken voor hij terugkomt.

Will draait zijn hand om en vlecht zijn vingers door de mijne. 'Je moet beloven dat je niet weggaat.'

Ik hou mijn adem in en kijk in zijn ogen. Nu is het moment gekomen om een beslissing te nemen, besef ik. De vraag is niet of ik terug zal gaan naar mijn kolonie. Dat is al beslist. Ik kan daar nooit meer naartoe. Maar ik moet voor eens en altijd besluiten of ik in Chaparral wil blijven en het idee om een andere kolonie te vinden zal opgeven.

Will kan me helpen als ik weg wil gaan. Ik denk dat hij dat zal doen als ik het hem vraag, als ik hem ervan weet te overtuigen dat ik moet vertrekken. Als ik hem uitleg dat Cassian binnenkort terugkomt om me op te halen. Zo veel geeft hij wel om me, ook al wil hij niet dat ik wegga.

Hij knijpt in mijn hand. 'Beloof het.'

'Ik beloof het,' fluister ik. Ook al zou ik dat niet moeten doen. Ook al zal een deel van mij zich hier nooit veilig voelen, omdat ik dat ook niet ben.

In elk geval hoef ik niet meer weg te gaan om mijn draki levend te houden. Zolang Will in de buurt is, zal mijn draki nooit verdwijnen. En samen kunnen we mijn ware identiteit verborgen houden voor de buitenwereld. Samen kunnen we alles, daar ben ik van overtuigd. En op deze manier krijgen mam en Tamra het leven dat ze willen. Een win-winsituatie voor iedereen.

Ergens in de verte hoor ik een geluid. Een kefferig, zielig ka-kaa-kaa. Het is weer die vogel. Of anders net zo'n vogel als in die nacht dat het regende. Dat beest dat te stom was om ergens een schuilplaats te zoeken.

'Wat is dat?' vraag ik.

Even kijkt Will me vragend aan, maar dan hoort hij het ook. 'De woestijnkwartel. Apart geluid, hè? Ze komen naar de stad als het erg heet wordt. Op zoek naar voedsel en water, of een partner.'

Om de een of andere reden huiver ik weer.

'Heb je het koud?' Hij wrijft mijn armen warm.

Sinds ik hier woon, heb ik het nog niet één keer koud gehad. Dit was wat anders. 'Nee, maar je mag best je armen om me heen slaan.'

Die middag komt Catherine na schooltijd bij me langs.

'En, mis je me?' vraagt ze op haar gebruikelijke spottende toontje. Ze gooit haar rugzak op de vloer en ploft naast me op mijn bed alsof ze hier

kind aan huis is. 'Ik voel me heel bijzonder, alleen al omdat ik je ken.
Iedereen vraagt me steeds of je Brooklyn echt in de fik hebt gestoken.'

Ik trek een wenkbrauw op. 'In de fik?'

Catherine propt een kussen achter haar hoofd. 'Nou ja, de eigenlijke
gebeurtenis is ietwat opgeblazen geraakt.' Ze krult haar lippen. 'Het zou
kunnen dat ik daar iets mee te maken heb.'

'Ha, mooi. Dank je.'

'Geheel tot uw dienst.'

'Dus eh… ik heb het eigenlijk helemaal verknald op school.' Voor
het eerst kan het me wat schelen. Als ik hier moet blijven en er wat van
moet maken, kan het geen kwaad om een paar vrienden te hebben. Om
geen buitenbeentje te zijn. Vooral omdat dat ook belangrijk schijnt te
zijn voor Tamra's positie op school.

'Ben je gek? Je bent een held!' Ze grijnst. 'Volgens mij maak je kans
om in de herfst de nieuwe *homecoming queen* te worden.'

Ik schiet in de lach, maar dan dringen haar woorden tot me door. In
de herfst. Ben ik hier dan nog? Met Will? Het klinkt haast te mooi om
waar te zijn.

'Dus,' begint Catherine, en ze pulkt aan een loszittend stukje behang
naast mijn bed. 'Rutledge was vandaag afwezig.'

'O ja?' vraag ik nonchalant.

'Jaaa.' Ze rekt het woord uit en haar blauwgroene ogen kijken veelbetekenend in de mijne. 'En zijn neven waren er wel, dus hij is niet met
hen op stap. Ik vraag me af…' Ze houdt haar hoofd schuin, zodat haar
warrige pony laag over haar voorhoofd hangt, 'waar hij de hele dag gezeten heeft.'

Ik haal mijn schouders op en pruts wat aan de punt van mijn potlood.

Ze gaat verder: 'Ik weet wel waar Xander denkt dat hij was.'

Mijn blik gaat terug naar haar gezicht. 'Heeft Xander met je gepraat?'

'Ja, ik weet het. Het lijkt of er werkelijk een eind komt aan mijn leven als outcast.'

'En waar dacht hij dan dat Will was?'

'Bij jou, uiteraard.'

'Bij mij?' Ik lik over mijn lippen. 'Heeft-ie dat gezegd?'

'Nou ja, wel zo'n beetje. Hij zette me klem in het studielokaal en wilde dat ik het zou bevestigen.'

Ik slik. Er is niets aan te doen. Xander is nog steeds bang dat ik te veel weet en dat gaat niet veranderen doordat Will nu iets met me heeft.

'Waarom heeft die gast het altijd op jou voorzien?' vraag Catherine.

'Geen idee.' Ik haal een schouder op.

'Nou, ik krijg de kriebels van hem. Hij doet me denken aan een man met wie mijn moeder een tijdje wat had, Chad. Die had net zo'n bezeten blik in zijn ogen. We moesten op het laatst een straatverbod voor hem aanvragen.'

'Zover zal het heus niet komen.'

Catherine schudt wijs haar hoofd, alsof ze veel ouder is dan haar leeftijd. 'Dat kun je niet weten, Jacinda. Je kunt iemand nooit helemaal kennen. Niet echt.'

'Da's waar,' mompel ik en ik wou dat ze ongelijk had... Ik wou dat ik de wereld en alle mensen daarin kon zien zoals ze werkelijk zijn. Zonder leugens, zonder pretenties, zonder maskers. Maar ja, ik zou niet lang in leven blijven als ik mijn eigen masker moest afzetten.

Later die avond zingt mijn huid nog steeds van de warmte. Ik zie dat er nog een vage gloed overheen ligt na mijn dag met Will.

Ik heb het huis voor mezelf. Catherine is blijven eten, maar ze is vertrokken voordat mam naar haar werk ging, en Tamra heeft een studiegroepje. Ik lig op mijn bed *To Kill a Mockingbird* te lezen. Ik vind het een leuk boek, maar het laatste half uur heb ik geen bladzijde meer omgeslagen. Mijn concentratie is weg.

Het gekrabbel aan mijn raam begint heel zachtjes. Het duurt even voor het tot me doordringt. Eerst denk ik dat het een tak is of zo. Die heen en weer zwiept door een niet-bestaand briesje?

Er loopt een rilling over mijn rug. Ik sta op en staar naar het raam tussen mijn bed en dat van Tamra. In het schijnsel van de lamp zie ik een vage schaduw achter de jaloezieën. Meteen verbeeld ik me dat het Xander is, die de waarheid te weten is gekomen en me nu komt halen. Niet omdat Will het hem heeft verteld, natuurlijk, maar omdat hij zelf heeft uitgepuzzeld wat er aan de hand is.

Dan denk ik aan de kolonie. Cassian. Severin.

Ik adem diep in en vul mijn longen. Kom op, ik ga hier niet lijdzaam zitten afwachten. 'Wie is daar?' vraag ik.

De geluiden bij mijn raam worden luider, alsof iemand probeert de hor los te krijgen. Ik hoor een bons en dan een harde ruk. De hor is verdwenen.

'Wie is daar?' herhaal ik. De rook komt omhoog in mijn mond, vult mijn wangen en ontsnapt in een wolk via mijn lippen. Mijn rug tintelt. Mijn vleugels bewegen onder mijn huid, als wezens die een uitweg zoeken.

Het raam schuift open. De jaloezieën rammelen luid en golven door de beweging. Mijn huid golft ook. De hitte rolt eroverheen. Ik doe mijn lippen van elkaar, klaar om vuur te spuwen.

De jaloezieën gaan omhoog en Wills gezicht verschijnt. Hij kijkt me aan met zijn heldere ogen. 'Hoi,' zegt hij hijgend.

'Will!' Ik haast me naar hem toe om de jaloezieën vast te houden, zodat hij naar binnen kan klimmen. 'Wat ben jij nou aan het doen? Je hebt me zowat een hartaanval bezorgd.'

'Ik zag je zus vertrekken, maar ik dacht dat ik beter niet kon aankloppen. Is je moeder thuis?'

'Ze is naar haar werk.'

Hij grijnst en stapt naar binnen. Meteen slaat hij zijn armen om me heen. 'Dan heb ik je dus helemaal voor mezelf.'

Ik moet lachen en omhels hem. Het is geweldig dat hij mij net zo hard mist als ik hem, ook al hebben we elkaar vandaag nog gezien. Ik voel me veel sterker als hij er is, en de wereld lijkt minder beangstigend en overweldigend.

We gaan op de vloer zitten en leunen tegen het bed. Met onze handen in elkaar gestrengeld praten we. Hij vertelt meer over zijn familie. Over zijn neven. En de rest van de familie, zijn ooms en zijn andere neven en nichten. Maar ik maak me vooral zorgen om Xander.

'Xander haat me,' merkt Will op.

'Waarom?'

Will blijft even stil en ik voel de spanning in zijn lichaam. 'Omdat mijn vader en mijn ooms mij beter vinden.'

'Hoezo?'

Hij zucht en het klinkt gekweld. 'Ik wil er liever niet over praten…'

'Vertel het nou maar,' dring ik aan, vastbesloten om erachter te komen hoe het zit met Xander.

'Ik ben beter in bepaalde dingen.'

'Wat voor dingen?' vraag ik, ook al zegt een klein stemmetje in mijn hoofd dat ik beter kan stoppen, dat ik hem niet verder moet uithoren. Dat ik het eigenlijk niet wil weten.

'Ik ben een betere jager, Jacinda.'

Mijn hand verstijft in de zijne. Ik kijk naar onze handen, naar mijn hand die zo vol vertrouwen in de zijne genesteld ligt, en ik voel me een beetje misselijk. Ik probeer hem weg te trekken. Het is gewoon te veel. Hoe moet ik hiermee omgaan?

Hij klemt zijn hand om de mijne. 'Ik wil eerlijk tegen je zijn, Jacinda. Ik ben de beste spoorzoeker van de familie. Het is alsof ik een speciaal zintuig heb voor jouw soort... ik kan het niet uitleggen. Het is een bepaald gevoel dat ik krijg als ik vlak bij ze ben...'

Ik knik. Nu begrijp ik waarom hij zo reageerde, die eerste dag in de hal: alsof hij me voelde voordat hij me zag. 'Het geeft niet,' mompel ik en dat meen ik ook. Als hij zich om deze reden tot mij aangetrokken voelt, kan ik het hem niet kwalijk nemen. Niet nu ik hem zo hard nodig heb om mijn draki levend te houden. Hij is als zuurstof voor mijn longen. 'Dus daarom ben je onmisbaar voor je familie.'

'Precies.' Hij knikt en zijn honingbruine haar valt over zijn voorhoofd. 'Maar het voelde nooit goed. Ik heb nooit geloofd dat draken, eh... draki's, gevaarlijke monsters waren die gedood moesten worden. Dat is wat mijn vader me wil laten denken. En sinds ik jou in de bergen heb gezien, heb ik ze niet meer naar andere draki's geleid. Dat kan ik niet. Dat doe ik niet.'

Ik glimlach en vraag me af of ik om deze reden hiernaartoe ben gekomen. Voor Will. Voor mezelf. En voor mijn soortgenoten.

Ten slotte komen we uit bij de vraag waarvan ik hoopte dat hij hem nooit zou stellen. Iets waar ik nog niet al te veel over durf na te denken, omdat ik het vooruitzicht verschrikkelijk vind.

'En hoe zit het met je sterfelijkheid?' Hij laat zijn hoofd tegen het bed aan vallen terwijl hij me aankijkt. 'Is het waar?' Hij vraagt het zo rustig.

Zo makkelijk. Zo natuurlijk. Op deze manier gaat het altijd met hem. Alsof hij me geen essentiële vraag stelt. 'Heb je het eeuwige leven?'

'We zijn niet onsterfelijk.' Ik probeer een lachje te verbergen, maar het lukt niet. 'We leven niet eeuwig.'

Hij is even stil. Blijft me rustig aankijken, maar met een wakkere blik in zijn ogen. Want hij weet het. Ook al zijn we niet onsterfelijk, we zijn ook niet gewoon sterfelijk. 'Hoe oud kun je worden?'

Ik bevochtig mijn lippen. 'Dat is natuurlijk voor iedereen anders...'

'Hoe oud?'

'Nidia, de oudste draki in onze kolonie, is driehonderdzevenentachtig.' Een fractie van een seconde kijkt hij verbluft. Dan is het weg. De neutrale blik is weer terug. Ik voeg er snel aan toe. 'Dat is oud, ook naar onze maatstaven. Normaal gesproken worden we tweehonderd... driehonderd is het gemiddelde.'

'Het gemiddelde,' herhaalt hij.

Ik ratel door, alsof ik op die manier kan voorkomen dat hij erover nadenkt... alsof we niet genoeg andere hindernissen te overwinnen hebben. 'Wij denken dat Nidia uit pure wilskracht in leven blijft. Ze heeft een hele speciale betekenis voor onze kolonie. We hebben haar nodig en daarom blijft ze bij ons.' Ik lach flauwtjes, maar ik maak me zorgen omdat hij zo stil is.

'Dus wanneer begin je er ouder uit te zien?'

Ik haal met een ongemakkelijk gevoel mijn schouders op. 'Nou ja, we zien er eigenlijk nooit echt oud uit.' Niet naar menselijke maatstaven tenminste.

'Hoe oud ziet die Nidia eruit?'

Ik bijt op mijn lip en lieg: 'Vijfenvijftig... Zestig misschien.'

Dat is niet helemaal waar. Ze ziet er eigenlijk uit alsof ze halverwege de veertig is. En ik heb nog nooit een draki gezien die er zo oud uitzag. We worden gewoon niet op dezelfde manier oud als mensen. De enige reden dat mams gezicht begint te tekenen, is omdat ze haar draki al zo lang heeft weggedrukt.

'Dus als ik een grijze zestiger ben, hoe zie jij er dan uit?'

'Jonger,' antwoord ik met dichtgeknepen keel. Het is pijnlijk om er-bij stil te staan. Niet omdat hij er dan ouder of minder knap uit zal zien. Maar omdat ik er niks aan zal kunnen doen. Ik zal alleen maar kunnen toekijken hoe hij aftakelt, zwakker wordt en uiteindelijk sterft.

'Zullen we het ergens anders over hebben?' Ik trek mijn hand los uit de zijne om mijn vingers door mijn onhandelbare bos haar te halen en ik hoop dat hij niet merkt dat ik daarbij ook even langs mijn ogen wrijf.

Op dat moment hoor ik de voordeur open- en weer dichtgaan.

Paniekerig springen we overeind. Will is net uit het raam geklommen als Tamra binnenkomt.

Ik zit op mijn bed en probeer er ontspannen uit te zien en niet naar het raam te kijken waardoor hij verdwenen is. Intussen probeer ik niet te denken aan onze laatste woorden en de uitdrukking op zijn gezicht... de kou in mijn hart omdat ik weet dat hij veel eerder zal sterven dan ik.

Tot nu toe heb ik er nooit aan willen denken, nooit stilgestaan bij de toekomst. Maar nu ik weet dat hij van me houdt, dat ik hier nooit zal weggaan, dat ik voorgoed bij hem wil blijven, kan ik er niet mee ophou-den. De angst nestelt zich diep in mij.

Voorgoed duurt niet zo lang voor hem.

27

Het ruikt naar koffie en bacon als ik wakker word. Ik ruik nog eens. Nee, worstjes. Beslist worstjes. En gebakken eieren.

Ik werp een blik op Tamra's lege bed tegenover me en kijk dan op de klok. Kwart over acht. De geuren kringelen om me heen. Ik veeg de slaap uit mijn ogen en hijs me op mijn ellebogen. Zou mam zijn vergeten de koffie uit te zetten? Dat verklaart nog niet waarom ik eten ruik. Mijn maag rommelt.

'Nou, dat beantwoordt mijn vraag wel.' Ik schrik van de diepe stem, schiet overeind en grijp mijn kussen, alsof ik dat als wapen kan gebruiken.

Will staat in de deuropening. Hij neemt een slokje uit een aluminium reisbeker. De aanblik van zijn grijze T-shirt dat om zijn schouders en borst spant, beneemt me de adem.

'Welke vraag?' weet ik uit te brengen.

'Of je 's morgens net zo mooi bent als de rest van de dag.'

'Ah,' zeg ik versuft en ik duw een haarlok over mijn schouder. Ik weet zeker dat ik er niet op mijn best uitzie nu ik net uit mijn bed kom rollen.

Niet dat ik normaal gesproken nou zo verschrikkelijk veel moeite doe voor mijn uiterlijk, maar toch… wie ziet er nou goed uit als hij net uit bed stapt? 'Je bent er weer,' mompel ik.

'Blijkbaar.'

'Kon je het niet laten om te komen?'

'Blijkbaar.'

En dat vind ik prima. Geweldig zelfs.

'Ik heb een ontbijtje voor je gemaakt,' zegt hij.

'Kun jij koken dan?' Ik ben onder de indruk.

Hij grijnst. 'Ik woon in een mannenhuishouding, weet je nog? Mijn moeder is overleden toen ik heel jong was. Ik kan me haar nauwelijks herinneren. Dus ik moest wel leren koken.'

'Ah,' mompel ik en ik ga rechtop zitten. 'Wacht even. Hoe kom je hier binnen?'

'Door de voordeur.' Hij neemt nog een slokje uit zijn beker en kijkt me bestraffend aan. 'Je moeder moet echt leren om de deur op slot te doen als ze weggaat.'

Ik trek een wenkbrauw op. 'Zou dat je tegengehouden hebben?'

Er verschijnt een klein lachje op zijn gezicht. 'Je begint me al aardig te kennen.'

En dat is ook zo. Ik begrijp dat gevoel van anders-willen-zijn-dan-je-familie-verwacht heel goed. Ik begrijp wat het is om ze voortdurend teleur te stellen. Daarin zijn we hetzelfde.

Zijn glimlach verdwijnt. 'Maar er zijn andere gevaren…'

'Die je wel kunt tegenhouden met een slot op de deur, bedoel je?'

Meteen heb ik er spijt van dat ik hem daaraan herinner. Er trekt een schaduw over zijn gezicht en zijn ogen worden donkerder en groen.

'Hé,' zeg ik terwijl ik uit bed stap. Ik wil hem laten vergeten dat er duistere krachten zijn die mij kwaad kunnen doen… die ons uit elkaar kunnen drijven. Dat hij met een paar daarvan in één huis woont, waarschijnlijk met de allerergste. De kolonie wil me tenslotte niet dood hebben. Zelfs de enkro's vormen geen direct gevaar. Dat zijn voor mij vage figuren, onbekende engerds die pas een bedreiging worden als de jagers me te pakken krijgen en aan hen overdragen.

'Denk er maar niet aan,' zeg ik en ik sla mijn armen om zijn middel.

Hij omhelst me zo stevig dat de lucht uit mijn longen wordt geperst. 'Ik wil niet dat je gewond raakt. Nooit.'

Er is iets in zijn stem, in de manier waarop hij me vasthoudt – een pure, intense emotie die me doet huiveren en mijn maag doet samentrekken.

Ik vraag me af of hij soms meer weet, iets wat hij me nog niet verteld heeft.

Maar wat kan er verder nog zijn?

Ik druk mijn ongeruste gevoel weg en begraaf mijn gezicht tegen zijn warme borst. Het koele, zachte katoen van zijn shirt voelt prettig aan tegen mijn huid. 'Misschien moet je me dan iets minder stevig vasthouden, want je bent me aan het pletten,' zeg ik plagerig.

Hij pakt mijn hand en trekt me mee naar de keuken. 'Kom, dan gaan we eten. Ik ben uitgehongerd.'

Zijn stem klinkt weer normaal. Diep en fluweelachtig. Wat ik er ook in dacht te horen, het is verdwenen. Misschien heb ik het me maar verbeeld.

'Will is de laatste tijd niet meer op school geweest.'

Ik kijk op van mijn boek bij die terloopse opmerking van mijn zus. Tamra zit naast haar bed huiswerk te maken. Ze kijkt me aandachtig aan, haar pen hangt boven het papier.

'O nee?' vraag ik en stiekem ben ik blij dat mijn stem zo rustig klinkt en dat ik niet meteen hap. 'Misschien is hij weer de stad uit.'

'Nee, zijn neven zijn er wel.' Ze weet dus duidelijk van hun visexpedities, al heeft ze geen idee wat hun prooi in werkelijkheid is.

Ik haal mijn schouders op en kijk weer in mijn boek. Even later hoor ik haar pen weer over het papier gaan en laat ik langzaam mijn adem ontsnappen... ik hoop dat ik ben geslaagd voor de test. Gelukkig heeft Mrs. Hennessey niets gezegd over Wills bezoekjes, en volgens mij gaat ze dat ook niet doen. Op de een of andere manier hebben we een verbond gesloten.

'Hoor jij nog wel eens wat van hem?'

Blijkbaar was ze nog niet klaar. En nu wordt het moeilijk. Ik heb het altijd al heel lastig gevonden om tegen mijn zus te liegen, maar als ik haar de waarheid vertel, leidt dat weer naar andere waarheden die ze niet wil horen... en die ik niet wil vertellen.

'Neuh.'

'Hm. Dus hij blijkt uiteindelijk toch niet de prins op het witte paard te zijn, hè?' Ze kijkt me recht aan. Ik onderdruk de neiging om Will te verdedigen. Hij is alles wat ik kan wensen. Mijn prins op het witte paard en nog veel meer. 'Gaat het wel?' vraagt ze.

'Ja hoor. Ik geloofde toch al nooit zo erg in prinsen.'

'Je meent het.' Ze haalt haar schouders op en ik moet weer aan Cassian denken. Hij was haar prins, misschien nog steeds wel. 'Maar je hebt ook geen ervaring met kikkers, daarom vraag ik het.'

Ik kreun even. In de hoop haar gedachten op een ander spoor te zetten, vraag ik: 'En hoe gaat het met Ben?'

'Goed. Denk ik.'

Wat betekent dat Tamra niets in hem ziet. Tenslotte is hij Cassian niet. Ze kan nog zo vastbesloten zijn om verder te gaan met haar leven, Cassian zit nog steeds in haar hoofd. Meer dan ze beseft, volgens mij. Wat echt jammer is. Als ze een vriendje had, zou ze zich geen zorgen meer maken over mij, en over mijn neiging om het hier allemaal te verpesten voor haar. Dat wil zeggen: nog meer dan ik al gedaan heb. Met een vriendje kan ze zich normaal voelen, zoals ze zo graag wil.

Misschien moet ik haar toch vertellen over Will en uitleggen dat ik hier nu wel wil blijven vanwege hem. Dat ik hem leuk vind... meer dan leuk zelfs. En dat ik dankzij hem ook hier kán blijven. Ik zucht. Dat zou nogal een gesprek worden. Durf ik dat wel aan? Ze zal er trouwens toch achter komen, want morgenavond komt hij me halen voor een date.

'Er is nu iemand anders die ik leuk vind,' vertelt ze voor ik iets kan zeggen.

Ik kijk op. 'Echt waar? Heb je je prins gevonden?'

'Hmmm, misschien.' Ze knikt, maar gaat er verder niet op in en ik dring niet aan. Tamra vertelt me toch niet meer dan ze kwijt wil. Wat dat betreft lijken we wel op elkaar. We wonen al zo lang samen in één huis zonder dat we elkaar vertellen wat we werkelijk voelen, omdat we weten dat de ander dat niet wil horen. Het punt is dat we elkaar wel zo goed kennen dat het moeilijk is om iets verborgen te houden.

Ik kijk haar een poosje aan en doe mijn mond al open om daar nu eens verandering in te brengen. Maar er komen geen woorden. Sommige gewoontes zijn moeilijk af te leren. Ik kan haar nog niet over Will vertellen. Op dit moment is het een geheimpje dat ik in mijn hart koester. Een prachtige vlinder die ik heb weten te vangen en die ik voorzichtig in het kommetje van mijn hand hou.

Ze zal er snel genoeg achter komen. Tot die tijd hou ik mijn dierbare vlinder vlak bij me en probeer ik hem niet te beschadigen.

De volgende dag komt Will niet opdagen zoals anders.

Wat niet zo verwonderlijk is, want hij heeft gezegd dat hij vandaag naar school zou gaan. Ik heb net zo lang gezeurd tot hij dat beloofde. Ik wil niet dat hij door mij in de problemen komt of blijft zitten en ik wil zeker niet de aandacht van zijn familie op mezelf vestigen.

Maar aangezien hij dat al eerder heeft beloofd en dan toch kwam opdagen, ben ik teleurgesteld als de dag verstrijkt zonder een glimp van hem op te vangen. Ook al hebben we vanavond een date, de uren duren eindeloos zonder hem.

Ik ga een poosje bij Mrs. Hennessey langs. We kijken samen tv tot het tijd is voor haar middagdutje. Dan ga ik terug naar huis en installeer me op mijn bed om wat huiswerk te maken. Ik blader even door mijn scheikundeboek en begin dan met meetkunde, kwadratische vergelijkingen. Dat heb ik twee jaar geleden al gehad, dus ik ga op m'n gemak door de opgaven heen, als ik opeens iets hoor.

Een zachte klik.

De vloer die kraakt.

Ik krijg kippenvel en huiver van opwinding. *Will.* Ik laat mijn pen zakken en ga rechtop zitten. Intussen kam ik haastig met mijn vingers door mijn haar.

'Hoi! Mam?' Ik weet zeker dat het mam niet is, maar vraag het toch maar. Je weet maar nooit.

Geen reactie. Stilte.

'Mrs. Hennessey?'

Ik sta op van mijn bed, loop naar de deur en kijk de woonkamer in. De voordeur staat open. Het licht stroomt naar binnen en er dansen kleine stofdeeltjes in de bundels zonnestralen. Daarachter ligt het zwembad zo helderblauw te schitteren dat het zeer doet aan mijn ogen.

'Will?' probeer ik voorzichtig. Mijn stem klinkt hoopvol.

Ik loop de kamer binnen en werp een snelle blik de lege keuken in. Voor het geval hij daar iets lekkers aan het maken is. Niets. Ik kijk door de voordeur naar buiten en zie daar ook niets.

Teleurgesteld klem ik mijn lippen op elkaar. Geen Will dus.

Langzaam doe ik de deur dicht en controleer nu wel of die goed gesloten is. Mijn huid golft en bruist van de energie. Het soort energie dat ik voel als ik bij Will ben. Maar Will zou antwoord geven.

Met mijn blik op de deur wrijf ik over mijn armen, waar ondanks de warmte kippenvel op staat. Voor alle zekerheid doe ik de deur op slot. De stilte is drukkend. Het is veel te stil.

Mijn huid wordt warmer, onaangenaam heet. Misschien moet ik een duik in het zwembad nemen. Ik pak de zoom van mijn shirt en draai me om om mijn bikini te pakken. En ik gil.

28

Geschrokken kap ik mijn gil af voordat ik Mrs. Hennessey wakker maak en ze hiernaartoe komt rennen.

'Ha, Jacinda.'

De angst slaat me om het hart als ik die stem hoor. Ik wist dat dit moment zou aanbreken, maar ik ben er nog niet klaar voor. Hij heeft me tenslotte vijf weken beloofd. Ik slik moeizaam, want ik weet dat het nu veel moeilijker gaat worden om hem over te halen te vertrekken.

Mijn longen smeulen. Mijn luchtpijp verwijdt zich, zwelt op van de hitte en ik ben helemaal klaar om mezelf te verdedigen. Het vuur binnen in me wordt nog heviger als ik denk aan de plannen om mijn vleugels af te knippen, die op me wachten… en dat hij me wil meenemen om dat te ondergaan. 'Ga weg,' zeg ik hees.

Zijn ogen gaan wijd open en de pupillen versmallen tot verticale spleetjes. 'Je moeder heeft het je verteld,' constateert hij.

'Inderdaad,' snauw ik. 'Ze heeft het me verteld.'

'Maar zij weet niet alles. Ze kent mij niet… en weet niet wat ik voel. Ik zou je nooit dwingen om iets te doen wat je niet wilt en ik zou echt nooit toestaan dat iemand je pijn doet.'

Ik word alleen maar kwader door zijn woorden. Het zijn leugens, allemaal. Mijn hand schiet uit om die serieuze blik van zijn gezicht te meppen. Net zo'n serieuze blik als die eerste keer dat hij me midden in mijn gezicht stond voor te liegen.

Hij vangt mijn hand op en klemt mijn pols stevig vast. 'Jacinda...'

'Ik geloof je niet meer. Je hebt me je woord gegeven. Vijf weken...'

'Vijf weken was te lang. Ik kon je niet zo lang achterlaten zonder te kijken of je in orde was.'

'Je bent een leugenaar,' hou ik vol.

De uitdrukking op zijn gezicht verandert en ik zie nu de emotie erdoorheen schemeren. Hij weet dat ik het niet alleen over die vijf weken heb. Hij schudt zijn hoofd en klinkt haast schuldig als hij toegeeft: 'Oké, ik heb je niet alles verteld, maar dat verandert niets aan wat ik heb gezegd. Ik zal je nooit pijn doen. Ik probeer je juist te beschermen.'

'Probeer,' herhaal ik.

Hij klemt zijn kaken op elkaar. 'Dat kan ik. Ik kan ze tegenhouden.'

Ik trek mijn hand los en hij laat me gaan. Terwijl ik over mijn pols wrijf, kijk ik hem aan. 'Mijn leven is nu hier.' Mijn vingers strekken zich uit tot klauwen. Ik sta nog steeds klaar om met hem te vechten. 'Als je me dwingt om mee te gaan, vergeef ik het je nooit.'

Hij ademt diep in en zijn brede borstkas komt omhoog. 'Tja. Dat wil ik niet.'

'Dus je vertrekt weer? En laat me met rust?' Mijn hoop flakkert op.

Hij schudt zijn hoofd. 'Dat heb ik niet gezegd.'

'Nee, dat zal wel weer niet,' snauw ik. 'Wat bedoelde je dan?' De paniek golft door me heen bij de gedachte dat hij hier blijft en alles te weten komt over Will en zijn familie. 'Er is voor jou geen enkele reden om hier te blijven.'

Zijn ogen flitsen. 'Jij bent de reden. Ik kan je meer tijd geven. Het bestaat niet dat je je hier prettig voelt. Je bedenkt je nog wel.'

'Echt niet.'

Zijn stem dondert: 'Ik kan je hier niet achterlaten! Weet je hoe vreselijk het was zonder jou? Jij bent anders dan al die anderen.' Zijn hand slaat woest door de lucht. Ik staar hem met wijdopen ogen aan. 'Jij bent niet zo'n goed afgerichte puppy die braaf doet wat haar gezegd wordt. Jij hebt vuur.' Hij lacht treurig. 'En dat bedoel ik niet letterlijk, al klopt dat ook. Het is iets in jou, Jacinda. Jij bent de enige die echt is. De enige die mijn interesse kan wekken.' Hij kijkt me aan met een intense blik en ik krijg geen adem. Hij ziet eruit alsof hij ieder moment zijn armen om me heen kan slaan om me te omhelzen.

Vlug stap ik naar achteren. Ongelooflijk genoeg ziet hij er gekwetst uit. Hij laat zijn enorme handen langs zijn zij vallen en zegt rustig en onbewogen: 'Ik zal je meer ruimte geven, en tijd. Tot je zelf ook begrijpt dat dit,' hij gebaart door de kamer, 'niks voor jou is. Jij hebt nevels nodig, en bergen en lucht. Je moet vliegen. Hoe kun je hier blijven als je dat allemaal moet missen? Hoe kun je hier ooit overleven? Als het nu nog niet tot je is doorgedrongen, komt dat nog wel.'

Ik denk aan Will, die voor mij de nevels, de lucht, álles is geworden. Ik ben hier niet aan het overleven, ik ben aan het liefhebben. Maar dat mag Cassian nooit te weten komen.

'Het leven hier is heel wat aantrekkelijker dan het leven dat thuis op me wacht. Die vleugelknipperij, die je zo tactisch vergeet te noemen…'

'Dat gaat níét gebeuren, Jacinda.' Hij doet een stap naar me toe en laat zijn hoofd zakken, om me recht in mijn ogen te kunnen kijken. 'Dat beloof ik. Als je met mij mee naar huis gaat, zal niemand je iets aandoen.

Ik zou nog eerder doodgaan.'

Zijn woorden blazen als een kille wind door me heen. 'Maar je vader...'

'Mijn vader zal niet eeuwig onze alfa zijn. Op een dag krijg ik de leiding. Dat weet iedereen. De kolonie zal echt wel naar me luisteren. En ik beloof dat je veilig zult zijn.'

Kan ik hem vertrouwen? Na alles wat hij heeft gezegd? Als ik dat doe en ik heb het mis, is de prijs veel te hoog. Mijn leven. 'En je bent bereid te wachten tot ik erin toestem om met je mee te gaan?' Dat wil ik wel even duidelijk hebben. 'Zul je me op geen enkele manier dwingen? En jezelf aan niemand laten zien, wat er ook gebeurt?'

'Ik zal wachten,' belooft hij. 'Zo lang als je nodig hebt.'

Hij zal wachten. Maar hij zal me wel in de gaten houden. Altijd in de buurt zijn en naar me kijken. Ook zonder dat ik het weet.

Het is toch grappig hoe de dingen kunnen veranderen. In het begin was ik ervan overtuigd dat ik hier niet kon blijven, en nu wil ik niet meer weg. Vooral vanwege Will, maar ook omdat ik mam en Tamra wil geven waar ze naar verlangen. Een kans. Het kan niet altijd alleen maar om mij draaien. Als ik sterk genoeg ben, en slim genoeg, zal mijn draki het overleven. En natuurlijk kan Will daarbij helpen. Af en toe een zoen. Een glimlach. Zijn hand die me aanraakt, en mijn draki komt tot leven. Die ik niet meer voor hem verborgen hoef te houden.

Ik kan het wel volhouden tot ik van school af ben. Voor mam en Tamra. Zodra ik mijn diploma heb gehaald, kan ik met Will meegaan als hij met zijn familie breekt. Dat duurt nog maar twee jaar. De details zullen we later wel bedenken. Zoals het hoe en het waarheen. Voor het eerst sinds ik hier ben, voel ik de hoop opbloeien. En dat laat ik Cassian echt niet verpesten.

'Dan kun je eeuwig blijven wachten,' verzeker ik hem. 'Want ik zal niet van gedachten veranderen.'

Cassian krult zijn mond in een geheimzinnig lachje, alsof hij iets weet wat ik niet weet. Hij is achttien, maar op dit moment lijkt hij veel ouder. 'Alles verandert voortdurend. Mensen veranderen, draki's veranderen. Ik neem het risico.'

Ik schud mijn hoofd. 'Echt niet, je zult het zien. Ik verander niet van gedachten.'

En dan zal hij me uiteindelijk met rust laten, want hij kan niet eeuwig blijven wachten, wat hij verder ook beweert. Hij moet leiding geven aan de kolonie. Hij blijft hier echt geen twee jaar rondhangen, hoe interessant hij mij ook vindt.

'We zullen zien.'

Ik kijk naar het lichtgevende klokje van de tv. 'Je kunt beter vertrekken voordat mijn moeder thuiskomt.'

'Oké.' Hij loopt naar de deur. 'Tot ziens, Jacinda.'

Ik beantwoord zijn groet niet. Ik heb geen zin om nu ineens te doen alsof we elkaar aardig vinden. We zijn geen vrienden, zelfs niet een beetje. En dat zullen we ook nooit zijn.

Om vijf uur steekt mam haar hoofd om de hoek van de slaapkamerdeur. 'Wat wil jij vanavond eten, Jacinda?'

Ze heeft haar dienst geruild met een collega, zodat ze voor de verandering een keer thuis is op vrijdagavond. Ik voel me schuldig. Ze heeft er zo veel moeite voor gedaan en nu zit ze straks in haar eentje.

Tamra heeft ook al plannen, wat niet echt verrassend is. Ik heb hen allebei nog niet verteld dat ik een date met Will heb. Op dit moment, terwijl ze me aankijkt, denkt mam nog dat ze een gezellig avondje met een van haar meiden zal hebben.

Tamra is allerlei kleren aan het passen. Het enige wat ze wil vertellen is dat ze uitgaat met een stel vrienden. En ik vraag er verder maar niet naar. Waarschijnlijk ken ik die vrienden toch niet. Met het oog op de recente ontwikkelingen durf ik wel aan te nemen dat het geen cheerleaders zijn.

Ik zie een kanten bloes die ze heeft afgekeurd en op het bed heeft gegooid, die me perfect lijkt voor mijn date met Will.

Ik haal diep adem en beken dan: 'Eh…. eigenlijk ga ik ook uit vanavond.'

Tamra draait zich snel om.

'Echt?' vraagt mam. Ze slaat haar armen over elkaar en stapt de slaap-kamer in. 'Met wie?' Haar stem klinkt hoopvol, dat het eindelijk wat be-ter zal gaan met haar moeilijke dochter. Dat die zich thuis begint te voe-len en vrienden maakt.

'Met Will.' Voor de zekerheid noem ik het geen date, want dan gaat ze zich alleen maar weer zorgen maken.

'Will?' bemoeit Tamra zich ermee. 'Vind je dat niet een beetje… on-verstandig?'

Mam trekt haar wenkbrauwen samen alsof ze diep nadenkt. 'Dat die meisjes je lastigvielen bij de wc's, dat was om hem, toch?' Tamra heeft dus duidelijk met mam gepraat. 'De jongen door wie je gaat…'

Manifesteren. Alsof het een vies woord is dat ze niet meer wil uit-spreken.

'Ik heb het nu wel onder controle als hij erbij is,' lieg ik. Dat lijkt me beter dan te vertellen dat dat niet meer nodig is.

Mams blik wordt strenger. 'Ik vind het niet goed dat je met hem uit-gaat,' zegt ze vlug. Haar stem klinkt vlak.

'Nee, ik ook niet,' stemt Tamra in, alsof zij iets over me te vertellen heeft.

'Daar heb jij niks over te zeggen,' snauw ik.

Tamra is woest en dat zal wel komen omdat ik tegen haar gelogen heb over Will. Misschien had ik het haar beter toen kunnen vertellen, in plaats van het nog langer geheim te houden. 'Die jongen heeft ons al-leen nog maar problemen bezorgd…'

Ik prik met mijn vinger in de lucht. 'Ik wil hier alleen maar blijven vanwege hem! Anders was ik allang weggelopen! Jullie kunnen hem beter dankbaar zijn.' Natuurlijk is dat niet helemaal waar. Mam en Tamra tellen ook heus wel mee, maar ik ben te kwaad om dat toe te geven.

Mam verstijft en knippert met haar ogen. Haar gezicht wordt bleek.

'Jacinda.' Ze zegt mijn naam met een zucht, alsof ik iets vreselijks heb gezegd. En iets nog vreselijkers heb gedaan.

'Wat nou? Denk je echt dat ik nog niet op het idee gekomen was om weg te lopen?' vraag ik. 'Ik was doodongelukkig tot ik iets met Will kreeg! En zonder hem zou ik het hier geen dag langer uithouden!'

Tamra kreunt vol afkeer en draait zich weer naar de kast.

Mam blijft stil. Ze ziet er bleek en angstig uit. Ik zie haar denken, verwerken wat er is gezegd. Ik staar haar aan en probeer mijn hoopvolle gevoel op haar over te brengen. Ik wil haar laten begrijpen dat alles beter is, dat alles goed komt zolang ik Will maar heb.

Droevig schudt ze haar hoofd. 'Het is te gevaarlijk om met hem op te trekken.'

Ze moest eens weten.

'Geweldig,' zeg ik gespannen en ik gooi mijn handen in de lucht. 'Laat mij maar in een glazen bol leven. Misschien kun je me wel thuisonderwijs gaan geven! Denk je ook niet dat elke jongen die ik leuk vind… aantrekkelijk zeg maar, zal zorgen dat mijn draki begint te leven?' Eerlijk gezegd denk ik niet dat dat zo is, maar ik zeg het toch. Het is alleen Will. Er is iets aan hem dat mij raakt, diep van binnen. Geen enkele andere jongen kan zo veel in mij losmaken.

Mam schudt haar hoofd. 'Jacinda…'

'Of zal ik voor alle zekerheid alleen nog uitgaan met jongens die ik walgelijk vind?'

'Natuurlijk niet,' zegt ze snel. 'Maar misschien moet je pas op date gaan als je draki…'

'Dóód is?' maak ik haar zin bijtend af. 'Ja, dat zou je wel willen, hè?' Ik wapper met mijn handen in de lucht. 'Dat is de grote gebeurtenis waar je op wacht. De dag dat je mij een mens kunt noemen.'

Het doet zo zeer. Als een wond die maar niet wil genezen, die steeds weer opengaat en opnieuw begint te bloeden. De wetenschap dat ik niet ben wat zij wil, dat ik iemand moet worden die ik niet wil zijn om haar goedkeuring te krijgen…

De tranen branden in mijn ogen, zo onrechtvaardig vind ik het. Ik adem diep in. 'Is het ooit bij je opgekomen dat mijn draki misschien wel nooit doodgaat? Dat het geen deel van mij is dat je gewoon kunt laten afsterven, maar dat ik het zélf ben? Voor altijd? Dat het alles is wat ik ben? Wie ik ben?' Ik leg mijn handen op mijn hart. 'Ik weet dat je denkt dat mijn draki hier uiteindelijk zal wegkwijnen, maar ik ben een vuur-spuwer, weet je nog? En dat maakt mij anders dan alles wat bekend is over onze soort.'

Met een vermoeid gebaar schudt ze haar hoofd. Ze ziet er oud uit, en een beetje bang. 'Ik vind het niet goed dat je met hem uitgaat.'

Ik knijp mijn handen zo hard in elkaar dat het zeer doet. 'Dat kun je niet doen…'

'Wat niet? Je moeder zijn?' snauwt ze, haar amberkleurige ogen op-eens weer alert. 'Dat houdt nooit op, Jacinda. Wen er maar aan.'

Natuurlijk weet ik dat ze gelijk heeft. Ze houdt van me en zal altijd doen wat volgens haar het beste is om mij te beschermen. Zelfs als ze mij daarmee ongelukkig maakt. Ze zal altijd doen wat ze moet doen.

En ik ook. Ik sla mijn armen over elkaar en knijp mijn lippen op el-kaar tot een grimmige streep.

Twee minuten voor ik met Will heb afgesproken, glip ik door het raam en schuif het stilletjes achter me dicht.

Mam is in de keuken om drinken en een hapje klaar te maken voor bij de film die ik met haar zou gaan kijken. De boterachtige geur van popcorn hangt in de lucht en het getik van de poffende maïs in de pan overstemt alle geluiden die ik maak.

Een half uur geleden is Tamra vertrokken, nog steeds boos. Ze heeft me niet eens welterusten gewenst.

Ik ren om het zwembad heen en zie Mrs. Hennessey uit het raam kijken, met op de achtergrond het flakkerende blauwe schijnsel van haar tv. Ik zwaai en hoop maar dat ik niet te veel lijk op een gevangene die aan het ontsnappen is. Door de haast komt mijn adem puffend over mijn lippen.

Will staat al langs de stoep geparkeerd en stapt juist uit zijn Land Rover. Zijn gezicht ontspant als hij me ziet en hij glimlacht ongedwongen. 'Hoi. Ik wilde net binnenkomen…'

'O, dat hoeft niet. Laten we maar gaan.' Ik doe het portier aan de passagierskant open voordat hij erbij kan en wip naar binnen. Buiten adem.

Langzaam stapt hij weer in en hij werpt een nieuwsgierige blik op me. Ik trommel ongeduldig met mijn handen op mijn dijen.

'Weet je zeker dat het goed is? Ik was van plan om me aan je moeder voor te stellen…'

'Dat is nu even een slecht plan.' Ik werp een blik op ons huis. Nog geen teken van mam, gelukkig. 'Laten we maar gaan.'

Hij knikt langzaam, een beetje aarzelend. 'Oké.'

Het is wel duidelijk dat hij niet gelukkig is met de situatie – hij was van plan om zich als een keurig vriendje te gedragen, met alles wat daarbij hoort. En ik zou willen dat het mogelijk was. Maar op dit moment staat mijn moeder daar niet voor open. Nog niet.

'Ik heb je gemist,' zeg ik in de hoop dat hij daarvan opvrolijkt. 'De dag duurde eindeloos.'

Hij lacht. 'Ik heb jou ook gemist. Ik had best weer kunnen spijbelen, maar jij wilde...'

'Oké, oké, ik weet het.' Ik schud mijn hoofd. 'Ik wil gewoon niet meer dat je dat voor mij doet.'

'Dat zal niet meer nodig zijn, want maandag ben jij weer op school.'

Hij start de auto en rijdt weg. Ik slaak een zucht van verlichting. Eindelijk begint onze date.

Als gehypnotiseerd staar ik naar de koplampen van het verkeer dat ons tegemoet komt in het donker. Er hangt een drukkende stilte in de auto. Mijn gedachten dwalen van mam naar iemand anders, iemand die hoogstwaarschijnlijk in de buurt is. Niet al te dichtbij, hoop ik.

Ik blijf tegen mezelf zeggen dat hij woord zal houden. Dat hij op de achtergrond zal blijven, ook al ziet hij me met een andere jongen. Maar ik ben er niet helemaal zeker van.

Ik kijk achterom naar de auto die vlak achter ons rijdt, maar ik kan niet onderscheiden wie er achter het stuur zit. Of het Cassian is. Even later haalt hij ons in en ik zucht.

'Op de een of andere manier krijg ik het gevoel dat ik je aan het ontvoeren ben of zo. Verschijnen er straks zwaailichten in mijn achteruitkijkspiegel?'

'Ik ben toch vrijwillig met je meegegaan?' Met een gedwongen grijns zeg ik plagerig: 'Je wordt vast niet gearresteerd.'

'Dat is een hele opluchting, dat dat 'vast niet' zal gebeuren.' Hij lacht gespannen. 'Maar ik ben wel al achttien, dus je weet maar nooit.'

'Ben je achttien? Hoe kun je dan bij mij in de klas zitten?'

Er glijdt een ongemakkelijke uitdrukking over zijn gezicht. 'Een paar jaar geleden heb ik een tijdlang niet naar school gekund. Anderhalf jaar om precies te zijn, omdat ik ziek was.'

'Ziek?' herhaal ik. Ik word opeens weer onaangenaam herinnerd aan zijn sterfelijkheid. Dat besef zal altijd als een donkere wolk tussen ons in blijven hangen. Xander heeft wel een keer gezegd dat Will ziek is geweest, maar ik wist niet dat het zo ernstig was.

'Wat? Ik bedoel, wat voor…'

Hij haalt zijn schouders op alsof het niets voorstelde, maar hij durft me niet aan te kijken. Zijn blik blijft strak op de weg gericht. 'Leukemie. Maar ik ben weer beter. Helemaal genezen.'

'Was het… ernstig?'

'Ongeveer een jaar lang wel. De prognose was niet…' Hij stopt opeens, alsof hij al te veel gezegd heeft, en weer krijg ik dat gevoel. Het gevoel dat hij iets niet vertelt. Dat hij iets voor me achterhoudt. Een spiertje beweegt op zijn kaak. 'Je hoeft je geen zorgen te maken. Ik ben weer helemaal perfect, toch?' Hij knipoogt. 'Zie ik er niet gezond uit?'

Dat doet hij inderdaad. Als een gezonde, jonge man. Maar ja, soms zijn de dingen anders dan ze lijken, dat weet ik beter dan wie ook.

'Die dokters kunnen tegenwoordig een heleboel.' Hij staart weer ingespannen naar de weg en ik weet zeker dat er iets is wat hij me niet vertelt. Iets wat hij me misschien wel nooit zal vertellen. Maar waarom zou hij iets voor me verbergen, nu we alles van elkaar weten? Dat is toch nergens meer voor nodig?

Ik knik, maar diep van binnen voel ik me koud. Het is geen prettig idee dat hij iets voor me verbergt. Haast net zo onprettig als het idee dat hij had kunnen sterven en dat we elkaar dan nooit ontmoet zouden hebben. Dat ik in die grot was gestorven als zijn familie me daar had gevonden.

En dan is er ook nog het besef dat hij nog steeds dood kan gaan. Dat hij dood zál gaan. Niet nu natuurlijk, maar op een dag wel. Lang voordat ik zal overlijden. Ik voel een dof bonzen bij mijn slapen en duw mijn vingertoppen ertegenaan.

Maar dit is onze eerste echte date. Die wil ik niet verpesten en daarom verander ik van onderwerp. 'Dus. Waar gaan we heen?'

'Hou je van Grieks eten? Het is een stukje rijden, maar dat is het wel waard. Heerlijke hummus. Ten slotte moet onze eerste date wel een beetje bijzonder zijn.' Hij grijnst en werpt een blik op me. 'Het is eindelijk zover, hè?'

Ik lach, maar het is een beverig lachje. Ik moet mijn best doen om het vast te houden. Om net te doen alsof alles in orde is. Alsof Cassian niet in de buurt is om me in de gaten te houden… en alsof, verder weg, de kolonie niet op me wacht.

Koplampen schijnen fel in de achteruitkijkspiegel. Ik draai me om en tuur tegen het licht in. Een auto rijdt vlak achter ons, en deze keer is het niet iemand die ons wil inhalen.

Mijn hart bonst in mijn oren. Ik kan er niets aan doen, maar ik moet aan Cassian denken. Of erger nog, aan de kolonie. Severin. Ik kan me niet voorstellen dat Cassian zo opvallend zou doen. Hij heeft me al gesproken. Misschien volgt hij me wel en houdt hij me van een afstandje in de gaten, maar dat zou hij niet zo openlijk doen. Dat heeft hij beloofd.

Ik wring mijn handen in elkaar en kijk even naar Will. Hij pakt mijn hand uit mijn schoot en vlecht zijn vingers door de mijne. Geeft me een kneepje. Door zijn aanraking voel ik me sterk en veilig.

Vreemd dat ik me zo veilig voel bij een draki-jager. Maar het is gewoon zo. Ik kan het niet ontkennen. Dat probeer ik niet eens meer. En ik kan ook niet ontkennen dat ik de hoop en het vertrouwen heb dat ik hier kan blijven. Voorgoed. Hier, in de woestijn. Samen met hem kan ik hier overleven.

De auto achter ons begint te toeteren. Mijn huid trekt zich heftig samen.

'Zijn ze ons aan het volgen?' vraag ik. 'Ze rijden zowat in onze achterbak.' Ik hoop dat ik overdreven reageer, dat ik alleen maar achterdochtig ben door Cassians bezoekje van vanmiddag.

Will knijpt zijn lippen op elkaar. 'Yep.'

'Wie zijn dat dan? Wat willen ze?'

'Het is Xander.'

Mijn hart bevriest, ondanks de hitte in mijn longen. 'Ah.' Dan had ik nog liever Cassian gehad. Van hem weet ik tenminste wat ik kan verwachten.

Hij werpt me een blik toe. 'We hoeven niet te stoppen. Hij gaat vanzelf wel weer weg. Ik wil niet hebben dat je nog bij hem in de buurt komt. Dat is veel te gevaarlijk.'

'Nee.' Ik schud mijn hoofd. 'Volgens mij kunnen we beter even stoppen. Waarom niet? Hij wordt alleen maar achterdochtig als je er zo'n punt van maakt om mij bij hem uit de buurt te houden...'

'Maar dit is onze date...'

'Kom op, dan hebben we het maar gehad. En daarna zijn we met z'n tweetjes.' Ik wapper met mijn hand. 'Als hij dat nou wil...'

Will lacht grimmig. Het geluid vult de auto. Het klinkt onprettig.

'Wat is er zo leuk?'

'Je snapt er niks van, hè?'

Ik staar naar hem, naar zijn sterke profiel. 'Nee, dat zal wel niet dan. Leg het me maar uit.'

Hij blijft rijden en kijkt strak voor zich. Uiteindelijk gromt hij: 'Hij wil jóú.'

Ik schrik. 'Mij?' Zijn woorden komen hard aan. 'Waarom?'

'Nou, om te beginnen denkt hij dat er iets met je aan de hand is. Hij heeft nog steeds het idee dat je te veel weet. Dat ik je alles verteld heb. En verder is er die rivaliteit tussen ons.' Hij klemt zijn lange vingers om het stuur. 'We schelen maar drie maanden in leeftijd.'

Dat wist ik niet.

Will gaat verder. 'Hij is blijven zitten omdat hij jaagt zo veel hij kan. Hij is zo bezeten dat hij ook in zijn eentje op jacht gaat, zelfs zonder Angus.'

Ik trek mijn wenkbrauw op.

'Het is gestoord, ik weet het. Maar hij is al zo sinds...' Hij stopt.

'Sinds?'

'Sinds ik zo goed ben geworden in spoorzoeken en belangrijk werd voor de familie. Belangrijker dan Xander.'

Ik verstijf bij het idee dat hij een spoorzoeker is, de beste van zijn familie. Hoeveel draki's zijn er al vermoord of gevangengenomen dankzij hem? Toch voel ik ook met hem mee. Want ik weet wat het is om gebruikt te worden, om alleen maar gewaardeerd te worden om wat je kunt... en niet om wie je bent, wie je wilt zijn.

'Al vanaf onze geboorte moeten we tegen elkaar opboksen. Dat is de manier waarop onze vaders ons hebben opgevoed, en hoe zij op hun beurt zijn opgevoed.' Hij knikt. 'Het zal wel een manier zijn om ons sterker te maken, die stamt uit de tijd dat draki's jagen gevaarlijker was en we nog niet zo veel technische hulpmiddelen hadden. In die tijd keerde lang niet iedereen die op jacht ging terug.'

Dat weet ik. Ik weet dat de draki's nog nooit zo kwetsbaar zijn geweest als de laatste tijd. De jagers zijn steeds slimmer en gevaarlijker geworden, terwijl ons aantal terugloopt. Tegenwoordig hebben ze nettenwerpers en terreinvoertuigen en communicatiemiddelen die het makkelijker maken om ons in te sluiten en te vangen. Tegelijkertijd verliezen de draki's de drakeneigenschappen die hen generaties lang hebben beschermd. Behalve ik dan.

Nu zijn Will en zijn mensen in het voordeel...

Ik huiver. Het is vreselijk om zo te denken. Alsof we in twee verschillende kampen zitten. Hij tegen mij. Een deel van me vreest dat het altijd zo zal zijn.

'Xander heeft een pesthekel aan me.' Hij haalt zijn schouders op alsof dat vanzelfsprekend is.

Ik vind het moeilijk te begrijpen. Ondanks alles wat mam mij heeft aangedaan en ondanks de spanning tussen Tamra en mij, zou mijn familie me nooit met opzet pijn doen. Daarvoor zijn we te zeer met elkaar verbonden.

Will kijkt me aan terwijl hij zijn voet van het gas haalt. 'Weet je zeker dat je wilt stoppen? Hij zal je van me afpakken zo gauw hij de kans krijgt, al is het alleen maar om mij dwars te zitten.'

Ik sla mijn armen over elkaar en til mijn kin op. 'Hij kan me niet zomaar afpakken. Ik ben toch geen stuk speelgoed waar twee jongetjes ruzie om maken? Stop nou maar.'

Toch krijg ik een onaangenaam gevoel, dat zich in mijn buik nestelt en daar als een slang op de loer blijft liggen. Want nu weet ik hoe het komt dat ik altijd de kriebels krijg als Xander in de buurt is. Eerst was het niet meer dan een vaag gevoel, maar nu we vaart minderen slaat de schrik me om het hart. Als Xander er ooit achter komt wat ik ben, zal hij alles op alles zetten om mij te vernietigen, niet alleen vanwege mij, maar ook om Will pijn te doen. Dat besef groeit langzaam in mijn binnenste.

We rijden een parkeerplaats bij een wegrestaurant op. Er hangt een walm van vette bacon. Will gaat achteraan op het parkeerterrein staan, ver van de paar auto's die vlak bij de ingang staan, en laat de motor draaien.

Een grote 4WD komt naast ons staan. De ramen glijden naar beneden en ik kijk langs Will heen. Voorin zitten Xander en Angus, met een gemaakte grijns op hun gezicht. Ze doen leuk en aardig, maar de rillingen lopen over mijn lijf van die twee.

'Hé, we zijn nog bij je langsgereden,' roept Xander. 'Maar je pa zei dat je vanavond op pad was.'

'Ja.' Will knijpt in mijn hand. 'Ik heb plannen.'

'Dat zie ik,' knikt Xander en hij richt zijn blik op mij. 'We zijn op weg naar Big Rock. Zin om mee te gaan?'

'Nee, we wilden wat anders gaan doen.'

Angus trekt zijn vlezige lippen in een krul. 'Ah, je zit al lekker onder de plak, zie ik.'

Wat heb ik de pest aan die gast.

'Hou je kop,' snauwt Will en hij steekt zijn hand al uit naar de versnellingspook om weg te rijden. Maar ik zie iets bewegen achter Wills neven. Er verschijnt een hand vanaf de achterbank, die de hoofdsteun van Xanders stoel beetpakt.

'Wacht... stop,' fluister ik.

Dan verschijnt het gezicht van Tamra, die op de achterbank zit.

'Tamra?' roep ik. Ik zit nu zo ongeveer op Wills schoot.

Heeft ze wat met Xander? Is hij de jongen over wie ze het had? Geen wonder dat ze niet wilde dat ik vanavond uit zou gaan met Will. Ze wist natuurlijk ook wel dat we elkaar dan zouden kunnen tegenkomen. Ik voel een knoop in mijn maag. Als ik niet geschorst was, had ik dit kunnen tegenhouden – of als ik had doorgevraagd naar waar zij mee bezig was. Als ik meer aandacht had gehad voor mijn zus. Ik had haar de waarheid moeten vertellen, dan had ze zelf het gevaar wel onderkend. Mijn vingers klemmen zich om Wills hand.

Tamra grijnst uitdagend naar me. Ze geniet hiervan omdat ze weet dat ik het niet leuk vind dat ze met Wills neven optrekt. 'Hé, Jacinda. Zo te zien is het je toch nog gelukt om weg te komen vanavond.'

Ik kijk Will aan en hoop dat hij de boodschap die ik wil overbrengen begrijpt: ik kan Tamra niet met hen alleen laten.

'Zeker weten?' fluistert hij vlak bij mijn oor.

Ik knik en mime het woord 'ja'.

Hij zucht begrijpend en wendt zich weer tot zijn neven. 'Oké,' roept hij verbeten. 'Wij komen ook.'

Xander lacht zelfvoldaan en ik besef dat dit geen toeval was. Hij weet precies wat hij doet. Hij gebruikt mijn zus als lokaas. Om de een of andere reden wil hij dat Will en ik naar Big Rock komen.

30

Op het moment dat we bij de voet van Big Rock parkeren, verschijnen er nog meer voertuigen.

Lichamen stappen uit de auto's. Als schaduwen in de rook. Portieren slaan dicht. Als we op weg gaan naar boven kijk ik om me heen of ik Tamra zie, in de hoop dat ik haar even apart kan nemen om haar alles te vertellen. Alles wat nodig is om haar zover te krijgen dat ze hier weggaat met Will en mij.

Een paar mensen hebben kampeerlampen bij zich, die de weg verlichten terwijl we Big Rock beklimmen. Dan zie ik haar vlammend rode haar. Zelfs in het donker lijkt het licht te geven. Ze mijdt mijn blik en blijft midden in de groep lopen zonder ook maar één keer mijn kant op te kijken.

'Hé, gaat het wel?' vraagt Will vlak bij mijn oor.

'Waar zijn we in vredesnaam terechtgekomen?' mompel ik terug.

'Gewoon een plek waar mensen naartoe gaan om te feesten.'

Ik schud mijn hoofd en probeer iets te onderscheiden in de dichte duisternis voorbij het licht van de lantaarns. 'Maar wat doet zij hier?'

'Ze wil gewoon een beetje lol hebben, net als alle anderen.'

Ja, doen wat iedereen doet en normaal zijn, denk ik. Alleen had ze geen slechter gezelschap kunnen uitkiezen.

En weer vraag ik me af wat ze deze week allemaal heeft uitgespookt. Ging ze huiswerk maken met Xander, die avonden dat ze weg was? Ik word misselijk bij de gedachte dat zij in zijn huis was, waar ongetwijfeld net zo'n kamer is als in het huis van Will.

Ik kijk om me heen naar de anderen die samen met ons naar boven klimmen en herken een paar oudere neven van Will. Ik ken lang niet iedereen. Hun gezichten zijn hard en hun ogen staan mat en doods in het donker. Zo duister en emotieloos als de peilloze ruimte. Als we boven zijn, knikt Will groetend naar een aantal mensen, zonder iets te zeggen, en hij houdt me vlak bij zich, haast achter zich.

Mijn huid beweegt, mijn spieren staan strak gespannen en mijn rug tintelt en jeukt, klaar voor de vlucht. Voor de ontsnapping.

Wills blik schiet heen en weer. Hij is niet op zijn gemak en houdt alles in de gaten... als een roofdier.

Ik trek mijn hand los en kijk hem aan. Mijn hart vertraagt in mijn samengeknepen borst terwijl ik zijn gezicht afspeur. 'Is dit een...' Ik kijk weer om me heen en zie dat er ook mannen van een jaar of twintig of dertig rondlopen. Xander, die een arm om Tamra heen heeft geslagen, begroet hen uitbundig en slaat ze op hun rug. Ik ga zachter praten en leun naar Will toe. 'Is dit een soort bijeenkomst van jagers?'

Zijn blik is helder en verontschuldigend. Hij geeft één knikje, en ik weet al genoeg.

Het zijn allemaal wolven en ik ben recht hun hol in gelopen.

We verspreiden ons over de top van Big Rock. De bovenkant van de heuvel is vlak en torent aan één kant boven Chaparral uit. Ik kijk over de stad, die midden in de woestijn ligt. Je hebt hier een prachtig uitzicht.

Er gaat een uur voorbij, maar het lijkt wel een eeuwigheid. Dit zou een date moeten zijn, in een restaurant ergens daar beneden in die vrolijk verlichte stad. In plaats daarvan zit ik hier bij een groep die voor het grootste deel uit jagers bestaat. De kampeerlampen zijn in een kring gezet en in het midden staat een geluidsinstallatie, waar muziek uit dreunt.

Ik ben blij dat het donker is, zodat niemand kan zien hoe mijn huid schittert en flitst. Mijn lichaam waarschuwt me dat ik moet vluchten. Als ik kon, zou ik dat ook doen… maar niet zonder Tamra.

'We kunnen hier weg wanneer je maar wilt,' zegt Will naast me. Hij houdt mijn arm vast en wrijft met zijn duim over mijn huid. Hij moet wel merken hoe die steeds verandert.

Ik kijkt naar Tamra's haar, dat om haar heen golft terwijl ze naar de biertap loopt. Ik vraag me af hoe ze die naar boven hebben gesjouwd. 'Eén minuutje, oké?'

Vastbesloten loop ik weg van Will, naar haar toe. Ik pak haar arm en trek haar weg uit de rumoerige groep, naar buiten de lichtcirkel.

Xander wil achter ons aan komen, maar Will houdt hem tegen. Ze blijven met z'n tweeën in de buurt staan en voeren een verhit gesprek. Ik trek haar nog verder de schaduw in.

Tamra heeft een leeg plastic bekertje in haar hand. Ik kijk van het bekertje naar haar. 'Je vindt bier niet eens lekker.'

In het donker kan ik haar glimlach nog net zien. Haar ogen schitteren. 'Ik pas me gewoon aan. Iemand moet het doen.'

Ik negeer de steek onder water en schud mijn hoofd. 'Maar zo ben je niet.'

'Kijk een beetje uit wat je doet, Jacinda,' waarschuwt ze me spottend. 'Je begint te gloeien. Maar ja, je kunt altijd tegen je vriendje zeggen dat het bodyglitter is.'

'Wat doe je hier?' vraag ik.

'Wat doe jíj hier?'

'Ik ben hier vanwege jou. Wat moet je nou met Xander Rutledge? Je weet toch wat een player hij is. De meisjes die met hem uitgaan...'

'Ah, de grote zus. Die elf minuten maken al het verschil, hè?' Ze leunt naar me toe. 'Ik zal je een geheimpje verklappen. Ik héb al een moeder. O ja!' Ze lacht. 'Dezelfde moeder als jij.'

Is ze dronken of zo? 'Ik weet dat je kwaad op me bent, maar je kunt echt beter niet met deze...'

'En jij wel?' Tamra gebaart naar de groep mensen en naar Will, die op me staat te wachten. 'Jij moest thuisblijven, weet je nog? Mam heeft tegen je gezegd dat je niet met hem uit mocht. Dus wat doe jij hier eigenlijk?'

Ik kijk nadrukkelijk naar het lege plastic bekertje in haar hand. 'Volgens mij zou mam ons allebei niet erg waarderen op dit moment.'

Tamra haalt haar schouders op en schuift met haar schoen. Een paar steentjes rollen van de helling af, de duisternis in. 'Ach ja. Wat was je van plan daaraan te doen, Jace? Ga je haar opbellen?'

'Alsjeblieft, Tamra. Kom met me mee...'

'En dan gezellig erbij zitten terwijl jij een date hebt?' Ze lacht kort. 'Dat dacht ik niet.'

'Will vindt het niet erg.'

'Hij niet.' Ze houdt haar hoofd schuin en maakt een onaangenaam geluidje in haar keel. 'Maar ík wel. Ik heb lang genoeg in jouw schaduw geleefd. Xander is gek op me en ik ben gek op hem.' Haar stem breekt even en ik geloof geen woord van wat ze zegt. Ze is helemaal niet gek op Xander. Ze doet gewoon alles wat nodig is om erbij te horen, en als ze mij daar toevallig kwaad mee maakt, is dat alleen maar een leuk extra-tje voor haar. 'Ga gewoon weg en laat mij met rust.' Ze draait zich om en loopt terug naar de groep.

'Jacinda?' Will komt door het donker naar me toe lopen.

Ik sta te beven en werp me in zijn armen. Hij streelt mijn gezicht, veegt mijn haar achter mijn oor en houdt me stevig vast. 'Gaat het? Zullen we hier weggaan?'

Weggaan? Niets liever. Tamra achterlaten? Er loopt een rilling over mijn rug.

Ik adem diep in en mompel tegen zijn borst: 'Ik vind het vreselijk om haar achter te laten met...'

'Xander...' vult hij grimmig aan.

Ik knik. Na alles wat Will over zijn neef heeft verteld, ben ik ervan overtuigd dat hij Tamra zal gebruiken. Dat hij haar pijn zal doen. Will en ik zijn onbereikbaar voor hem, maar hij heeft haar in zijn greep. Als hij denkt dat er iets met mij is, dat ik misschien een enkro ben, dan neemt hij vast en zeker aan dat Tamra ook iets te verbergen heeft. En zij is een makkelijk slachtoffer, omdat ze kwaad op me is en zo vreselijk genoeg heeft van het leven dat ze tot nu toe gedwongen was te leven.

'Krijg je haar niet mee?' vraagt hij.

'Ze is zo kwaad op me,' fluister ik met een brok in mijn keel.

'Ach, Jacinda.' Hij pakt mijn gezicht en leunt met zijn voorhoofd tegen het mijne. Dan kust hij me met droge, koele lippen. 'Geef jezelf hier niet de schuld van. Jij kunt er niks aan doen dat je bent wat je bent.'

Ik knik, maar ik weet niet zo zeker of dat wel zo is.

Eerlijk gezegd heb ik niet erg hard geprobeerd om te worden zoals mam en Tamra. Ik heb me er uit alle macht tegen verzet. Me tegen hén verzet. Ik heb me vastgeklampt aan mijn draki, terwijl het veel veiliger voor ons zou zijn als ik die maar gewoon liet verdwijnen. Ik ben hier zelfs gebleven toen Cassian me had gevonden. Misschien ben ik toch wel egoïstisch.

En nu is er maar één reden dat ik hier wil blijven, wat ik mezelf verder ook wijsmaak. De enige reden dat ik hier nog ben is Will. Ik ben verslaafd aan hem en kan niet meer zonder hem. Wat ook wel weer egoïstisch is.

Hij begint me weer te zoenen en ik laat me afleiden. Ik laat de zoen steeds heftiger worden en ben blij dat ik even kan vergeten waar ik ben.

Will is mijn steun en toeverlaat. Hij weet alles van me en vindt me evengoed leuk. Hij houdt van me. Hij begrijpt me. En hij is de enige die niet probeert om me te veranderen.

Ik trek me terug om hem aan te kijken. Mijn handen glijden over zijn stevige schouders. Onze adem vermengt zich, wordt steeds sneller. Zijn ogen glanzen als kleine gouden fakkels in het donker. Mijn vingers klemmen zich om zijn shirt en onze monden raken elkaar weer. Eén keer. Nog eens. We proeven van elkaar.

Plotseling voelen zijn lippen anders aan. Koud. IJskoud. Met tegenzin realiseer ik me dat ik het zelf ben. Hij is niet koud, maar mijn temperatuur loopt op. Mijn huid kraakt en sist als een druppel water op een hete kachel.

Het gedreun van de muziek verdwijnt naar de achtergrond. De stemmen en het gelach worden vager terwijl de hitte zich opbouwt en in mijn binnenste omhoogkomt als een opflakkerende vlam.

Ik zucht en voel hoe de stoom over mijn lippen wordt geblazen. Het is gebeurd voor ik het kan tegenhouden.

Will krimpt in elkaar en deinst achteruit.

'Jacinda...'

Voordat ik me terug kan trekken om de kou naar binnen te halen, zodat ik mijn vriendje niet verschroei, klinkt een stem die hetzelfde effect heeft. De warme gloed in mijn longen koelt af. Ik laat mijn handen van Will af glijden en draai me om.

'Nu begrijp ik waarom je hier wilt blijven!'

Ik zie Cassian meteen, als een grote, donkere gedaante die uit de duisternis tevoorschijn komt. Zijn haar zwaait langs zijn schouders terwijl hij op me af komt lopen. 'Had jij niet iets beloofd?' snauw ik.

Will verstrakt en trekt me naar zich toe om me te beschermen.

Cassian. De woede vibreert door mijn lichaam, komt door mijn poriën naar buiten.

Hij kijkt niet eens naar mij. Het lijkt wel of hij me niet ziet. Hij staart Will aan en vertrekt zijn lippen in een woedende grijns. 'Raak haar niet aan!'

'Cassian, hou op.' Ik krimp in elkaar en hou meteen mijn mond. Ik had zijn naam niet moeten zeggen.

Nu weet Will het.

Zijn blik glijdt naar mij. Er trilt iets naast zijn oog. 'Cassian?' vraagt hij.

Ik geef geen antwoord. Ik durf zelfs geen adem te halen. Dan komt de stoom die zich in mijn keel heeft opgebouwd naar buiten. De stoom die ik heel graag op Cassian zou willen loslaten. Ik draai me naar hem toe en staar hem strak aan. Met mijn ogen waarschuw ik hem dat hij zich moet gedragen.

'Is dít Cassian?' herhaalt Will. Blijkbaar is hij nu helemaal gefixeerd op dit punt en dat kan ik hem eigenlijk niet kwalijk nemen.

'Will, laat mij nou.'

'En jij wist dat hij hier was?' vraagt Will met strakke lippen. 'Zonder dat je er iets over hebt gezegd?'

Ik krimp in elkaar en geef toe: 'Hij heeft beloofd dat hij op een afstandje zou blijven.'

'Maar ik heb niet beloofd,' komt Cassian ertussen, 'dat ik rustig zou blijven toekijken als jij gaat staan zoenen met een of andere...'

'Hou je kop!' Ik draai me weer naar hem toe en de stoomwolkjes komen uit mijn neus.

Cassian kijkt naar de rookpluimpjes. Hij grinnikt tevreden, met een diep, dreigend geluid. Hij fluistert voldaan: 'Moet je nou kijken, Jacinda. Je bent wat je bent, daar kun je niets aan veranderen.' Hij werpt een blik op Will en zijn grijns verdwijnt als hij zich herinnert dat we publiek hebben... omdat hij denkt dat Will niets weet over wie ik eigenlijk ben. 'Kom nou maar met me mee, voor je iets doet waar we allebei spijt van krijgen.'

Ik kijk naar beneden, naar de huid op mijn armen, die in het donker opgloeit met een vurige gloed.

'Jij bent net als ik,' gaat hij verder. 'Je hoort hier niet. Je hoort niet bij hem.'

Naast me hoor ik Will grommen, diep in zijn keel. Zijn greep om mijn arm wordt steviger.

Ook Cassians huid begint te flitsen en de pikzwarte glans schemert erdoorheen. Hij steekt zijn hand naar me uit. 'Hou hiermee op. Kom nu met me mee.'

Ik open mijn mond om te spreken. Om te weigeren. Ik weet alleen een droog gekraak voort te brengen. Ik slik en bevochtig mijn lippen opnieuw. Maar ik krijg geen kans om nog iets te zeggen.

In een waas vliegt Will langs me heen. Hij duikt op Cassian en gooit hem op de grond.

Ze komen met een harde klap neer. Er stijgt een wolk rood stof op, dat hen aan het oog onttrekt. Ik sta te trillen op mijn benen en kijk met wijdopen ogen toe. Wat heb ik gedaan?

31

Meteen zijn ze veranderd in een warboel van rondmaaiende ledematen. Gegrom. Gevloek. Het geluid van huid die op huid dreunt.

'Stop! Hou op!' Ik spring opzij.

Ze rollen kronkelend over de grond. Kiezelsteentjes en grotere brokken steen worden losgewrikt en rollen over de rand, de steile helling af, het gretige duister in.

'Jacinda!' Tamra staat opeens naast me, met Xander aan haar zij. Gelukkig heeft de rest van de groep het een stuk verderop te druk met drinken en feestvieren om te merken dat er hier iets aan de hand is. 'Is dat Cássian?'

Ik knik bezorgd.

'Wie is Cassian?' wil Xander weten.

Will wringt zich los en duikt boven op Cassian. Hij haalt uit met zijn vuist en raakt Cassian vol in zijn gezicht. Ik verstijf bij het geluid van botten die elkaar raken. De koperachtige smaak van bloed vult mijn mond en ik merk dat ik op mijn lip gebeten heb.

Cassian lacht kil en voelt even aan het bloed dat uit zijn neus stroomt. Er knaagt iets in me. Het klopt niet. Will kan niet sterker zijn dan Cassian. Cassian is de sterkste draki die ik ken. Hij is een onyx-draki, een echte krachtpatser.

Tamra slaat haar arm om me heen en alle problemen tussen ons twee-en zijn vergeten.

'Tamra,' fluister ik en ik klamp me aan haar vast.

'Het is goed. Ik ben bij je.'

Ik voel me vreselijk. Het verdriet over wat ik gedaan heb, golft door me heen. Ik had het haar moeten vertellen, alles had ik moeten vertel-len.

Met al zijn kracht gooit Cassian Will van zich af. Met de kracht van een draki. Will komt op zijn zij terecht, zijn gezicht verwrongen. Met een enorme sprong duikt Cassian achter hem aan, en weer vormen ze een vechtende kluwen. Ze rollen over elkaar heen, en glijden van de schuine helling af.

Ik gil als ze doorrollen, steeds sneller, en elkaar intussen blijven stom-pen en slaan.

Dan beseft Will ineens wat er gebeurt. Hij stopt met vechten en klauwt zijn handen in de grond. Zijn vingers grijpen naar houvast en woelen de rode aarde los. Maar hij krijgt niets te pakken, zijn handen graaien in de lucht. Het gebeurt allemaal zo snel. Ik zie Wills gezicht. Zijn wilde blik. Zijn mond die openstaat in een schreeuw. Het geluid van stenen die snel naar beneden glijden.

Ik laat Tamra los en ren naar hem toe. Ik kan maar net stoppen voor de helling te steil wordt. Met mijn hart in mijn keel kijk ik toe hoe Will en Cassian uit het zicht verdwijnen, als een wegglijdende waas over de rotsachtige helling.

'Will!'

Ik waag het erop en ren nog een stukje door tot aan de rand van de afgrond. Tot waar hij is verdwenen, van de rots af, de wachtende duisternis in. Heel even is er niets anders te horen dan de dreunende muziek achter me.

In de diepte van de woestijn beneden hoor ik een paar afgrijselijke bonzen. Ik krimp in elkaar en sterf van binnen. Will die de bodem raakt.

Cassian kan het niet zijn. Cassian zou nooit vallen.

Ik klem mijn handen in elkaar tot bloedeloze vuisten en draai me om. Mijn hart staat stil. Ik voel pijn. Martelende pijn. Het doet zo zeer dat ik niet meer kan ademen. Stille tranen lopen over mijn wangen.

Tamra schudt haar hoofd alsof ze het niet kan geloven. Haar ogen staan fel, haast net zo wild als die van Will in die laatste momenten.

Ik krijg weer lucht. De adem komt als dikke, hete rook over mijn lippen.

In één oogopslag zie ik alles: Tamra's geschokte uitdrukking, Xanders bleke gezicht, met ogen die zo donker zijn als de nacht die ons omringt. Inktzwarte, ondoorgrondelijke poelen. Hij kijkt naar mij en ziet de stoom die uit mijn mond komt.

En het kan me niets schelen.

Het zal wel stom zijn, maar ik kan het niet stoppen. En Tamra weet het. Ze springt naar voren en strekt haar hand uit alsof ze me kan laten ophouden als ze me maar bereikt, aanraakt.

'Jacinda, nee!'

Het is in een oogwenk gebeurd. Voor ik het weet, vallen mijn ledematen op hun plaats, soepeler en langer en klaar om te vliegen. De richels komen huiverend omhoog op de brug van mijn neus, de mouwtjes van mijn bloes glijden over mijn armen heen en vallen zacht op de aarde. Mijn vleugels ontvouwen zich en klapperen achter me. Ik hef mijn lange, scherpe gezicht op en zet me af. Strek mijn armen uit. Mijn huid flakkert als vuur in de nacht terwijl ik in de lucht spring.

Dan duik ik naar beneden en zweef met een paar slagen van mijn vleugels door het donker. Naar Will.

Mijn instinct begint te werken en mijn zicht past zich aan de duisternis aan.

Warme lucht glijdt langs me heen terwijl ik door het donker zweef. Ik zeil op de wind zonder dat ik last heb van de dunne lucht, die zo warm en droog is dat het rond mijn lichaam knettert van de statische elektriciteit.

De angst vult mijn mond met een zure, metalige smaak. Maar het is geen angst om mezelf. Ik denk niet eens aan wat ik zojuist heb gedaan. Eén woord echoot door mijn hoofd. Eén naam. *Will.*

Later zal ik wel eens nadenken over de consequenties van mijn manifestatie recht voor Xanders neus. Nu niet. Nog niet. Later. Nadat ik Will heb gevonden. Levend. Dan zullen we samen wel iets bedenken.

Ik land aan de voet van de heuvel en zie niets. Geen spoor van Will. Ik stijg weer op. Ver boven me, op de top van Big Rock, hoor ik de muziek spelen. Langzaam zoek ik tussen de begroeiing, de salie en de cactussen. Mijn vleugels laten de warme, droge lucht om me heen wervelen. Will moet in de buurt zijn.

Hij kan niet weggevlogen zijn. In tegenstelling tot Cassian. Ik kijk over mijn schouder. Ook hij is vlakbij. Stil hangend in de lucht houdt hij alles in de gaten. Hij zal er niet erg gelukkig mee zijn dat ik mezelf heb blootgegeven, vooral niet omdat ik het deed om een mens te redden.

En dan nog wel de jongen met wie hij me betrapt heeft tijdens een potje zoenen.

'Jacinda!' Dat is Wills stem.

Mijn hart springt op. Ik ga op het geluid af en vind hem tegen de rotswand. Hij klampt zich vast aan een uitstekende kei, zijn biceps aangespannen en trillend van de inspanning.

De helft van zijn gezicht is bedekt met bloed. Er zit een diepe, bloedende snee in zijn rechterwenkbrauw. Het druppelt in zijn ene oog, dat zo opgezwollen is dat het dichtzit. Of dat aan Cassian te danken is of aan de val, weet ik niet.

Ik kom dichterbij, maar als ik vlak bij hem ben, merk ik dat er iets mis is.

Hij spert zijn goede oog wijder open als hij me ziet zoals ik werkelijk ben. 'Jacinda?' sist hij woedend. Is hij kwaad op me? 'Wat ben je in godsnaam aan het doen?'

Mijn blik blijft hangen bij het bloed dat over zijn gezicht loopt. Het bloed dat uit zijn wenkbrauw stroomt. *Paarsgekleurd bloed.*

Er komt een snik omhoog in mijn keel. 'Je hebt draki-bloed!' roep ik, maar dan herinner ik me dat hij mijn grommende spraak niet kan verstaan. Ik veeg met mijn hand over zijn gezicht en trek mijn glanzende, roodgouden vingers terug, bedekt met zijn bloed. Ik hou ze voor hem.

Hij staart naar mijn hand, terwijl hij zich nog steeds uit alle macht aan de rotswand vastklampt, en hij vloekt. 'Het spijt me, Jacinda! Ik wilde het vertellen…' In zijn verwarring raakt hij de grip kwijt en glijdt weg, laat de rots los en valt.

Ik duik naar beneden. Met een grom vang ik hem op.

Hij is stevig en zwaar. Hijgend probeer ik te voorkomen dat we allebei naar beneden storten. De hete adem giert tussen mijn tanden door van de inspanning.

Mijn vleugels werken hard, ze klapperen wild om ons rustig te laten zakken. Mijn spieren branden tot diep in mijn rug. Intussen kan ik maar aan één ding denken: *Hij heeft draki-bloed.*

Als we eenmaal op de grond staan, laat ik mijn handen langs zijn lichaam glijden, om te onderzoeken of hij ernstige verwondingen heeft. Hoewel ik hem op dit moment zelf wel zou willen verwonden.

Met zijn blik verslindt hij me. Hij lacht flauwtjes en raakt mijn wang aan. 'Je bent precies zoals ik het me herinner.'

Ik grauw naar hem, zo vreselijk kwaad ben ik. Hoe kan hij draki-bloed hebben? Ik dacht dat we geen geheimen meer voor elkaar hadden. Ik ben net nog een afgrond in gesprongen voor hem. Ik ben gemanifesteerd voor Xanders neus.

Opeens vallen alle puzzelstukjes op een afschuwelijke manier op hun plek. De band tussen ons, de reden waarom hij zo'n uitmuntende spoorzoeker is en waarom hij zich zo tot mij aangetrokken voelt. Dat gevoel dat we elkaar kennen. Het lijkt opeens allemaal zo onecht. Heel anders dan wat we eerst hadden.

Hij schudt zijn hoofd en krimpt in elkaar alsof die beweging hem zeer doet. 'Wees alsjeblieft niet boos op me. Ik kan het uitleggen. Het is gebeurd toen ik ziek was. Kanker had... Mijn vader heeft me draki-bloed gegeven. Hij liet me geen keus. Hij had mijn moeder al verloren en was niet van plan om mij ook nog te verliezen.'

Ik buig mijn hoofd en probeer grip te krijgen op mijn woede en alle andere emoties die door me heen gieren. Zijn woorden klinken als een soort gezoem in de verte.

Er steekt een briesje op en mijn haren worden van mijn schouders geblazen. Op een windstille avond.

Bliksemsnel draai ik me om en de hitte vlamt op in mijn binnenste. Ik blaas mijn smeulende adem uit terwijl er een slanke, donkere schaduw naast me landt, met enorme, iriserende vleugels, die paars oplichten. Cassian.

Dan zie ik dat hij niet alleen is. Hij houdt Tamra zo dicht tegen zich aan dat ik haar in eerste instantie niet had opgemerkt. Ik zie haar pas als hij haar loslaat. Ze struikelt bij zijn donkere lichaam vandaan alsof ze niet snel genoeg van hem kan wegkomen. Haar amberkleurige ogen spuwen vuur, maar ik ben blij dat hij haar heeft opgehaald... ik ben opgelucht dat hij haar niet heeft achtergelaten bij Xander en de andere jagers boven op Big Rock.

Maar Cassian kijkt niet naar Tamra. Zijn paarsachtige zwarte ogen glanzen dreigend in het donker... eerst in mijn richting, dan naar Will.

De angst bijt zich met scherpe tanden in me vast, maar ik geef er niet aan toe. Ik ga voor Will staan en probeer hem achter mijn lichaam te verbergen.

32

Cassian in volle manifestatie is een angstaanjagend gezicht. Ik heb hem al vaak zo gezien, maar hier, nu, zonder kolonie, lijkt hij nog afschrikwekkender. Hij is groter dan in zijn menselijke gedaante. Spieren en pezen rollen onder zijn glanzende zwarte huid. Zijn enorme vleugels lijken haast leerachtig. Heel anders dan de fijne spinragstructuur van mijn vleugels.

Ik buig voorover en adem diep in, laat de smeulende hitte zich opbouwen en maak me klaar om Will en mezelf te verdedigen.

Achter me krabbelt Will wankelend overeind, maar ik wou dat hij bleef liggen. De paarsachtig zwarte blik van Cassian schiet naar hem toe, alsof hij een hongerig roofdier is dat klaarstaat om toe te slaan. Hij heeft zijn vleugels achter zijn rug gevouwen. De adem komt sissend tussen zijn tanden door.

'Ga achteruit!' brul ik.

Hij houdt zijn hoofd schuin alsof hij iets hoort in de verte en zegt met zijn dikke stem: 'Ze komen eraan.'

Dan hoor ik het ook. De stemmen van Xander en de anderen, die naar ons op zoek zijn.

'We moeten gaan,' gebiedt Cassian. 'Nu, Jacinda...'

Tamra kijkt zwijgend toe, ze is merkwaardig kalm voor haar doen.

Opeens dringt het tot Will door dat ik op het punt sta om te vertrekken – waarschijnlijk voorgoed. Hij grijpt mijn hand en draait me naar zich toe. Fel zegt hij: 'Nee, Jacinda. Doe het niet. Dénk er zelfs niet aan. Ga niet weg met hem.'

Met ieder woord wordt zijn greep om mijn hand steviger.

Zijn gezicht wordt wazig en ik knipper de tranen weg. Ik vecht tegen de snikken die in mijn keel opwellen.

'Ik laat je niet gaan...'

Er vormen zich woorden op mijn lippen, maar ik spreek ze niet uit. *Ik kan niet blijven, Will. Nu niet meer. Het spijt me heel erg.* Kon ik ze maar zeggen. Kon hij ze maar begrijpen.

Toch is het net alsof hij me heeft verstaan. 'Nee, Jacinda!' Zijn blik glijdt naar de plaats waar Cassian staat, vlak achter me. Hij krult zijn lippen. 'Je gaat met hem mee. Terug naar de kolonie.' Hij zegt het alsof ik mijn dood recht in de armen zal lopen. En op een bepaalde manier, bedenk ik, is dat precies wat ik doe als ik meega met Cassian.

'Nee,' schreeuwt Tamra opeens vanaf de zijkant, alsof ze wakker is geschrokken uit een droom en begint te begrijpen wat er aan de hand is.

Ik schud mijn hoofd en streel Wills gezicht met mijn vurige gouden vingers, om hem gerust te stellen.

'Hij mag je niet hebben.'

Cassian doet dreigend een stap naar ons toe en gromt in de drakitaal, ook al kan Will daar niets van verstaan: 'Daar heb jij niets over te zeggen, mensenkind.' Dan verplaatst hij zijn blik en zijn donkere ogen boren zich in de mijne. Ondanks zijn belofte dat hij me nergens toe zal dwingen, voel ik me onbehaaglijk onder zijn bezitterige blik.

Will ziet het ook. Hij rukt zich van me los en wankelt naar Cassian toe.

'Ze is je eigendom niet,' zegt hij zacht.

Dan ziet Cassian wat ik al eerder heb opgemerkt: het paarsachtige bloed dat over Wills gezicht druppelt, als inkt uit een pen. Hij ziet het en begrijpt meteen dat Will geen gewoon mens is. Ik hou mijn adem in en hoop dat hij niets zal doen.

Met een brul stormt Cassian op Will af. Net voor ze elkaar bereikt hebben, spring ik tussen hen in en duw mijn handen tegen hun borstkassen, voel hoe hun harten woest kloppen tegen mijn handpalmen.

'Ophouden! Jullie allebei. Cassian, kappen nou!'

Will grijpt mijn hand vast en drukt die stevig tegen zijn hart. Hij kijkt me hartstochtelijk aan met zijn bebloede gezicht. Ik knipper en kijk van hem weg, want ik wil dat paarse bloed niet zien… het bewijs dat zijn vader iemand het leven heeft ontnomen voor hem.

Cassian begint diep in zijn keel te grommen. Ik steek waarschuwend mijn vinger op, alsof dat zal helpen als hij van plan is om Will aan stukken te scheuren. Dan hoor ik iemand mijn naam roepen. En die van Will, nog dichterbij.

Will kijkt gealarmeerd in de richting van de stemmen. 'Hebben ze je gezien? Zoals je nu bent?' Zijn goede oog kijkt me aan met een koortsachtige blik. 'Heeft Xander je zo gezien?'

'Wat dacht je dan?' sist Tamra met een onnatuurlijk bleek gezicht. 'Ze deed het om jou te redden!'

Will kijkt me nog steeds aan; hij wacht op een bevestiging. Ik knik eenmaal, met een moeizaam, gepijnigd gebaar.

Dan zakt zijn hele lichaam in elkaar. Al zijn strijdlust is verdwenen.

Hij laat zijn hoofd hangen en haalt zijn handen door zijn haar. 'Jacinda.' Zijn stem klink zacht en verdrietig nu hij het eindelijk begrijpt.

Als ik blijf, wordt dat mijn dood. We weten allebei dat ik geen keus meer heb. Ik moet vertrekken.

De voetstappen komen dichterbij, een hele massa voetstappen. Ik loop weg van Will, naar Cassian toe.

'Jacinda.' Wills stem klinkt verstikt van de emotie. Hij kijkt alsof hij me weer naar zich toe wil trekken en een deel van mij hunkert daarnaar, ondanks alles.

Ik kijk diep in zijn ogen en probeer op die manier over te brengen wat ik niet durf te zeggen waar Cassian bij is. Hij vermoedt toch al veel te veel. *Ik hou van je, ook al zou ik dat niet moeten doen. Ook al leef je dankzij gestolen draki-bloed.*

Will begrijpt het, dat zie ik in zijn ogen. Aan de pijn die hij voelt. Dezelfde pijn die ik voel.

Terwijl ik hem blijf aankijken, schud ik vol spijt mijn hoofd. Om de kans die we zijn kwijtgeraakt. De kans die we misschien wel nooit echt hebben gehad. Maar niet omdat ik hem heb gered. Dat zou ik zo weer doen, koste wat het kost.

Ik loop weg van Cassian en ren naar Will toe. Het kan me niet schelen dat Cassian toekijkt. Vlak bij zijn lippen zeg ik snel in mijn eigen taal: 'Ik hou van je.' Ik wilde dat ik hem kon zoenen, dat ik mijn vurige lippen op de zijne kon drukken, maar dat durf ik niet.

Hij verstijft en de pijn staat op zijn gehavende gezicht te lezen. Hij pakt mijn gezicht tussen zijn handen en houdt me vast. 'Het is nog niet voorbij. Dit is nog niet afgelopen, Jacinda.' Hij kijkt me nadrukkelijk aan, met glanzende ogen. 'Ik zal je vinden. Zeker weten. We zullen weer samen zijn.'

'We moeten weg hier,' schreeuwt Tamra.

Mijn ogen branden. Het lijkt onmogelijk, maar ik wil dat het waar is. Maar dat kan niet. Hij kan niet achter me aan komen, want dat wordt zijn dood.

Ik schud mijn hoofd, maar de overtuiging ontbreekt.

Zijn vingers drukken krachtiger in mijn wangen. 'Twijfel daar nooit aan. Ik zál je vinden.'

'Jacinda,' gromt Cassian. 'Ze komen eraan!'

Ik wijk achteruit. De pijn is bijna niet te verdragen, als een kronkelende massa die op mijn borst drukt, zodat ik bijna niet kan ademen. Wills handen glijden van mijn gezicht.

Cassian is al opgestegen met Tamra in zijn armen.

Ik blijf zo lang mogelijk naar Will kijken. Ik blijf zijn blik vasthouden terwijl mijn vleugels beginnen te werken en ik me afzet, de ijle lucht in. Daarvandaan blijf ik naar beneden kijken tot ik hem bijna niet meer kan onderscheiden. Tot hij uit het zicht verdwenen is.

We vliegen een paar kilometer tot Cassian naar beneden gebaart en afdaalt naar zijn auto, die hij langs een verlaten landweg heeft achtergelaten.

In een oogwenk is hij gedemanifesteerd.

Het kost me moeite om hetzelfde te doen, en ik steun met mijn hand op de auto. Voor mij duurt het langer omdat ik te geëmotioneerd ben. Overstuur. Ik sluit mijn ogen en concentreer me. Haal het beeld van mezelf als mens voor mijn geest. Uiteindelijk voel ik hoe mijn vleugels zich in mijn rug vouwen. Ik hijg van de inspanning.

De hitte verdwijnt uit mijn binnenste. Als ik mijn ogen opendoe, staat Tamra naar me te kijken.

'Hoe kón je dat doen?' Ze staat te trillen en ziet zo bleek dat ik bang ben dat ze zal flauwvallen. Ik heb nog nooit meegemaakt dat ze zo van streek was en ik voel me enorm schuldig. Over alles wat ze vanwege mij moet doormaken...

'Instappen jullie, allebei,' gromt Cassian. Hij rukt het portier open en pakt de sleutel van de zonneklep.

Tamra gaat op de achterbank zitten.

Ik verroer me niet. Rillend in de koele woestijnnacht sta ik aan de bestuurderskant naast de auto. Mijn kleren zijn verdwenen, die liggen ergens kapotgescheurd op de grond.

Cassian ramt met zijn grote hand de sleutel in het contactslot en kijkt naar me. 'Jacinda.' Zijn stem klinkt alsof hij het tegen een klein kind heeft. Op dat moment haat ik hem. Ik haat hem vanuit de grond van mijn hart. 'Stap in. We moeten hier weg.'

'Dit is allemaal jóúw schuld!'

Hij rolt met zijn ogen. 'Het was niet de bedoeling. Maar als je me vraagt of ik blij ben dat ik je romantische onderonsje met die moordenaar heb onderbroken, dan is het antwoord: echt wel! Zeker weten.' Ik schud mijn hoofd terwijl hij heftig knikt, met een vastberaden gezicht. 'Is hij een jager?' Zijn stem klinkt als een zweepslag. 'Hoe komt hij aan óns bloed, Jacinda? Leg dat eens uit?'

'Will is geen moordenaar.' Dat weet ik tot in het diepst van mijn ziel. Ik kén Will. 'Dat is hij... gewoon niet.' Meer kan ik niet uitbrengen. Ik kan mezelf niet verdedigen, want ik kan de waarheid niet ontkennen. Will ís een jager. Maar hij is zo veel meer.

'Een moordenaar?' roept Tamra vanaf de achterbank. Haar stem klinkt schril. 'Waar hebben jullie het over?'

'Hij is een jager,' deelt Cassian haar mee.

Ik heb zin om hem te slaan. Om hem pijn te doen. Net zo veel pijn als ik heb. Een golf hitte vult mijn longen. Bang voor waartoe ik in staat ben, doe ik een stap naar achteren, weg van de auto. 'Je begrijpt het niet.'

Zijn ogen lichten paars op en zijn pupillen trekken samen tot spleetjes. 'Stap in de auto. We kunnen hier niet blijven. Niet na alles wat er gebeurd is.'

Ik slik het brandende gevoel in mijn longen weg en knik. De keuze is voor mij gemaakt. 'Dat weet ik.' Terwijl ik om de auto heen loop, zeg ik: 'Laten we opschieten. We moeten naar mam toe.'

'Waarom?'

Ik stop even en kijk naar zijn donkere gedaante achter het vuile voorraam. Dan loop ik naar de passagierskant. 'Ze kunnen haar wel vermoorden omdat ze mijn moeder is.'

'Wie? Xander?' vraagt Tamra vanaf de achterbank. 'Waarom zou hij mam vermoorden? Alleen omdat hij heeft gezien hoe Jacinda manifesteerde? Hij weet heus niet wat hij zag. Hij zal er niets van begrijpen.'

Cassian negeert haar verwarring en daar ben ik dankbaar voor. Dit is niet het meest geschikte moment om te vertellen hoe het zit met Will en zijn familie.

'De enige die me interesseert, ben jij,' antwoordt Cassian met vlakke stem. 'Ik wil jou thuisbrengen. Tam is ook welkom…'

'Goh, bedankt,' mompelt ze.

'Maar je moeder is degene die je bij ons heeft weggehaald. Ze zullen haar niet graag zien terugkomen.'

'Je haalt nu mijn moeder op, of ik ga helemaal nergens naartoe met jou,' dreig ik. Mijn handen ballen zich tot vuisten.

'Mij best. Maar ze zal niet welkom zijn… en ze wil zelf ook niet meer in de kolonie wonen,' zegt hij kortaf. Alsof ik dat nog niet wist.

'Nou, dat geldt ook voor mij.' Tamra slaat met haar vuist tegen de achterkant van Cassians stoel.

Even richt Cassian zijn aandacht op haar, met een ondoorgrondelijke uitdrukking op zijn gezicht. Op dit moment lijkt hij in niets op de jongen die tegenover me in het zomerhuis stond. Die zachtere, liefhebbende kant van hem die ik toen even dacht te zien, is nu nergens te bespeuren. Deze Cassian heeft niet eens een hart.

Ik doe mijn mond al open om hem de wind van voren te geven. Om onder zijn neus te wrijven dat mijn moeder en mijn zus echt wel met mij mee willen. Tenslotte zijn het mijn moeder en mijn zus. We horen bij elkaar.

Maar ik zeg niets. Omdat ik het eigenlijk niet weet. De waarheid kijkt me recht in het gezicht: de laatste tijd heb ik alleen gedaan wat mij het beste uitkwam, zonder dat ik me iets van hen aantrok. Misschien verdien ik hen helemaal niet meer.

Maar ze moeten wel weten wat er is gebeurd, helemaal vanaf het begin. Ik moet hun eindelijk alles vertellen. Ik kijk over mijn schouder naar Tamra. 'Ik weet niet of mam en jij met me mee willen komen of niet, maar jullie kunnen hier niet meer blijven. Niet nu ik mezelf heb laten zien in mijn ware gedaante.'

Ze staart me aan en haar bleke gelaatskleur begint me nu echt zorgen te baren. 'Goh, komt dat even mooi uit. Nu krijg je alles wat je de hele tijd al wilde.'

Door Will achter te laten? Niet bepaald.

'Laten we het daar nu niet over hebben, Tamra. Het is gewoon een feit dat jij ook moet vluchten.' Dankzij mij. Door alles wat ik heb gedaan, heb ik ervoor gezorgd dat mam en zij hier ook weg moeten. De vraag is alleen: zullen ze me erom haten? Zullen ze mij achterlaten bij

Cassian en de kolonie, en zelf ergens anders opnieuw beginnen tussen de mensen?

Of zal mam haar leven weer opofferen? En dat van Tamra? Voor mij? Ik mag het niet van ze verwachten. En ik zal het ze niet kwalijk nemen als ze een hele andere kant op gaan zonder mij.

Vanavond heb ik mijn vrijheid verloren. Ik heb Will verloren. Zal ik ook mam en Tamra verliezen?

Terwijl Cassian de auto keert en terugrijdt in de richting van de stad, staar ik uit het raam de duisternis in. Ik denk aan die vreselijke rit een maand geleden, toen we de kolonie verlieten. Toen was ik bang en wilde ik eigenlijk niet mee.

Nu is het net zo. Ik zit op de passagiersstoel van een auto en ben weer op weg naar een toekomst die ik niet zelf heb gekozen. Ik vind het vreselijk dat ik met Cassian mee moet gaan en vraag me af of ik Will ooit nog terug zal zien. Ondanks zijn belofte lijkt het me onwaarschijnlijk dat hij mij zal vinden.

'Je zult moeten boeten voor wat je vanavond hebt gedaan,' deelt Cassian me mee terwijl we hard over de donkere weg rijden.

Dat had ik natuurlijk kunnen verwachten. Ik zal moeten boeten. Voor het onthullen van het grootste geheim van onze soort. Voor het weglopen. En voor Will. Ja, ook voor Will.

Ik richt mijn blik op Cassian. Een tegemoetkomende auto werpt een onbarmhartig licht op zijn gezicht. Ik kan de grimmige lijn van zijn op elkaar geknepen lippen duidelijk zien. Met moeite slik ik.

'Ik zal mijn best doen om je te beschermen...' Zijn woorden blijven hangen, als trage, kringelende rook.

'Laat ze mijn vleugels niet afknippen,' smeek ik.

Zijn donkere blik glijdt over mijn gezicht en wordt even zachter. 'Ik zal het proberen, Jacinda. Ik zal het proberen.'

Daar moet ik het mee doen. Beverig haal ik adem en kijk weer naar buiten, de duisternis in. Ik werp een blik over mijn schouder. Achter me rijst Big Rock op, als een enorme, slapende gedaante.

Er klinkt een geluid in de nacht, boven het lage gebrom van de motor uit. Ik krijg kippenvel als ik de vertwijfelde kreet hoor, zo wanhopig klinkt die. Alsof hij de weg kwijt is. De woestijnkwartel, noemde Will hem. Op zoek naar zijn partner. Naar familie. Naar een thuis.

Ik voel met hem mee. Met het hartverscheurende geluid in mijn oren, doe ik mijn ogen dicht en leun naar achteren tegen de hoofdsteun. We zullen er zo wel zijn.

Dankwoord

Zonder de steun en het enthousiasme van mijn agent, Maura Kye-Casella, zou ik niet eens begonnen zijn de wereld van *Firelight* te scheppen. Ze heeft geen moment aan me getwijfeld toen ik vertelde dat ik fictie voor Young Adults wilde schrijven. Ik maak een diepe buiging voor iedereen bij HarperTeen, voor jullie enthousiasme voor dit project. Farrin Jacobs en Kari Sutherland, jullie zijn geweldig. Dankzij jullie inzicht heb ik enorm veel geleerd over de schrijver die ik ben. Zonder jullie zou Jacinda's leven lang niet zo moeilijk en ingewikkeld zijn geweest.

Ik ben bevoorrecht dat ik mijn familie en mijn vrienden heb, die elke dag weer snappen wat ik wil bereiken. Jullie begrijpen welke reis ik afleg, welke gevechten ik moet leveren en jullie vieren samen met mij de successen. Niemand is meer betrokken dan Jared. Dank je dat je samen met mij in de achtbaan bent gestapt, lieverd. Lieve prins en prinses van mijn kasteel: zonder jullie was dit boek nooit geworden wat het nu is. Jullie tweeën zorgen dat het allemaal de moeite waard is.

Ik ben veel liefde en dank verschuldigd aan mijn ongelooflijke ouders, Eugene en Marilyn Michels, die altijd alleen maar het beste in mij zagen. Heel veel dank aan mijn geweldige vriendin en getalenteerd schrijver Tera Lynn Childs: jij wist al dat ik in deze richting ging voor ik het zelf in de gaten had. Bedankt voor de talloze uren die we over boeken hebben gepraat, over het leven en alles wat daartussen zit. Carlye, Lindsay, Jane, Lark en Ginny: wat zou ik zonder jullie moeten? Mijn leven zou lang zo mooi niet zijn zonder de steun, liefde en het plezier dat jullie me gegeven hebben.

Sophie Jordan groeide op in het heuvelachtige Texas, waar ze vooral veel fantaseerde over draken, ridders en prinsessen. Tegenwoordig woont ze in Houston, waar ze onder meerdere pseudoniemen historische romans en paranormale verhalen schrijft.

Als Sophie niet aan het schrijven is, besteedt ze veel van haar tijd aan het halen van haar cafeïnekick (het liefst met lattés en Cherry Coke light), heeft ze het met iedereen die maar luisteren wil, over plots óf kijkt ze op tv naar misdaadseries en reality-shows.

Waarom ben je gaan schrijven over draken?

Ik wilde een romantisch verhaal schrijven met paranormale elementen erin en omdat ik draken zulke romantische dieren vind, vond ik deze daar perfect bij passen. Daarnaast zijn er volgens mij niet zo veel drakenboeken en ik dacht dat ik wel een goed boek over draken kon schrijven.

Waar haalde je de inspiratie voor de draki-wereld vandaan?

Die wereld ontstond eigenlijk heel geleidelijk. Ik stelde mezelf heel veel 'wat als?'-vragen, totdat ik zelf een paranormale wereld had bedacht, die vol zat met conflicten, avontuur en natuurlijk romantiek.

De draki staan aan de basis van de wereld van *Firelight*. Ik ben altijd al gefascineerd geweest door de evolutie van dieren. Een wezen kan beginnen als waterdier en dan ineens, BOEM, duizenden jaren later loopt het over land. Dat is toch gek? En dat komt allemaal door de drang om te overleven.

Op de een of andere manier begon mijn creatieve geest te werken op het moment dat ik mijn focus had gelegd op draken. Dat was best raar, want ik heb nog nooit een boek over draken gelezen en ik lees heel weinig fantasy. Oké, ik lees eigenlijk nooit fantasy, dus ik had helemaal geen basis voor de wereld van *Firelight*. Toch raakte mijn hoofd overvol met 'wat als?'-vragen. Wat als draken geëvolueerd zouden zijn? Wat als ze echt hadden geleefd? Hoe zouden ze er nu uitzien? En misschien nog wel belangrijker: welk gevaar zou ertoe geleid hebben dat ze in eerste instantie moesten evolueren? En zou dat gevaar nog steeds bestaan? Het antwoord op die vraag zou natuurlijk 'ja' zijn.

Wat is, volgens jou, een draki precies?

De draki zijn een heel kwetsbaar ras, ondanks dat ze afstammen van grote, geweldige prehistorische dieren. De sterkste verdediging van de draki is dat ze kunnen veranderen in een menselijke vorm. Ze brengen veel van hun tijd op deze manier door, bijna alsof ze menselijk zijn. Maar dat zijn ze niet en dat zullen ze nooit vergeten.

Draki's kunnen niet alleen vliegen, maar hebben nog een vaardigheid. Ik noem dat een talent. Draken bezaten oorspronkelijk alle talenten; ze waren oersterk, konden zichzelf onzichtbaar maken (erg handig als je achterna wordt gezeten door jagers), ze konden kieuwen laten opkomen waardoor ze onder water konden zwemmen, ze konden edelstenen vinden onder het aardoppervlak en misschien wel de beroemdste: ze konden vuurspuwen. Maar voor hun evolutie moesten ze een hoge prijs betalen: ze verloren al hun talenten en de draki hebben er ieder nog maar een.

Vond je het moeilijk om te schrijven over Jacinda?

Ze is waarschijnlijk het makkelijkste personage waar ik ooit over geschreven heb. Niet om haar te kort te doen, maar ik had het gevoel dat ik haar al vanaf de eerste pagina kende. Het was niet zo dat ik tijdens het schrijven pas na honderd pagina's achterover kon leunen en dacht: O, nou weet ik wat er allemaal in haar hoofd omgaat!

Waarom voelen Will en Jacinda zich zo tot elkaar aangetrokken?

De relatie tussen Jacinda en Will is veel meer dan (alleen maar) puberaal gedrag. Ze zijn niet alleen maar tot elkaar aangetrokken omdat ze niet samen mogen zijn, of alleen maar omdat het een verboden liefde is. Het zit veel dieper.

Ik denk dat Jacinda en Will zich vanaf het eerste moment in elkaar herkenden. Ze lijken eigenlijk best wel op elkaar. Hij is een jager die haar op de dag van de ontmoeting had moeten vangen. Hij had zijn kans moeten grijpen, maar dat deed hij niet en hij redde haar. Waarom deed hij dat? En dan is er Jacinda, die door de hele kolonie geroemd wordt om haar talent. Ze zou blij moeten zijn met het feit dat ze zo speciaal is. Ze heeft haar hele leven nog voor zich en zou met trots haar plaats in de kolonie moeten innemen, maar dat kan ze niet. Dus op die manier zijn ze allebei outcasts in hun eigen wereld.

Waarom heb je gekozen voor de moeilijke, stroeve relatie tussen Jacinda en Tamra?

De relatie tussen Tamra en Jacinda is een heel belangrijk, dynamisch element in het boek. De zussen hebben een hele moeilijke relatie: het gaat heen en weer tussen liefde en haat en andersom. Tussen loyaliteit en wrok.
Ik vond het heel erg leuk om hen te martelen. Ik weet dat het nogal sadistisch klinkt, maar ik heb nooit een zus gehad en ik denk dat ik dat gemis heb opgevuld door hun relatie op deze manier te beschrijven.

Kun je ons iets vertellen over het tweede boek?

Zonder spoilergevaar kan ik je vertellen dat het boek begint met een enorm schokkende twist. Je bent nog niet eens veertig pagina's in het verhaal als het gebeurt… Ik ben zo benieuwd naar jullie reacties!
Wat ik jullie nog meer kan vertellen? Nou, het eerste boek speelt zich voornamelijk af in de mensenwereld, maar het tegenovergestelde zal

gebeuren in het tweede boek. Je leest veel meer over het leven in de kolonie en ik vond het ontzettend leuk om deze wereld uit te breiden. Je zult nieuwe personages leren kennen en oude opnieuw ontmoeten... Het wordt geweldig!